KB086589

해상보험론

박명섭, 한낙현, 허재창, 조종주
신건훈, 김성국, 허윤석, 이재성
공저

아카데미프레스

서 문

해상보험이란 해상위험에 의해 발생된 손해보상을 목적으로 하는 보험으로 국제물류, 대금결제와 더불어 국제무역에 불가결한 3대 지주 중의 하나이다. 이것은 단지 국제무역의 지원에 있어 빠뜨릴 수 없는 제도일 뿐만 아니라 해운, 무역, 조선, 해양오염 등 해사기업의 해사위험에 대한 위험관리수단으로서 그 역할의 중요성이 더욱더 증대하고 있다.

오늘날 해상보험은 보험제도 중 그 역사가 가장 오래된 제도이며 오늘날의 다른 보험제도에 있어 그 근원을 제공한 것이다. 또한 해상보험은 세계경기(세계무역)와 가장 밀접하게 연관된 보험이지만, 선진국일수록 가계성보험의 비율이 증가하기 때문에 전체보험시장에서 해상보험의 비율이 감소하는 경향이 있다.

해상보험은 운송의 위험에 대해 지리적 또는 어떤 시기에서 어떤 시기까지, 화물을 담보하는 거래의 필요를 충족하는 정밀한 지식의 실체이다. 지식의 실체라고 불리는 다른 많은 유사한 거래의 경우와 마찬가지로 우리들은 이론과 실무를 융합시키는 것이 필요하다. 이에 이 책은 해상보험의 원칙 및 위험을 분산하고 위험이 있는 특정 기업 또는 개인에게 부과되는 충격을 경감하기 위해 보험자 및 피보험자가 취할 수 있는 이론과 실무적인 면을 설명하고 있다.

이 책은 해상보험을 처음 배우는 무역학(국제통상학)을 전공하는 학생뿐만 아니라 손해보험사의 해상보험관계 당사자, 무역종사자, 은행의 외국환업무 담당자 등을 위하여 단기간에 해상보험에 대한 이해의 폭과 깊이를 더하고 나아가 실무거래에 활용함과 동시에 해상보험의 기초실력 완성을 도모하고자 출간하게 되었다.

이 책의 구성은 전부 14개 장으로 되어 있는데 제1장은 위험과 보험의 관계에 대해 설명한다. 제2장은 해상보험의 역사를 설명함에 있어 주로 영국을 중심으로 설명한다. 제3장은 해상보험의 분류에 대해 설명한다. 제4장은 무역거래조건과 해상보험에 관한 것으로 Incoterms 2010에서 규정하고 있는 11가지의 조건, 이들 주요 조건과 해상보험과의 관계에 대해 설명한다. 제5장은 해상보험계약에 관한 것으로 해상보험의 개념, 해상보험계약의 법률적 성격 등에 대해 설명한다. 제6장은 해상피보험이익에 관한 것으로 피보험이익의 개념, 피보험이익의 평가 등에 대해 설명한다. 제7장은 고지의무와 담보에 대해 설명한다. 제8장은 해상보험과 약관에 관련된 것으로 여기서는 보험증권의 개념, 영문 해상보험증권에 대해 설명한다. 제9장과 제10장은 협회적하약관과 협회기간약관(선박)에 대해 각각 설명한다. 특히 협회적하약관의 경우에는 2009년 약관을 중심으로 설명한다. 제11장은 해상위험에 관한 것으로 해상위험의 변동, 위험부담과 인과관계 등에 대해 설명한다. 제12장은 해상손해에 관한 것으로 손해보상원칙과 입증책임, 공동해손 등에 대해 설명한다. 제13장은 P&I 보험에 대해 P&I 클럽의 조직, 담보위험과 면책위험 등을 중심으로 설명한다. 마지막으로 제14장은 해상재보험의 기능과 재보험자의 형태에 대해 설명한다.

위와 같은 내용으로 구성되어 있는데, 이 책이 해상보험의 기초를 완성하는 지침으로서의 역할을 다하여 모든 독자에게 많은 도움이 되기 바란다.

끝으로 작금의 출판사정의 어려움에도 불구하고 이 책의 편집 및 출판을 맡아준 아카데미프레스에 감사의 뜻을 전하는 바이다.

2013년 9월
저자 일동

차 례

제6장 해상피보험이익

제7장 고지의무와 담보

제8장 해상보험증권과 약관

제9장 협회적하약관

제10장 협회기간약관－선박

제11장 해상위험

제12장 해상손해

제13장 P&I 보험

제14장 해상재보험

제1장 위험과 보험

제1절 위험의 정의

인간은 제한된 경제적, 사회적 여건 속에서 무한한 욕구를 충족시키기 위해 지속적인 선택활동을 행하고 있다. 끊임없는 선택행위를 요하는 인간의 경제생활은 항상 위험을 수반하며, 인류의 역사는 끊임없이 변화 · 발전하는 위험에 대한 응전의 역사라고 할 수 있다. 한편 인간은 태어나는 순간부터 죽는 순간까지 위험과 불확실성 속에서 살아가고, 오늘날에도 위험은 환경오염, 에이즈, 암, 컴퓨터 바이러스, 해킹 등의 새로운 모습으로 끊임없이 생성되고 있다.

위험을 의미하는 영어 'Risk' 란 단어는 불어 'Risque' 에서 유래된 말로서 이 단어가 사용되기 시작한 것은 17세기 중엽이며, 이 단어가 사용되기 전에는 '위태(hazard)' 라는 용어가 위험과 가장 가까운 의미로 사용되었다.[1] 보험의 대상인 위험에 대해서는 다양한 정의가 존재하지만, 2가지로 대별하면 '손해발생의 가능성(possibility of loss)' 과 '손해발생의 불확실성(uncertainty concerning the occurrence of a loss)' 으로 분류된다.

상기 정의는 위험의 구성요소로서 공통적으로 '우연성' 의 요소와 '손해' 의 요소를 내포하고 있다. 여기서 우연성이란 특정 사고의 발생가능성이 존재하지만 불확실한 상태, 즉 사고의 실제 발생 여부, 발생시기 또는 발생의 정도에 관한 불확실

1) 정홍주, 『알기 쉬운 보험상식』, 21세기북스, 1994, p.21.

성을 의미한다.[2] 또한 '손해'란 '원하지 않은(undesired) 또는 의도하지 않은(unintentional) 자산가치의 하락 또는 소멸'을 의미한다. 결과적으로 위험이란 "우연한 사고발생으로 인하여 초래된 의도하지 않은 인적 · 경제적 자산가치의 하락 또는 소멸의 가능성"이라고 정의 내릴 수 있다.

제2절 위험의 분류

1. 순수위험과 투기위험

1) 순수위험

순수위험(pure risk)은 이익의 발생가능성은 전혀 없고 손실의 발생가능성만 내포한 순수한 의미의 위험으로서 인위적으로 만들어진 것이 아니라, 이미 위험 그 자체로서 존재하는 위험을 의미한다. 보험의 대상이 되는 위험은 순수위험에 포함되는 것이지만 순수위험의 모두가 부보가능한 위험은 아니고 일정조건이 필요하다. 그리고 순수위험 중 부보가능한 위험은 일반적으로 인적 위험, 재산위험, 법적 배상책임위험으로 분류된다.

2) 투기위험

투기위험(speculative risk)은 인위적인 위험으로서 손실의 발생가능성과 이익의 발생가능성을 함께 내포한 위험을 의미한다. 예컨대 주식투자, 부동산투자, 새로운 사업의 시작, 경마 및 도박 등은 손실과 이익의 발생가능성을 모두 내포한 투기위험으로서, 위험에 처한 당사자에 의하여 인위적으로 만들어진 위험이다(〈그림 1-1〉참조).

순수위험과 투기위험은 몇 가지 중요한 차이가 존재한다.[3] 첫째, 일반적으로 순수위험은 위험에 직면한 사람의 의지와는 무관하게 발생하는 반면, 투기위험은 인위적으로 만들어진 위험이다. 왜냐하면 손해의 가능성만 있는 순수위험을 위험에

2) 이원근 외, 『최신보험학 입문』, 두남, 2000, p.17.
3) 정홍주, 전게서, p.30.

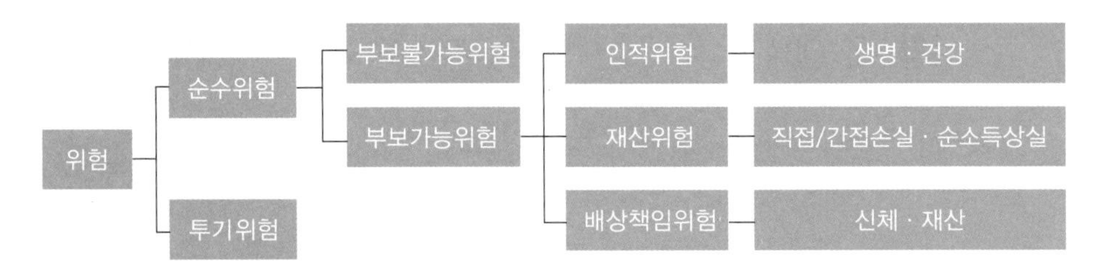

그림 1-1 위험의 분류

직면하는 사람이 의도적으로 창출할 이유가 없지만, 투기위험은 이익을 목적으로 스스로 손해가능성을 무릅쓰는 의도적인 행위에서 비롯되기 때문이다.

둘째, 시간적 · 경제적 비용 없이 위험을 제거할 수 있다면 순수위험은 제거되는 것이 바람직하나 투기위험은 반드시 그러하지 않다. 왜냐하면 투기위험은 적절한 관리를 통하여 손해가능성을 줄이고 이익을 늘일 수 있기 때문이다.

셋째, 순수위험은 투기위험에 비하여 위험에 놓인 사람이 통제하기가 어렵다. 반면 투기위험은 인위적 위험이므로 위험의 통제가 상대적으로 용이한 편이다.

넷째, 순수위험은 보험의 대상이 되는 반면, 투기위험은 그러하지 않다. 한편 투기위험이라고 하더라도 개인이 위험을 통제하기 어려운 경우, 예컨대 희망이익보험, 수출보험, 환율변동보험 등의 경우처럼 보험이 가능한 위험도 존재한다. 그러나 일반적으로 보험에서 담보하는 위험은 거의 순수위험이다.

2. 순수위험의 분류

1) 인적 위험

인적 위험(personal risk)은 인간의 생로병사에 관계되는 위험으로서 생명보험과 건강보험이 이를 대상으로 한다.

2) 물적 위험

물적 위험(physical risk) 또는 재산위험(property risk)은 개인 · 가계 · 기업 · 공공단체 등이 소유한 재산이 우연한 손인(또는 사고)으로 인하여 파괴 · 손상 · 멸실되어 물적 손해가 발생할 수 있는 위험을 의미한다. 한편 물적 손해는 전술한 바와 같이 직접손해와 간접손해로 구분되며, 간접손해는 또한 비용손해와 책임손해로 구분된다.

제3절 위험관련 개념

1. 손해

손해(loss)는 '원하지 않은(undesired) 또는 의도하지 않은(unintentional) 자산가치의 하락 또는 소멸'을 의미한다. 일반적으로 손해는 자산가치의 하락 또는 소멸을 의미하지만, 보험학에서 인식하는 손해의 개념은 일반적 의미의 손해보다 훨씬 좁은 범위의 개념이다. 손해는 경제적 · 사회적 · 인적 자산 등 다양한 자산 가치에 대하여 발생하지만, 어느 경우이든 의도하지 않은, 즉 우발적이며 우연하게 발생하는 경우에 국한된다.

한편 손해는 손해를 입은 자(즉, 피해자)를 기준으로 본인손해와 제3자손해로 구분되고, 손해의 성격을 기준으로 인적 손해와 물적 손해로 구분된다. 또한 물적 손해는 직접손해(direct loss)와 간접손해(indirect loss)로 세분된다. 직접손해는 손해의 원인(손인)과 직접적으로 연관되는 손해로서 피보험자의 재산(즉, 보험목적물)에 대하여 직접적으로 가해진 물리적 손상, 파괴 또는 도난 등의 결과로 발생하는 금전적 손실을 의미하는 반면, 간접손해는 손해의 원인과 직접적으로 관련되지는 않으나, 직접손해로 인하여 간접적으로 발생하는 손해로서, 일반적으로 직접손해의 발생에 부수하여 발생하는 비용손해와 책임손해를 의미한다.[4)]

손해의 구분

1. 인적 손해: 개인의 생사 · 부상 · 질병으로 인한 손해
2. 물적 손해: 개인, 기업, 공공단체 등이 소유한 재산이 어떤 원인(예컨대, 화재, 폭풍, 도난 등)에 의하여 파괴, 손상 또는 도난의 결과로 발생하는 손해
   (1) 직접손해
   (2) 간접손해: 책임손해, 비용손해

[예] 화재로 주택이 소실되는 것은 직접손해이다(완전히 소실되는 것은 전손, 일부만 소실되는 것은 분손이다). 화재를 진압하기 위하여 사용된 소화기 비용은 간접손해(비용손해)이다. 또한 화재로 인하여 옆집에 피해를 입혀 배상책임을 부담하게 되는 것은 간접손해(책임손해)이다.

4) 정홍주, 전게서, p.31.

[예] 선박이 항해 중 타 선박과 충돌한 결과 자선이 손상되는 것은 직접손해이다. 또한 충돌 결과 타선에 발생한 손해에 대하여 배상책임을 부담하는 것은 간접손해(책임손해)이고, 충돌 결과 발생한 연료유의 유출에 대한 방제비용을 부담하는 것은 간접손해(비용손해)이다.

2. 손인

모든 손해에는 원인이 있다. 보험학에서는 손해의 원인(cause of loss)을 손인(peril)이라 칭한다. 손인은 손해발생의 직접적인 원인으로서 우연한 것과 필연적인 것으로 구분된다.[5] 필연적인 손인은 시간의 흐름에 따라서 서서히 그리고 필연적으로 손해가 진행되는 것으로서, 예컨대 사람이나 사물이 시간의 흐름에 따라 자연적으로 노후 · 마모되거나 액체가 자연적으로 서서히 증발되는 현상을 가리킨다. 이러한 필연적인 손해 또는 손인은 거의 피할 수 없는 것이다.

우연한 손인은 사고 또는 사건을 의미한다. 한편 손인은 그 발생원천에 따라 자연적 손인, 인위적 손인, 경제적 손인으로 구분된다.[6]

- 자연적 손인: 인간의 통제력을 벗어난 손인으로서 자연재해(홍수, 폭풍, 지진, 해일, 가뭄 등)와 질병 등
- 인위적 손인: 사람의 행위로 인한 손인으로서 절도, 사기, 부주의 등
- 경제적 손인: 경제 전반에 미치는 손해의 원인으로 파업과 같은 노동쟁의에 의한 손실, 경기침체, 기술진보, 소비자 기호의 변화 등

한편 우연한 손인인 사고에도 그 원인이 있는데, 사고의 원인은 사람의 고의, 부주의 및 불가항력으로 구분된다. 예컨대 생명보험에 가입한 후 자살에 의하여 생명을 잃게 되는 경우 사고의 원인은 고의에 의한 것이고, 운전 중 부주의로 인하여 자동차사고가 발생하고 그 결과로 사망하게 되는 경우 사고의 원인은 부주의이며, 예기치 못한 지진 또는 화산폭발로 인하여 사망하게 되는 경우 사고의 원인은 불가항력에 의한 것이라고 할 수 있다.

---

5) 정홍주, 전게서, p.25.

6) 김두철 외, 『보험과 위험관리』, 문영사, 1999, pp.5~6.

보험에서 보상하는 손해

[사고의 원인]		[손인]		[손해]
• 부주의	⇒	사고	⇒	본인손해
• 불가항력	⇒	사고	⇒	본인손해
• 고의	⇒	사고	⇒	제3자 손해(책임손해)

사고의 원인이 보험학에서 중요한 이유는 본인의 고의에 의한 사고와 손해(본인손해 및 제3자 손해)에 대해서는 보험에서 보상되지 않기 때문이다. 즉, 보험은 본인의 부주의 또는 불가항력으로 인한 사고와 본인손해를 보상한다.

한편 제3자 손해, 즉 책임손해의 경우 불가항력에 의한 사고와 제3자 손해는 보험에서 보상되지 않는다. 왜냐하면 책임보험에서는 본인에게 책임 있는 사고(즉, 본인의 고의나 부주의에 의한 사고) 중에서 본인의 부주의에 의한 사고로 인하여 제3자가 입은 손해만을 보상하기 때문이다. 보험은 우연한 사고로 인하여 발생한 손해의 보상을 목적으로 하기 때문에 손해의 형태에 상관없이 보험계약자의 고의에 의한 사고로 인하여 발생하는 손해는 보험에서 보상되지 않는다.

3. 위태

위태(hazard)란 손실의 빈도나 심도 그리고 손실의 발생가능성을 새로이 만들어 내거나 증가시키는 상태[7]를 의미하며, 다음과 같이 분류할 수 있고, 보험용어로서는 위험의 증가 혹은 감소라는 형태로 사용되고 있다.

1) 물리적 위태

물리적 위태(physical hazard)란 손실의 발생가능성을 새로이 만들어 내거나 증가시키는 자연적이고 물리적인 조건을 말한다. 예컨대 안전하지 못한 제동장치를 그대로 방치하는 경우 사고의 위험은 새로이 생겨날 수 있고, 암초로 인한 선박의 사고, 안개나 폭우, 도로상의 빙판 등은 자동차사고라는 손실의 가능성을 증대시킬 수 있으며, 주유소 등에 인화성물질이 흩어져 있는 경우 화재의 위험은 새로이 생

7) Dorfman, M.S., *Introduction to Risk Management and Insurance*, 6th Ed., Prentice Hall, 1998, p.6.

겨나거나 증가된다. 이 경우에 있어서 암초, 안전치 못한 제동장치, 빙판 및 인화성 물질의 방치는 물리적 위태에 해당된다.

2) 도덕적 위태

도덕적 위태(moral hazard)란 손실의 발생가능성을 새로이 만들어 내거나 고의적으로 증가시키는 개인의 특성이나 정신적 상태를 말한다. 다시 말하면 손실을 고의로 만들어 내거나 우발적으로 발생한 손실의 정도를 증대시키는 부정직성을 의미한다. 예컨대 보험금을 목적으로 한 방화행위나 교통사고에 의한 상해를 과장하는 행위 또는 음주운전 등은 도덕적 위태의 좋은 예라고 할 수 있다.[8)]

3) 정신적 위태

정신적 위태(morale hazard)란 고의는 없지만 무관심 또는 부주의 등으로 손실발생을 방관하는 정신적 태도를 말한다. 예컨대 자동차에 키를 그대로 두고 주차해 놓았다가 차를 도난당하거나, 졸음운전을 하다가 교통사고를 내거나, 침대에서 담배를 피우다 그대로 잠이 들어 화재가 발생하는 경우는 개인의 무관심 또는 부주의가 가져다주는 손실이라고 할 수 있다. 일반적으로 이러한 무관심과 부주의는 자신의 재산이나 생명이 보험에 가입되었다고 안심하는 상태에서 비롯하는 경우가 많다.[9)]

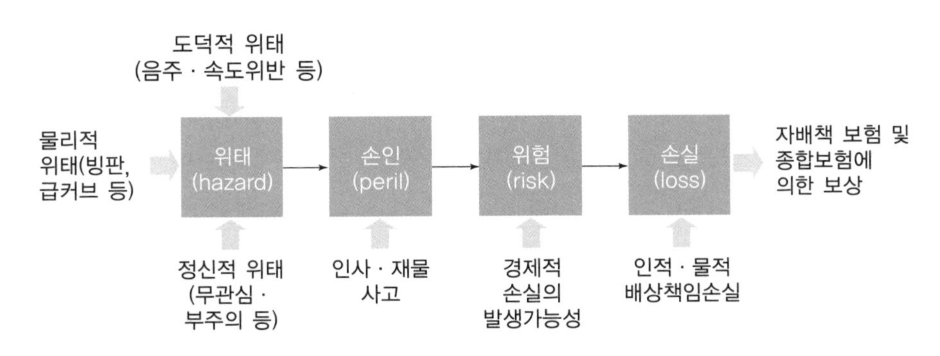

그림 1-2 위태, 손인, 위험 및 손실과 보험의 관계(예: 자동차사고)

8) 김동훈, 『보험론』, 학현사, 1996, p.8.
9) 허연, 『생활과 보험 』, 문영사, 2000, pp.22~23.

제4절 위험관리

1. 위험관리의 정의와 목적

1) 위험관리의 정의

위험관리(risk management)란 발생가능한 손해를 예측하고, 그러한 손해발생을 최소화하거나 발생가능한 손해의 영향을 최소화하는 과정을 고안하고 실천함으로써 순수위험을 관리하는 관리자의 결정으로 정의된다. 다시 말하면 회사의 이익을 위해 기업이나 조직에서 발생될 수 있는 위험을 체계적으로 인식 · 분석하고 그러한 위험을 처리하는 최적의 방법을 찾는 과정이다. 위험관리에서는 모든 위험이 그 관리대상으로 될 수 있으나 일반적으로 위험관리자에게는 순수위험(pure risk)만이 그 주된 관리대상이 되며, 투기위험은 일반적으로 취급되지 않는다.[10)]

2) 위험관리의 목적

위험관리의 목적은 여러 가지가 있으나 일반적으로 손실발생 전의 사전적 목적(objectives prior to a loss)과 손실발생 후의 사후적 목적(objectives after a loss)으로 분류될 수 있다.

사전적 목적(손실발생 전의 목적): 사전적 목적은 손실이 발생하기 이전의 위험관리 목적으로 그 중 가장 중요한 것들은 다음과 같은 것이다.

① 경제적 목적(최소의 비용으로 최대의 효과를 얻도록 함). 경제적 목적은 위험관리 방법 중 가장 경제적인 방법을 택해야 한다는 의미이다. 즉, 실행가능한 모든 위험관리 방법들의 득과 실을 비교하여 가장 경제적인 방법을 선택해야 한다는 것이다.

② 불안의 감소(심리적 · 정신적 불안의 제거). 불안감소란 위험관리는 근심 및 걱정을 최소화시키는 데 그 목적을 둔다는 것이다. 즉, 위험의 종류에 따라 근심 및 걱정의 정도가 다르나 위험관리는 근심 및 걱정을 최소화하는 데 그 목적을 둔다는 의미이다.

③ 손실방지를 위한 각종 규정의 준수. 위험관리는 그 자체의 기능을 수행함과

10) 김동훈, 전게서, pp.16~17.

동시에 손실방지를 위한 각종 규정을 준수하는 데 그 목적을 두게 된다는 것이다. 예컨대 정부규제는 근로자를 보호하기 위하여 기업이 안전장치를 설치할 의무를 부과하는데 기업은 이러한 정부의 규정을 준수해야 한다.

사후적 목적(손실발생 후의 목적): 사후적 목적은 손실발생 이후의 위험관리 목적으로 다음과 같이 네 가지를 열거할 수 있다.

① 기업의 생존(survival of the firm and continued operation). 기업생존의 목적이란 치명적인 손실이 발생한 후에도 기업을 계속적으로 존속시키는 것을 말한다. 이러한 기업생존의 목적은 위험관리의 목적 중 가장 중요한 것에 해당한다. 특히, 공공기관의 경우 이러한 목적이 중요시되는데, 예컨대 전력회사나 금융기관 등이 치명적인 손실을 당한 후 존속할 수 없다면 그 피해의 파급효과는 엄청나게 크게 된다.

② 수입의 안정(stability of earnings). 수입안정의 목적은 기업의 존속과 직결되는 것으로 손실을 입은 후에도 기업의 존속은 물론이고 수입을 최대한 안정시키는 데 그 목적을 두게 된다.

③ 기업의 계속적 성장(continued growth). 위험관리의 목적인 기업의 계속적 성장이란 손실을 입은 후에도 기업의 성장이 계속되도록 하는 데 그 목적을 두게 된다는 의미이다. 예컨대 신제품 개발, 시장개척, M&A 등과 같은 성장을 위한 계획이 차질 없이 시행될 수 있도록 효율적인 위험관리를 하게 된다.

④ 사회적 책임(social responsibility). 사회적 책임의 목적이란 손실이 타인과 사회 전체에 미치는 영향을 최소화한다는 것이다. 예컨대 기업을 둘러싸고 있는 여러 이해관계자인 고객, 종업원, 채권자 등이 손실발생에 따른 피해를 입지 않도록 함으로써 궁극적으로는 기업이 갖고 있는 사회적 책임을 수행한다.[11]

2. 위험관리의 방법

위험이 확인되고 측정되면, 여러 가지 해결책, 즉 위험을 관리하기 위하여 이용할 수 있는 최선의 수단과 방법의 조합을 선택해야 한다. 위험관리 수단의 선택에 관

11) 대한상공회의소, 『기업의 전략적 리스크 관리』, 1987, pp.25~28.

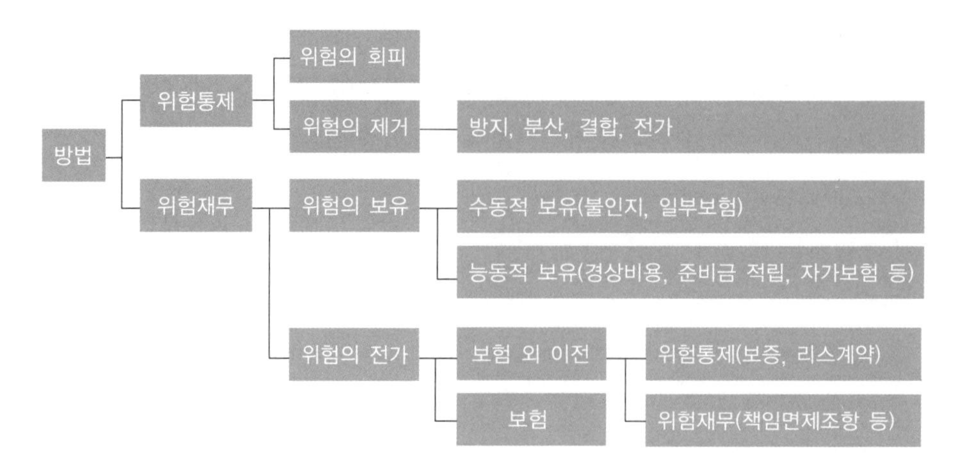

그림 1-3 **위험관리 방법**

해서는 크게 '위험통제(risk control)'와 '위험재무(금융)(risk financing)'로 분류된다(〈그림 1-3〉참조).

위험통제는 위험이 실현되지 않도록 통제하거나, 위험이 현실화된 경우에는 손해를 최소화하는 관리방법이며, 주로 위험의 회피 및 방지가 이용되고 있다. 한편 위험재무는 발생가능한 손해에 대비하여 미리 원상회복 자금을 준비해 두는 것으로 위험의 보유 또는 위험의 전가가 이에 해당된다.

1) 위험통제에 의한 위험관리

위험의 회피: 위험회피는 위험관리 방법 중 단순하고 소극적인 방법으로서, 발생가능한 위험을 방지하기 위하여 위험의 발생과 관련되는 일체의 활동을 중단하는 것을 의미한다. 예컨대 자동차의 보유로부터 발생하는 손해배상의 책임을 회피하기 위하여 자동차의 보유를 중지하거나, 출근(등교)길에 발생할지 모르는 교통사고의 위험을 방지하기 위하여 아예 출근(등교)을 하지 않거나, 제약회사가 제조물배상책임의 위험을 회피하기 위하여 약품의 제조 및 판매사업을 하지 않거나, 새로운 상품의 판매나 신규사업의 개시에 따른 위험을 회피하기 위하여 신제품 개발 또는 신규사업에 대한 진입을 하지 않는 경우이다.

위험의 제거: 위험의 제거는 손해발생의 기회를 차단시키거나 혹은 손해가 발생한 경우, 그 심도를 경감함으로써 위험에 대처하는 방법을 말한다. 위험의 제거에는 위험의 방지, 위험의 분산, 위험의 결합, 위험의 전가가 포함된다.

2) 위험재무에 의한 위험관리

위험의 통제에 의해서 손해발생의 가능성을 경감 또는 제거할 수 있어도, 그 위험을 회피하지 않는 한, 위험으로부터 완전히 벗어날 수는 없다. 손실이 발생한 경우에 기업의 자금조달이 악화되는 것을 방지하기 위하여 미리 자금준비 또는 자금대책을 강구하는 방법이 위험재무(금융)라고 할 수 있다. 위험재무에는 위험의 보유와 위험의 전가 두 가지 방법이 주로 채택된다.

기업이 손실의 재무적 결과에 대한 준비를 하지 않은 상태에서 예상치 못한 손실이 발생하면 기업에 미치는 영향은 다양하며, 기업의 성장, 생존, 이익, 사회적 책임 등에 큰 타격을 줄 것이다. 따라서 위험재무의 역할은 위험관리에 있어서 마지막 보로로서 중요한 의미를 갖는다.[12)]

위험의 보유: 위험의 보유(risk retention)란 위험에 직면하고 있는 기업이 발생할지도 모르는 손해를 스스로 부담하는 경우를 말한다. 위험의 보유에는 수동적 보유와 능동적 보유 두 가지 형태가 있다.

수동적 보유(passive risk retention)란 기업 스스로가 위험을 보유하고 있음을 모르기 때문에 무의식적으로 보유하고 있는 상태를 말하며, 위험관리 수단으로 분류될 성질의 것이 아니라고도 할 수 있다. 그러나 위험관리에서는 위험을 인식 · 확인하고 평가한 후 그 위험의 처리수단을 선택하는 과정을 거쳐 위험을 처리하는 것이지만, 아직 발견되지 않은 위험 혹은 발견은 되었지만 그 평가 또는 위험처리 수단을 모르고 있거나 그것에 대한 의사결정을 내리지 못하고 있는 미확인 위험이 기업 속에 많이 존재하는 것은 부정할 수 없다. 이들 위험을 다른 수단으로 처리하기까지 어쩔 수 없이 보유하고 있는 상태를 소극적 보유라고 한다.

능동적 보유(active risk retention) 또는 계획적 보유는 개인이나 기업이 위험을 인식한 상태에서 의도적으로 위험의 일부 또는 전부를 보유하는 것을 말한다. 위험이 능동적으로 보유되는 경우 일반적으로 선택되고 있는 수단으로는 경상비의 이용, 준비금의 적립, 자가보험(self insurance) 그리고 캡티브(captive)보험회사의 설립 등이 있다.[13)]

위험의 전가: 위험의 전가(risk transfer)란 제3자에게 위험을 이전하는 방법을 말한

12) 대한상공회의소, 전게서, pp.79~80.
13) 대한상공회의소, 전게서, pp.91~93.

다. 기업은 위험을 가능한 한 회피하거나 제거하고 그것이 불가능한 경우에는 제3자에게 전가하고, 전가할 수 없는 위험은 하는 수 없이 보유한다. 위험전가의 방법으로는 보험외이전과 보험에 의한 전가가 있다.

제5절 보험의 본질

1. 보험의 정의

어떤 개념을 정의하는 것은 일반적으로 말해 대단히 어려운 일로서 보험의 개념에 대해서도 마찬가지이며 엄밀히 말하면 학자의 수만큼 다양하다고 할 수 있다. 독일의 A. Manes라는 학자가 제시한 "보험이란 다수의 동종의 위험에 노출된 경제단위에 의한 우연하고 평가 가능한 금전적 필요의 상호적 충족이다"라는 정의가 대체로 지금까지 많은 학자들의 지지를 받고 있다. 이 정의에서는 우연한 필요의 충족이라는 보험의 목적과 동종의 위험에 노출된 다수의 경제단위에 의한 상호적 충족이라는 수단이 제시되어 있으므로 이 정의에 따라 보험의 개념을 정의하면 다음과 같다.

1) 필요의 충족

보험은 경제적 필요의 충족을 목적으로 한다. 해상보험 및 화재보험과 같은 손해보험의 경우에는 보험은 우연한 사고에 의해 발생하는 손해보상을 목적으로 한다고 정의하면 그것으로 충분하며 이해하기 쉽지만, 생명보험 특히 그 가운데 생존보험(피보험자가 일정연령에 도달한 경우에 보험금이 지급되는 보험)도 포괄하는 개념으로서 '금전적 내지 경제적 필요의 충족'이라는 표현이 사용되고 있다. 보험의 목적은 우연한 사고에 의해 발생하는 경제적 불이익의 보충이라는 소극적인 것이며 어떤 사고의 발생에 의해 이득을 취득하는 것을 목적으로 하고 있는 것은 아니다.

필요의 충족은 일반적으로 보험금이란 금전의 지급형태를 취하게 되지만 현물급부(예: 파손된 유리의 교환) 및 서비스의 제공(예: 질병의 치료)이라는 형태를 취하는 경우도 있다. 과거 영국에서는 회원인 운전자가 허용한도 이상 음주한 경우에 대리운전자를 파견하는 서비스를 행하는 사업이 보험사업에 해당한다고 판결한 사례가 있다. 또한 영국의 경우 우리나라의 자동차보험과는 달리 자동차보험에 견인서비스가 포함되지 않기 때문에 운전자는 자동차의 고장으로 인한 운행불능사태에 대비하여 별도로 견인서비스를 전문으로 제공하는 보험상품을 구입해야 한다.

2) 우연성

보험은 우연한 사고의 발생가능성을 전제로 하기 때문에 필연적인 사고로 인한 손해는 보험의 보호대상이 되지 못한다. 여기서 우연하다는 것은 건물의 화재와 같이 그 발생 여부가 확실하지 않은 경우와 발생은 확실하지만 그 발생시점이 불확실한 경우를 포함한다. 그러나 일체의 우연한 사고가 보험의 전제가 되는 것은 아니고, 반드시 경제적 손해를 수반하는 사고라야 한다.

인간의 사망은 필연적이지만, 사망시점의 불확실성으로 인하여 우연성이 인정되고, 또한 생명보험이 성립한다.

방화, 자살 등과 같이 보험가입자의 고의로 인해 발생하는 사고, 소위 주관적 위험 및 심장질환자의 사망과 같이 우연성을 결여하는 사고는 보험의 대상이 되지 않는다.

3) 평가가능성

보험은 경제적 제도로서 손해에 대한 사후적인 금전보상을 주목적으로 하고 있다. 따라서 금전적인 평가가 불가능한 손해, 예컨대 정치가의 정치생명, 개인의 명예 등은 보험거래의 대상이 되지 못한다.

4) 다수의 경제단위

보험은 다수의 동질적 · 독립적 경제단위의 결합(pooling)이라는 형식을 통하여 개별 경제단위에 발생하는 실제 손해의 불확실성을 평균적 손해의 확실성으로 전환하는 과정을 그 내용으로 한다. 전술한 바와 같이 개개의 경제단위에 있어서는 우연한 필요도 다수의 경제주체를 결합하여 하나의 집단(이것을 위험단체, 위험집단 또는 위험협동체라 한다)을 형성하면 대수의 법칙이 작용하여 사고의 발생률 및 사고발생에 기인하여 발생하는 필요를 견적할 수 있으며 집단구성원에 의한 필요의 상호적 충족이 가능하게 된다. 대수의 법칙은 관찰대상의 수 또는 관찰 횟수를 늘릴수록 관찰대상의 실제 불확실성이 평균적 확실성으로 전환된다는 법칙이다. 따라서 위험단체의 수가 클수록 개개 보험가입자의 손해발생률의 실제적인 불확실성이 평균적인 확실성으로 전환될 가능성은 더욱 높아진다.

5) 동종 위험

보험을 구성하는 위험집단은 동종의 위험에 노출된 독립된 경제단위의 집단이다. 동질적인 위험에 직면하지 않는 위험집단의 형성, 예컨대 화재위험, 자동차사고위험, 사망위험 등에 노출된 경제단위가 집단을 형성하더라도 대수의 법칙이 작용하지 않는다. 동일한 화재위험에 노출된 자가 다수 모여 비로소 화재에 의한 필요를 견적할 수 있으며 화재보험료의 산출이 가능하게 된다.

6) 상호적 충족

보험은 필요의 충족을 다수 경제단위의 상호적 충족에 의해 행하는 것이다. 이 상호성은 A. Manes가 말한 명구(名句)인 "한 사람은 만인을 위해, 만인은 한 사람을 위해(Einer für Alle, Alle für Einen)" 로 널리 알려져 있다.[14] 프랑스에서도 "나는 당신을 위해, 당신은 나를 위해(moi pour toi, toi pour moi)" 라는 말로 표현하고 있다.

단 여기서 말하는 상호성이란 보험의 기술적 구조를 표현한 것이지 '상호부조' 라는 정신적 결합을 의미하는 것은 아니다. 그래서 A. Manes의 정의를 지지하는 학자 중에는 이 점에 대한 오해를 회피하기 위해 다수 경제단위에 의한 상호적 충족이라는 표현 대신에 다수 경제단위의 결합에 의한 '위험평균화에 기초한 충족' 으로 정의하는 경우도 있다.[15]

7) 합리적인 보험료의 부담

필요의 상호적 충족을 행하기 위해서는 각 경제단위가 보험료를 부담해야 하는데 위험에 비례한 합리적 보험료의 부담, 이것이 보험 요소의 하나이다. 각자가 충족되는 필요의 액, 즉 보험금액을 Z, 사고발생 확률을 w, 각자가 부담하는 보험료를 P로 하면 $P = wZ$식으로 표시할 수 있다. 이것을 '급부 · 반대급부 균등의 법칙' 이라 한다. 대수의 법칙에 의하여 위험단위의 수가 클수록 합리적인 보험료의 분담이 더욱 가능해진다.

---

14) Manes, A., Versicherungswesen-System der Versicherungswirtschaft, Bd.1, Verlag unf Druck von B. G. Teubner, 1930, SS.2~3.

15) 木村榮一 外, 『保険入門』, 有斐閣, 1993, pp.6~9.

2. 보험의 기본원리

1) 대수의 법칙

대수의 법칙(the law of large numbers)이란 어떤 독립적으로 발생하는 사상에 대하여 그 관찰대상을 늘리면 늘릴수록, 그리고 관찰횟수를 늘리면 늘릴수록 어떤 사상의 발생확률의 실제결과가 점점 예측결과에 가까워지는 현상을 말하며 평균의 법칙(the law of average)이라고도 한다. 예컨대 한 번 주사위를 던져 1에서 6까지의 숫자 중 어떤 숫자가 나올지 전혀 알 수가 없다. 그러나 수십, 수백 회로 계속 던지면 각각의 숫자가 나올 확률은 예측한 1/6에 가까워진다. 즉, 독립적으로 발생하는 사상에 관하여 대량으로 관찰하면 어떤 사상의 발생확률은 어느 일정한 값에 한없이 가까워진다.

개인의 생활이나 기업의 활동에 영향을 미치는 우연사고 중 특히 경제적 손실을 초래하는 불확실성 혹은 위험은 경제사회에 수없이 존재한다. 이들 위험 가운데 어떤 특정위험이 특정개인에게 발생할지 여부에 관해서는 전혀 알 수 없어도 일정기간 또는 범위를 확대하여 다수인을 대상으로 대량 관찰하면 일정한 발생률을 얻을 수 있는 사상도 있다. 화재의 발생률, 교통사고의 발생률 및 연령별 사망률 등의 사회현상은 일정기간 동안 대량으로 관찰하면 개개 사상의 발생은 아주 우연적이라고 하여도 집단적으로는 거의 일정한 확률로 발생하므로 장래의 발생확률을 예측할 수 있다. 이같이 사회현상을 광범위하게 대량으로 일정기간 동안 관찰하면 하나의 통계적 법칙을 발견할 수 있는데 이를 '통계학적 대수의 법칙'이라고 한다. 대수의 법칙은 위험발생률의 측정과 위험의 수치화를 가능하게 하며 과거의 발생률을 미래의 발생확률로 보는 것을 가능하게 한다.

2) 수지상등의 원칙

수지상등의 원칙(principle of equivalence)이란 대수의 법칙을 이용하여 특정한 사고의 발생확률을 파악하고 그것을 기초로 산출된 보험료를 각 보험계약자로부터 징수한 보험료의 총액과 특정사고 발생시 지급하는 보험금의 총액이 균등해야 한다는 법칙이다. 이같이 보험집단에 있어서 지급된 보험금 총액과 수입보험료 총액이 상등해야 한다는 것은 개별적으로는 우연이더라도 전체적으로는 필연이고, 개별적인 수지는 불균형이더라도 집단의 전체수지는 균형을 유지하는 전체적인 수지상등의 원칙을 의미한다.

예컨대 설명하면, 평가액이 3,000만원(1사건당 평균보험금: Z)인 동질위험의 가옥을 소유한 사람이 1,000명(보험가입자수: N) 있다고 가정하자. 과거의 경험통계로부터 연간 화재 발생확률이 2/1,000(여기서 2는 화재발생건수: R)라면, 각 보험가입자들이 지급해야 할 보험료(P)는 다음과 같이 계산된다.

30,000,000(Z) × 1,000(N) × 2/1,000(R/N) = 60,000,000(R · Z)원

이 전체 손해액을 전 가입자 1,000명으로 나눈다면 1인당 부담액은

60,000,000÷ 1,000 = 60,000(원)

즉, 각각 지급하는 보험료(P)는 6만원이 된다. 이 6만원을 1000명의 가입자에게 갹출한다면 보험료의 총액(N · P)은 6,000만원이 되고, 지급보험금 총액(R · Z)과 균등해진다. 이것을 '수지상등의 원칙' 이라 한다.

3) 급부 · 반대급부균등의 원칙

보험계약자는 보험료를 지급하고 보험단체에 가입한다. 보험계약자가 지급하는 보험료는 과대 · 과소하지 않고 적정하여야 한다. 적정한 보험료의 의미는 개개의 계약자에게 보험사고 발생시 받을 수 있는 보험금과 수학적 기대치인 사고발생의 확률(사고율)의 곱과 같은 관계이며, 이를 '급부 · 반대급부균등의 원칙' 이라고 한다. 이는 개개의 보험관련 순보험료 산정시 위험의 정도에 따라 보험료를 결정하기 위한 원칙이다.

수지상등의 원칙의 설명에서, 보험금액에 대한 보험료의 비율은 60,000원÷30,000,000원 = 2/1,000라는 것을 알 수 있었으며, 결국 보험료율은 2/1,000이다. 따라서 보험금액에 이 보험료율을 곱하면 각자가 부담해야 할 보험료가 산출된다.

30,000,000 × 2/1000 = 60,000(원)

독일의 경제학자 W. Lexis는 이 보험료를 다음의 등식으로 표시하였다.

P = wZ (P: 순보험료, w: 확률, Z: 보험금)

이 수식은 개개의 보험계약에서 각 가입자가 지급해야 할 순보험료의 금액은 각 사람이 보험사고 발생시에 수취하는 보험금의 수학적 기대치와 똑같아야 한다는 것을 나타내는 것으로 급부 · 반대급부균등의 원칙의 설명이며, 이를 'Lexis의 원

칙' 이라고도 부르고 있다.

또한 위의 식에서 w를 r/n(r은 보험금의 수급자수, n은 가입자수)으로 변환한다면, 다음과 같은 식이 성립한다.

$$P = r/n, nP = rZ$$

이 식은 수지상등의 원칙을 나타내는 수식과 같은 것이다. 급부 · 반대급부균등의 원칙은 개개의 보험계약자에 있어서 보험료의 원칙이며, 사고발생률이 높거나 보험금이 큰 경우에도 보험료가 그것에 적정하다면 보험은 성립할 수 있다는 것이다. 이는 사고의 확률이 높은 계약자는 많은 보험료를 부담하고, 역으로 사고의 확률이 낮은 계약자는 적은 보험료를 부담한다는 보험료 산출에 있어서 보험료의 공평 혹은 공정의 원칙을 설명하고 있는 것이다.

4) 이득금지의 원칙

개인이나 기업 그리고 공공단체는 경제적 불안을 보험에 가입함으로써 제거하거나 만약 보험사고가 발생하여 경제적 손실이 발생한 경우에 이 손실을 보험에 의해 보전하는 것이 가능하다. 생명보험에서는 인간의 생사에 관하여 일정액의 보험금액을 지급하며, 손해보험에서는 실제로 이루어진 경제손실을 보전하게 된다.

우연한 사고가 발생한 경우에 이루어지는 손실의 보전은 경제적 손실의 범위내이며, 보험료의 몇 백 배의 보험금을 수급한다고 하더라도 보험금액을 한도로 하고 있다. 보험은 보험사고로부터 원상을 회복하는 것이므로 보험계약자는 지급보험금에서 이득을 취득해서는 안 된다는 것이 이득금지의 원칙이다. 만약 보험사고의 발생에 따라 지급받는 보험금으로 이득을 취득한다고 한다면 보험사고를 고의적으로 유발하거나 범죄를 초래하여 보험제도는 미풍양속에 반하는 것이 될 것이다.

제6절 보험의 기능 및 폐해

1. 보험의 기능

1) 가계나 기업의 안정성 유지

보험은 재산 · 자산의 보전, 수익이나 소득의 안정, 책임부담의 제거, 예측불능의 비용지출의 제거 등을 통하여 경영의 안정을 도모한다. 즉, 각 경제주체는 보험을 통해 생활과 경영의 안정을 달성할 수 있고 경영자는 안심하고 경영에 최선을 다할 수 있다.

예컨대 주택, 공장, 점포, 기계설비, 선박, 항공기 등이 여러 가지 위험에 의해 손해를 입는 경우에도 보험금의 지급을 통하여 신속한 원상회복을 가능하게 해주며, 가계에 있어서는 주소득원의 사망이나, 실업, 질병, 상해 등에 의하여 소득이 중단 또는 상실되는 경우에 가계의 불안정을 제거하고, 예측할 수 없는 비용지출의 불안을 경감시켜 줌으로써 가계나 경영의 안정을 도모하게 해주는 것도 보험의 기능이다.

2) 가격의 안정과 투자재원의 공급

기업이 개별적으로 위험에 대비하기 위해서는 많은 자금과 비용이 필요하므로 이는 생산원가에 반영되어 생산제품의 가격을 높이게 된다. 그러나 보험을 이용하면 소액의 보험료를 부담하면 된다. 그 결과 보험은 시장에 있어서 가격의 안정에 이바지한다. 즉, 보험은 위험에 대한 비용을 소액의 보험료라는 확정적 비용으로 가격 속에 포함시켜 상품의 가격상승을 억제하고 소비자에게 안정적 가격으로 상품을 제공할 수 있도록 해준다.

한편 보험에 의해 축적된 거대한 보험료는 자본시장에서 중요한 영향력을 발휘한다. 특히 생명보험과 같은 장기보험에서는 보험가입자로부터 갹출한 보험료는 은행예금과 같이 임의의 입출금이 허용되지 않기 때문에 보험자는 이것을 장기적인 주식투자 등을 통해 산업자금으로 활용할 수 있게 하여 경제발전에 커다란 기여를 하게 된다.

3) 손해발생의 방지

보험은 보험사고 발생시 소정의 보험금을 지급함으로써 보험가입자의 경제적 안정에 기여할 뿐만 아니라 사고발생 그 자체의 방지에도 기여한다. 왜냐하면 보험사고 발생이 감소하면 그만큼 보험자의 부담도 줄고 결국 그것이 보험가입자의 보험료 감소로 이어지기 때문이다. 따라서 한 나라의 보험사상의 보급 또는 발달은 그 국가의 물적 · 인적 자원의 감소나 남용을 억제하는 효과를 가져와 사회적 · 경제적 이익을 가져다준다.

최근에 보험자들이 이 점을 고려하여 그 수익의 일부를 각종 재해방지시설(예: 소방기구의 기증, 재해방지를 위한 공익광고)이나 후생사업시설(예: 성인병 검진차의 기증이나 순회, 병원의 직접운영)에 적극적으로 투자하고 있을 뿐만 아니라 산재방지를 위한 연구활동을 지원하고 있다.

상법 제680조에서 "보험계약자나 피보험자는 손해의 방지와 경감을 위하여 노력하여야 한다"라는 손해방지의무를 규정하고 있다. 즉 보험제도는 간접적으로 손해방지의 기능을 가지고 있는 것이다.

4) 신용의 증대

보험은 보험계약자의 신용을 높인다. 예컨대 개인이 대출을 받고자 하는 경우 보증보험의 가입은 개인의 신용도를 높여주며, 기업의 경우에도 적절한 보험에 가입함으로써 기업의 신용도를 높일 수 있다. 오늘날 부동산중개업소의 벽면에 걸어 둔 배상책임보험 가입증명서는 해당 중개업소의 신용도를 제고하는 역할을 한다. 기업이 화재보험에 가입해 있으면 그 기업은 그렇지 않은 기업보다 신용도가 높을 수밖에 없다. 보험은 이와 같이 가계나 기업의 신용을 증대시켜 경제생활을 원활하게 하며, 경제성장에도 크게 기여한다.

2. 보험의 폐해

1) 사업비용의 발생

보험이 본래의 기능을 제대로 발휘하기 위해서는 모집인의 수수료, 일반경비, 보험료에 따르는 세금 등 여러 가지 비용이 필요하며, 이 비용은 보험자가 징수하는 보험료에 포함되어 있다. 일반적으로 이러한 비용이 총보험료에서 차지하는 비율은 보험의 종류나 보험자의 형태에 따라 다르나 대개 30~40%에 해당되며 이를 보통 '경비율' 이라고 부른다.

보험이 경제적 · 사회적 시설로서 제 기능을 다하려면 위와 같은 보험자의 비용이 필요한데 이를 보험의 직접적 사회비용이라고 할 수 있다. 또한 보험자는 보험의 기능을 발휘함에 있어 인적 자원뿐만 아니라 자본, 토지, 건물 등의 자원을 사용하게 되는데 이 또한 기회비용의 측면에서 보면 보험의 사회비용으로 간주할 수 있다.

2) 보험사기의 증대

피보험자와 보험계약자 등이 보험금을 탈 목적으로 고의로 사고를 일으키게 할 경우가 있다. 이와 같이 피보험자 측에서 보험금을 얻기 위하여 고의로 보험사고를 일으킬 위험을 '도덕적 위험' 이라 한다. 예컨대 피보험자가 보험에 가입하면서 불리한 사실이나 약점을 은폐 또는 부실하게 고지하거나 허위의 사실을 보험자에게 알리거나, 의료진단에 다른 사람을 이용하거나, 보험계약체결 후에 보험금을 사취하기 위하여 방화, 살상과 같은 고의적인 사고의 발생을 의도하거나, 사고의 발생을 가장 · 위증하는 경우, 또는 선박보험의 경우 고의로 선박을 침몰시켜 해난사고로 가장하는 경우 등을 들 수 있다. 이는 곧 보험료의 인상으로 이어지고, 이러한 보험료 인상은 선의의 피해자를 만드는 등 사회적 비용을 증대시키게 된다.

3) 보험금의 과잉청구

보험은 손실발생의 크기와 보험금 청구의 규모를 크게 하는 부작용을 초래하기도 한다. 이러한 보험금의 과잉청구 역시 경제적 외부효과로서 사회 전체의 부담으로 돌아온다. 예컨대 자동차보험의 존재는 자동차사고에 대한 진료비를 다른 종류의 상해진료의 경우보다 훨씬 높이고 있는 것으로 알려져 있다. 특히 변호사가 고객의 이익을 위한다는 명목하에 과도하게 배상청구를 하는 사례나 일부 의사들이 과잉진료를 통해 의료비를 과도하게 청구하는 사례 또는 그보다 한 걸음 더 나아가 허위진료, 허위보험금 청구를 하고 있는 사례들이 알려져 있다. 이러한 보험금의 과잉청구도 보험사기의 경우처럼 보험료 인상을 초래하고 선의의 피해자를 낳게 하는 등의 사회적 비용을 증가시키게 된다.[16)]

제7절 보험계약 관련 주요 용어

1. 보험계약의 주요 당사자

1) 보험자(insurer)

보험자 또는 보험회사는 보험사고가 발생할 경우 보험금 지급의무를 부담하는 자

---

16) 김억헌, 『보험의 이론과 실제』, 삼영사, 2002, pp.47~51.

로서, 보험자는 금융감독위원회의 사업허가를 얻은 자라야 한다. 다수의 보험계약자를 상대로 위험을 인수하여 이를 효율적으로 관리해야 한다는 성격 때문에 보험자의 자격에 대해서는 제한이 있다.[17)]

2) 보험계약자(policy-holder)

보험계약자란 보험계약의 당사자로서 자기명의로 보험자와 보험계약을 체결하고 보험료를 지급할 의무를 부담하는 자를 의미한다. 보험계약자는 계약당사자로서 보험계약을 체결할 때에 고지의무를 부담하고 또 보험계약이 성립한 후 보험증권교부청구권 등 각종의 권리를 행사하며, 보험료지급의무 등 각종의 의무를 부담한다.

3) 피보험자(insured, assured)

피보험자의 개념은 손해보험과 인보험에서 각각 다른 의미로 쓰인다.

① 손해보험계약: 피보험자란 보험사고(위험)가 보험의 목적(화물, 선박, 건물, 항공기 등)에 발생함으로써 손해를 입는다고 하는 이해관계(피보험이익)를 가지는 자, 즉 피보험이익의 주체로서 보험사고가 발생한 경우에 실손보상이라는 형태로 보험금을 청구할 수 있는 자를 말한다.[18)]

② 인보험계약: 피보험자는 생명 또는 신체에 관하여 보험에 붙여진 자로서 보험사고발생의 객체가 되는 자를 말하며, 자연인에 한정된다. 피보험자는 1인이거나 복수인이거나 상관이 없다. 이와 같이 인보험에 있어서 피보험자는

---

17) 즉, 보험자는 손해보험이든 인보험이든 300억원 이상의 자본금 또는 기금을 가지고 있는 주식회사 또는 상호회사로서 금융감독위원회으로부터 보험사업의 허가를 받아야 한다(보험업법 제5조, 제6조 제1항). 또한 외국의 보험사업자도 일정한 영업기금을 가지고 금융감독위원회의 허가를 받아 우리나라에서 보험사업을 할 수 있다. 보험자가 허가를 받지 아니하고 보험사업을 영위한 때에는 3년 이하의 징역 또는 2,000만원 이하의 벌금에 처하고(보험업법 제211조 제1항), 또 허가 없는 보험자와 보험계약을 체결한 자도 500만원 이하의 과태료의 제재를 받게 된다(보험업법 제4조, 제226조 제1항 제1호).

18) 보험계약자와 피보험자는 동일인일 수도 있고 그렇지 않을 경우도 있지만, 양자 동일인의 경우에는 그 계약을 '자기를 위한 보험계약' 이라 하고, 그렇지 않은 경우의 보험계약을 '타인을 위한 보험계약' 이라 한다. 이 경우 피보험자의 자격에는 제한이 없으나, 보험계약상의 이익을 가지고 있는 피보험이익의 주체로서 보험계약의 당사자는 아니라고 하더라도 보험계약상 일정한 권리와 의무를 지닌다.

보험의 객체로서 보험계약상의 이익을 가지는 것은 아니나, 특히 생명보험계약에서는 피보험자에 대한 제한이 따른다. 생명보험계약의 피보험자에게는 보험계약에 의해서 어떠한 권리도 주어지지 않는다.[19)]

③ 보험수익자(beneficiary): 보험수익자란 생명보험 등의 인보험에서만 사용되는 용어로서 보험사고의 발생 시 보험자에 대하여 보험금을 청구할 수 있는 자로 지정된 자를 의미한다. 물보험에서는 피보험자가 보험금을 청구할 수 있는 자격을 갖게 되므로 굳이 보험수익자라는 용어를 사용하지 않는다.

보험계약자가 동시에 보험수익자인 경우에는 '자기를 위한 생명보험계약' 이라 하고, 보험계약자 이외의 제3자를 보험수익자로 하는 경우를 '타인을 위한 생명보험계약' 이라고 한다. 후자의 경우에는 보험계약자가 보험수익자의 지정 · 변경권을 갖는데, 특히 타인의 생명보험의 경우에는 피보험자의 동의를 얻어 그 지정 · 변경권을 행사할 수 있다(상법 제733조).

2. 보험계약의 요소

1) 보험의 목적(subject matter of insurance or insured)

보험계약에서 보험의 목적은 보험사고발생의 객체가 되는 재산이나 자연인을 의미한다. 손해보험의 경우 보험의 목적은 피보험자의 재산을 의미하는데, 예컨대 해상보험의 경우 보험의 목적은 선박이나 화물을 말한다. 한편 인보험에서는 피보험자의 생명 또는 신체를 의미한다. 보험자는 이러한 객체에 대하여 보험사고가 발생한 경우에 책임을 부담하기 때문에 보험계약에서는 구체적으로 보험의 목적을 정해야 한다.

2) 보험료(premium)

보험료는 보험자가 제공하는 보험서비스, 즉 보험사고의 발생 시에 보험금을 지급

19) 피보험자는 보험계약자와 동일인일 수도 제3자일 수도 있으며, 보험계약자 자신을 피보험자로 하는 경우를 '자기의 생명을 위한 보험계약' 이라 하고, 보험계약자 이외의 제3자를 피보험자로 하고 그 사람의 생명을 보험사고로 하는 경우를 '타인의 생명을 위한 보험계약' 이라 한다. 타인의 생명을 위한 보험에서는 피보험자의 서면에 의한 동의가 필요하고(상법 제731조), 15세 미만자, 심신상실자, 또는 심신박약자의 사망보험계약은 무효로 하므로, 이들을 피보험자로 할 수 없다.

하겠다는 약속에 대한 대가로서 보험계약자가 보험자에게 지급하는 금전을 의미한다. 법률적인 측면에서 볼 때 보험료는 보험자의 손해보상약속에 대한 약인(consideration)을 의미하며, 경제적인 측면에서 볼 때 보험료는 보험자가 제공하는 보험서비스의 절대가격(보험계약자 입장에서는 제공받는 보험서비스의 구입비용)이라고 할 수 있다.

한편 보험료는 순보험료(pure premium)와 부가보험료(loading premium)로 구성된다. 순보험료는 손해액의 확률적 기댓값으로서, 담보되는 위험의 크기에 따라서 증감된다. 위험의 크기는 손해발생빈도(loss frequency)와 손해의 심도(loss severity)에 의하여 결정되기 때문에 손해발생빈도 및/또는 손해의 심도가 커질수록 순보험료가 증가된다. 한편 부가보험료는 보험회사의 업무에 필요한 경비 및 이윤를 구성하는 것으로서, 예컨대 보험회사의 경상경비, 적정이윤, 적립금 등에 소요된다.

3) 보험금(claim paid)

보험금은 보험사고가 발생한 경우에 보험자가 피보험자 또는 보험수익자에게 실제로 지급하는 금액이다. 손해보험의 경우 보험금의 크기는 보험계약 시에 확정되는 것이 아니라, 일반적으로 실손보상의 원칙에 따라서 보험사고의 발생 후에 손해액의 크기에 따라 결정되는 반면, 생명보험(특히 사망보험)을 비롯한 정액보험의 경우 보험금의 크기는 보험계약체결 시에 미리 약정 또는 확정된다.

4) 보험가액(insurable value) 및 보험금액(amount insured)

보험가액은 보험목적물의 금전적 가치 또는 시장가치로서 법적인 보상한도이다. 보험가액은 특히 기간보험의 경우, 보험목적물에 대한 시장상황에 따라서 계속 변동할 가능성이 높기 때문에 일반적으로 보험계약의 체결시점에서 보험자와 보험계약자 간 약정하고 보험계약기간 동안에는 고정된 것으로 간주한다. 이를 '보험가액 불변의 원칙' 이라고 한다.

한편 보험가액은 보험목적물의 시장가치이기 때문에 물보험의 보험목적물인 물건에만 적용되는 개념이고, 인보험에서 보험사고의 대상이 되는 피보험자에 대해서는 적용되지 않는 개념이다.

보험금액은 보험계약체결 시 보험자와 보험계약자 간 약정에 의하여 정해지는 보험금의 최고한도액을 의미한다. 보험가액이 보험목적물의 손해에 대한 법적인 보상한도를 의미하는 반면, 보험금액은 계약상 보상한도액으로서, 보험사고의 발생 시 지급되는 보험금의 최고한도액은 양자 중 적은 금액을 기준으로 결정된다.

보험금액과 보험가액의 관계

- 보험금액 = 보험가액: 전액보험(full insurance)
- 보험금액 〉 보험가액: 초과보험(over insurance)
- 보험금액 〈 보험가액: 일부보험(under insurance)

5) 보험료율(premium rate)

보험료율은 보험금액에 대한 보험료의 백분비로서, 보험서비스의 상대적인 가격을 의미한다. 보통 일상적으로 보험서비스의 가격으로서 보험료가 비싸다거나 저렴하다는 표현을 자주 사용하는데, 이는 잘못된 표현이다. 일상적으로 소비자가 구매하는 상품의 가격이 저렴한지 여부는 구매상품의 품목(예컨대, 사과 한 상자)에 따라 획일적으로 판단되는 것이 아니라, 구매상품의 품목 및 내용(예컨대, 상자 속에 들어 있는 사과의 개수, 원산지 및 품질 등)에 대비한 가격을 종합하여 판단된다.

이와 마찬가지로 보험상품의 가격도 단순하게 소비자가 지급하는 보험료의 절대적인 크기에 의하여 비싼지 저렴한지 여부가 판단되는 것이 아니라, 보험료의 크기 및 보험상품의 내용이 종합적으로 판단되어야 한다. 따라서 품질이 동일한 보험상품의 경우 보험상품의 가격은 소비자가 지급하는 보험료와 보험사고의 발생 시 소비자가 수령하는 보험금의 최고한도액의 상대적인 비율, 즉 보험료율에 의하여 저렴한지 여부가 판단되어야 한다.

예컨대 A 보험상품의 경우, 보험금액이 1억원이고 보험료가 200만원이라면 보험료율은 2%이다. B 보험상품의 경우, 보험금액이 2억원이고 보험료가 300만원이라면 보험료율은 1.5%이다. 양자가 보험금액 및 보험료 외에 동일한 계약내용(즉 보험상품의 품질)을 가진 보험상품이라면, 보험료 면에서 A 상품이 저렴하지만 실제로는 B 상품이 저렴하다고 할 수 있다.

6) 피보험이익(insurable interest)

피보험이익은 보험계약이 유효하게 성립하기 위한 전제조건으로서, 보험의 대상(손해보험의 경우에는 보험목적물)과 보험계약자 사이에 존재하는 특정의 이해관계를 의미하고, 달리 표현하자면 '보험가능 이해관계' 라 할 수 있다.[20] 따라서 보험계약자가 보험자와 보험계약을 체결하거나 또는 해당 보험계약을 근거로 보험금을 회수하기 위해서는 보험계약자와 보험의 대상 사이에 보험가능한 이해관계가 존재해야만 한다.

피보험이익은 "보험의 대상에 손해가 발생하는 경우에 피보험자에게 손해가 되는 관계" 로서, 쉽게 말하자면 사람과 사람, 사람과 물건 또는 사람과 특정 권리와의 관계이다. 한편 영미법과는 달리 우리나라 법에서는 사람과 사람 간 피보험이익의 존재를 인정하지 않는다.

보험계약은 보험목적물 그 자체를 보호하는 것이 아니라, 피보험자의 피보험이익을 보호하는 데 목적을 두고 있으며, 보험금은 그러한 피보험이익을 회복하기 위하여 지급되는 금전이라고 할 수 있다.

7) 약관(clause)

약관이란 다수의 상대방(보통 보험계약자)과 계약을 체결하기 위하여 일방당사자(보통 보험자)에 의하여 사전에 작성된 계약조항으로서, 정형적인 계약의 내용을 구성한다. 따라서 약관은 계약당사자 사이에 개별적 협상에 의하여 자유롭게 합의되는 계약조건과는 다르다. 한편 약관 중에는 일체 계약에 기본적으로 적용되는 표준약관과 보험계약자의 선택에 따라 추가 여부가 결정되는 특별약관이 있다.

---

20) 정홍주, 전게서, p.208.

제2장

해상보험의 역사

해상보험제도의 기원에 관한 다양한 학설이 존재하나, 모두 명확한 증거를 갖고 있는 것은 아니다. 예컨대 1310년 브뤼헤(Bruges)에서 보험회의소가 설립된 기록이 있으므로 플랜더스(Flanders) 지방이 그 기원이라는 학설 및 14세기 후반에 포르투갈에서 설립된 상호조직의 해상보험이 그 효시라는 설도 있었다. 그러나 영리보험 중 가장 오랜 역사를 가진 해상보험은 그리스 · 로마시대부터 지중해 무역의 발전에 따라 행해졌던 모험대차에 그 기원을 두고 있다는 것이 오늘날의 통설로 인정되고 있다.

제1절 모험대차

현재의 통설에 따르면 해상보험은 14세기 르네상스시대 초기에 제노바(Genoa), 피사(Pisa), 피렌체(Firenze), 베네치아(Venezia), 팔레르모(Palermo) 등 리구리아(Liguria)해 및 아드리아(Adria)해에 인접한 이탈리아의 상업도시에서 델 베네(Franscesco del Bene) 및 다티니(Franscesco del Marco Datini) 등 상인이 보험자가 되어 해상위험을 인수한 것이 그 시초라고 말해지고 있다.

해상보험은 14세기 이탈리아에서 천재적인 재능을 가진 누군가의 고안을 기초로 갑자기 행해진 것이 아니라, 멀리 그리스시대부터 지중해 지방에서 행해진 포에너스 노티쿰(foenus nauticum)에 그 기원을 두고 있다.

포에너스 노티쿰(foenus는 이자부 대차, nauticum은 바다라는 의미. contractus trajectitiae pecuniae라고도 말해진다)은 모험대차(praât à la gross aventure 또는 praât à la grosse) 또는 해상대차(Seedarlehen)로 번역되고 있는 금전 소비대차의 일종을 의미한다. 이 제도는 차용자인 선주 또는 화주는 항해가 무사히 수행된 때는 빌린 돈을 거액의 이자(usura라고 하며 항해에 대해 22%에서 33.3%의 고율이었다고 말해진다)와 함께 변제해야 하지만 선박이 도중에 해난, 해적 등의 해상사고를 만나 전손이 된 때는 그것의 변제를 할 필요가 없었다.[21] 따라서 그것은 융자와 위험부담이라는 두 가지의 기능을 가지고 있었다.

모험대차는 지중해 상업의 발전에 수반되어 12~13세기에는 이탈리아를 비롯해 프랑스, 스페인, 포르투갈의 항에서도 자주 이용되게 되었다. 그런데 1230년경 징리를 죄악시하는 교회법하에 그레고리우스 9세(Gregorius IX)에 의해 징리금지령이 발령되어 항해가 무사히 종료된 때의 높은 이자가 금융업자의 유일한 매력이었던 모험대차는 사실상 금지되었다.[22]

제2절 가장보험계약

전술한 모험대차는 원래 장기간 이용되어온 경제제도였기 때문에 잠시 동안은 매매를 가장하여 행하여졌다. 즉, 모험대차의 금융업자가 선박 또는 화물의 매수인이 되고, 모험대차의 차용인이 매도인이 되어 매수인이 매도인에게 대금을 지급하지만 항해가 무사히 종료하면 매매계약은 해지되고 대금(실제로는 차입금)이 변제되는 형태를 취해왔다. 따라서 항해 도중에 해난을 만난 경우에는 매매계약은 해지되지 않고 매도인(실제로는 차용인)은 대금의 변제를 필요로 하지 않게 된다.

그러나 고리대금업의 금지령으로 인하여 상인은 모험대차제도를 대체하는 제

---

21) 모험대차의 원형은 이미 바빌로니아에서 행해졌다고 말해지고 있다. 거기서는 제조업자로부터 그 제품의 판매를 위탁받은 대상(caravan)이 무사히 귀환하면 이익의 50%를 지급하지만, 도중에 강도를 당한 경우는 아무런 책임도 없었다. 그리고 페니키아에서는 이 강도의 위험이 항해의 위험을 대신했다. 선박의 모험대차는 Bottomry라고 하며, 화물의 모험대차는 Respondentia라고 했다.

22) 木村榮一, 『海上保險』, 千倉書房, 1978, pp.1~2.

도를 고안하였다. 금융업자는 모험대차를 통하여 높은 이자를 취득할 수 있었지만 돈을 빌린 자 중에는 해난을 만났다고 거짓말을 하여 변제하지 않는 자가 점차로 증가했다. 한편 무역업자도 장기간의 무역에서 이제는 무역자금을 차입할 필요가 없을 정도로 부(富)를 축적하고 있었지만 해난을 만난 때는 과거의 축적을 한순간에 잃게 되는 위험에 있었다. 이와 같은 상황하에서 탄생한 것이 모험대차가 가지고 있던 두 가지의 기능 중에서 위험부담의 기능만을 채택한 해상보험이었다.

이렇게 하여 해상보험은 환어음제도를 탄생시켜 코멘다(Commenda)[23]라는 기업형태를 발전시켜 복식부기의 방법을 진보시킨 상업혁명의 중심지인 이탈리아에서 위험전가의 수단으로서 탄생하였다.

해상보험이 생성되었다 해도 소비대차 아니면 매매에 한정된 계약밖에 없었던 로마법하에서 해상보험이 계약의 형식으로서 바로 오늘날의 보험계약의 형태를 취한 것은 아니었다. 예컨대 벤자(Bensa)가 제노바의 국립고문서실에서 발견한 1347년 10월 23일자의 제노바에서 마르세유까지 부보된 S.Clara호에 대한 선박보험 및 1348년 1월 15일자의 제노바에서 팔레르모까지 부보된 면포에 대한 적하보험은 모두 무상의 소비대차(mutuum gratis et amore)를 가장하고 있었으며, 1370년 7월 12일자의 카디스(Cādiz: 스페인 남부의 항)에서 슬레이스(브뤼헤의 외항)까지의 적하보험은 매매를 가장하고 있었다.

즉, 앞의 두 가지의 경우에는 차입자인 보험자가 피보험자인 금융업자로부터 무이자로 돈을 빌어 그것을 4~6개월 이내에 변제할 것을 약속하지만(따라서 해난을 만난 경우는 변제한다) 항해가 무사히 종료한 때는 계약이 효력을 상실하여 변제할 필요가 없게 된다. 후자의 경우에는 보험자는 피보험자가 가지고 있는 화물을 매입하고 그 대금은 6개월 이내에 지급할 것을 약속한다. 그런데 화물이 목적지에서 안전하게 양륙된 때는 계약은 무효가 되며 대금의 지급은 필요 없게 된다(따라서 해난을 만난 경우에는 지급된다).[24]

23) 이 제도는 이윤분담 방식을 말한다. 즉 항해의 성공시에 사전에 약정된 비율로 이윤을 분할하는 것이다. 예컨대 3:7, 4:6으로 무역업자와 금융업자가 이윤을 나누는 방식이다. 이 방식은 채권방식인 선박저당채권과는 달리 오늘날의 주식과 오히려 유사하다.

24) 木村榮一, 전게서, pp.3~4.

제3절 진정보험계약(이탈리아)

1383년 및 1384년에 피사, 1395년에 베네치아, 1397년에 피렌체에서 체결된 보험계약을 보면[25] 명실공히 오늘날의 보험(이탈리아어로 assicurazione[26]; 그 후 프랑스어로 assurance; 영어로 assurance, insurance; 독일어로 Assekuranz, Versicherung이라 한다)계약의 형태를 지니고 있다. 즉, 보험자(assicuratore; assureur; assurer, insurer; Assekuradeur, Versicheerer)가 피보험자(assicurato; assuré; assured, insured; Versicherte)에 대해 해상사고에 기인하여 발생한 손해를 보상할 것을 약속하고 그 대가로서 비로소 보험료(primo[최초로라는 의미]; prime; premium; Prämie)를 수령하는 형태를 취하고 있다. 그리고 보험계약의 내용을 기재한 보험증권은 'polizza' (police; policy; Police)라고 불렸지만 그 당시의 양식은 로이즈 해상보험증권을 통해 거의 그대로 오늘날에 계승되고 있다.

단지 Vivante에 의하면 "위험의 수가 적었기 때문에 보험은 도박에 가까운 것"이었으며, "보험자의 성공 또는 실패는 자주 한 가지 위험의 발생에 의존"[27]하는 것이었다.

그러나 해상위험에 대한 경제적 방위수단으로서의 해상보험의 우수한 기능이 상인에게 인식되어 그것은 피사, 피렌체, 리보르노(Livorno), 제노바, 베네치아, 팔레르모, 안코나(Ancona) 등 이탈리아의 상업도시에서 널리 이용되게 되었다. 플라트의 다티니문고[28] 및 제노바 국립고문서실에 보존되어 있는 수많은 보험증권 등

25) 피렌체의 북쪽 플라트에 보존되어 있는 Francesco di Marco Datini의 당시의 기록(보험계약에 관한 것만 약 400점의 원본 문서가 있다) 중에서 1379년 4월 13일자의 피사에서 발행된 오래된 보험증권을 발견하여 발표했다. 이것이 현재까지 알려져 있는 가장 오래된 피사의 보험증권 기록이다(Melis, F., Origini e sviluppi delle assicurazioni in Italia, I, Rome, 1975, pp.231~232).

26) assicurare의 어원인 'sigurare' 라는 단어는 1318년 Pisa공화국에서 제정된 카리아리항 규칙의 Breve Portus Callaritani에서, 또한 polizza라는 용어는 1401년 제노바의 Consoli delle Calleghe에서 처음으로 사용되었다고 한다.

27) Vivante, C., L'assicurazione delle cose, evoluzione storica, Archivio giuridico, XXXII, 1884, pp.80~109.

28) 다티니가 남긴 각종 상업기록 중에 해상보험관련 문서가 약 400점이나 있었던 것에서 해상보험이 14세기에 얼마나 많이 이용되었는가를 알 수 있다. 다티니가 그의 부인에게 다음과 같이 화를 낸 편지를 쓰고 있는 것을 보면 당시의 보험자는 그다지 신뢰할 수 있는 자가 아니었던 것 같다. "보험자는 위험을 인수할 때는 돈벌이를 위해 매우 친절하게 하지만 사고가 발생하면 완전히 다르게 행동한다. 보험자 모두가 꽁무니를 빼고 보험료를 지급하지 않으려고 한다."라고 되어 있다.

보험계약의 기록이 그것을 여실히 말해주고 있으며, 그것은 제노바의 공증인 Teramo di Maggiolo가 1393년 8월 21일부터 9월 15일까지 약 4주간 80건의 보험계약을 취급했다는 사실에서도 알 수 있다.[29)]

다티니가 부보한 화물은 바르셀로나에서 피사로의 양모, 피사에서 바르셀로나로의 비단, 피사에서 영국 사우스앰프턴(Southampton)으로 운송되는 포도주 등이었지만 그 보험료는 3.5%에서 5%, 포도주는 8%였다. 그러나 당시 교활한 피렌체 상인은 이와 같은 보험의 경우에 12%에서 15%의 보험료를 받았다고 한다.[30)]

제4절 영국

1. 영국해상보험의 기원

해상보험제도가 언제부터 런던에서 활용되었는지는 확실하지 않지만 1547년 9월 20일 포도주의 적하보험증권 및 1548년 11월 26일 직물의 적하보험증권의 기록으로 미루어 보아 적어도 16세기 초엽으로 확인되고 있다.[31)]

1500년대 초기부터 중반에 걸쳐 영국은 절대왕정의 확립과 중상주의정책의 추진에 의해 국가의 경제적 기반이 서서히 확립되어 후진국에서 선진국으로 이행하게 된다. 상품의 유통을 원활하게 하기 위해 화폐와 도량형을 통일하고 항해법을 발령하여 영국해운의 보호, 육성을 도모하고 금융제도를 정비하여 외국인에 의한 금융지배에서 탈피하여 외국과의 자유무역을 장려하고 있었다. 종래부터 런던의 스틸야드(Steelyard)를 근거로 하여 영국무역을 지배하고 있던 한자 상인 및 베네치아 상인에 대해서는 강경한 수단을 강구하여 자주권의 획득에 노력했다. 그 결과 16세기 중반 이후 영국은 중상주의적 부국강병책에 의해 세계 제일의 해운력과 광대한 식민지를 확보하기 시작했다.

이와 같은 상황에서 런던의 롬바드 거리(Lombard Street)에서 금융업 및 해상보험

---

29) Bensa, E., Il Contratto di Assicurazione nel Medio Evo, Genova, 1884, p.79.

30) 近見正彦,『海上保險史硏究』, 有斐閣, 1997, pp.14~82.

31) 이들 보험증권은 본문이 이탈리아어로 기재되어 있는데, 이는 영국의 초기 해상보험이 이탈리아인에 의해 독점적으로 영위되고 있었다는 것을 입증하고 있다(木村榮一,『海上保險』, p.11).

업을 영위하고 있던 롬바드인이 1483년 이후 계속되는 법적 억압에 견딜 수 없게 되어 영국을 떠난 후, 해상보험거래는 1568년에 그레샴(Gresham)에 의해 런던의 금융 중심지(City of London)에 설립된 왕립거래소(Royal Exchange)를 중심으로 행해지게 된다. 또한 1601년에는 보험에 관한 최초의 법률인 Act 「touching Polices Assurancies used among merchants」가 베이컨(Bacon)에 의해 제정되었다. 그러나 당시의 상업은 완전히 형식뿐이며 대단히 좌절된 분위기 속에서 행해지는 일이 많았으며 그 의미에서 전통적인 격식이 있는 왕립거래소는 상인들에게 그다지 호감을 주지 못했다.[32] 따라서 실제 상인 및 은행가는 개인사무실에서 해상보험을 인수하는 경우가 많았다.

오늘날 영국이 세계 해상보험시장에서 차지하는 절대적인 지위를 확립하는 데 단초를 제공한 것은 아이러니하게도 런던 테임즈 강변의 조그만 커피점(coffee house)이었다. 1652년 레반트무역에서 재화를 축적하여 귀국한 산더스라는 상인이 라그자에서 동반한 그리스인 하인에게 커피점을 개업해 준 이래로 런던에서는 많은 커피점이 등장하게 되었다.[33] 올리버 크롬웰(Oliver Cromwell, 1599~1658)이 권세를 누리고 있던 당시의 영국에서 모든 향락을 죄악시하는 청교도적인 생활 속에서 커피점만은 시민이 죄책감 없이 이용할 수 있는 유일한 사교장이었다. 따라서 각자는 단골 커피점이 있었으며 그곳에 모여서는 신비로운 커피의 향을 즐기며 논의나 협상을 하였다.

2. 로이즈(Lloyd's)

1) 로이즈의 기원

런던 시내에 커피점이 성행하자 각각의 상점이 특색을 갖추게 되고 그곳에 모이는 손님의 인종 및 직업도 일정하게 되어 갔다. 1688년 에드워드 로이드(Edward Lloyd, 1648 ~1713)라는 사람이 시작한 로이즈 커피점(Lloyd's Coffee House)은 테임즈 강변의 선착장에 가까운 타워 스트리트(Tower Street)에 있었기 때문에 선원의 집회소가 되었다.[34]

---

32) Lloyd's, *A Sketch History*, London, 1982, p.1.

33) 1700년경 런던에서만 2,000~3,000개 정도의 커피점이 있었다고 한다.

34) 로이즈 커피점의 설립시기는 명확하지 않다. 1688년 2월 18일(월요일)~21일(목요일) 일자의 'The London Gazette' 라는 신문(제2429호)의 광고란에 "Darby인 Edward Bransby라는 사람이 2월 10일에 시계를 5개 도난당했다. 범인은 검은색의 곱슬머리이며 얼굴에 마마자국의 흔

당시 통신수단이 아직 충분하게 발달하지 못했기 때문에 선원이 가져오는 세계 각지의 최신정보는 귀중했다. 로이드도 고객을 위해 해사정보를 제공했으며 1696년 이후는 '로이즈 뉴스(Lloyd' s News)' 라는 신문을 주 3회 발행하여 고객에게 편의를 제공했다. 그래서 그의 가게는 신뢰할 수 있는 뉴스로서 평판을 얻게 되었다. 이로 인해 선주 및 무역상이 대거 그의 상점에 출입하고 더구나 해상보험자도 참가하여 선박 및 적하의 매매와 해상보험거래가 번성하게 되었다.

공간이 부족한 이 Coffee House는 1691년 12월에 롬바드 스트리트 16번지에 이전하자 해상보험거래의 중심시장으로서 더욱더 번성하게 되어 그곳을 무대로 하는 개인 해상보험자는 로이즈 커피점의 언더라이터(Underwriters of Lloyd' s Coffee House)로 알려지게 되었다.

당시 해상보험거래는 개인보험업자에 의해 로이즈 커피점 이외에서도 행해지게 되어 로이즈 커피점도 해상보험거래가 빈번하게 이루어지는 커피점의 하나에 불과하게 되었다. 그러나 1720년에 제정된 법률이 로이즈 커피점의 장래에 커다란 영향을 미치게 되었다. 1714년 앤여왕이 갑자기 사망하고 조지왕이 영국왕위를 계승한 당초 무질서한 상업세계에 질서를 회복하기 위해 견실한 기초를 가진 회사 또는 특허회사를 창설하려는 시도가 있었다. 1711년에 설립되어 스페인령 미국과의 무역특권을 부여받은 남해회사(South Sea Company)가 1719년에 거액의 국채를 인수하여 미국으로의 노예공급독점권을 획득하자 동 회사의 주가는 폭등하여 국민들이 투기열에 불타고 있었다. 동시에 유사한 실질이 없는 다수의 포말회사가 설립되어 인심(人心)은 투기열에 젖어 있었다. 결국 1720년 남해회사의 붕괴와 수천명의 투기가의 파멸을 초래한 소위 '남해의 대공황' 을 초래했다.

1720년의 포말법(Bubble Act; 남해회사가 최고조에 도달한 때에 제정되었기 때문에 이와 같이 불린다)의 제정에 의하여 London Assurance와 Royal Exchange Assurance의 2개 특허회사가 설립되어 2개 특허회사에 법인으로서의 해상보험 독점권이 부여되자 개인보험업자는 로이즈 커피점에 결집하여 1720년대 중엽에는 그들만으로 런던의 해상보험거래의 약 90%를 인수하기까지 되었다.[35] 로이즈의 개인

적이 있으며 낡은 승마용의 코트를 입고 검은 색깔의 모자를 쓴 중년 남자라고 생각된다. 짐작이 가는 분은 Tower Street의 Edward Lloyd씨가 운영하는 Coffee House, 또는 전술한 Darby인 Edward Bransby씨 앞으로 알려주면 1기니의 사례금을 주겠다." 라는 기사가 게재되어 있는 점에서 1688년에 Edward Lloyd의 커피점이 존재했으며 상당히 유명했다는 것을 알 수 있을 뿐이다.

35) Lloyd' s, op. cit., pp.2~3.

보험업자들이 이 정도의 실적을 보유할 수 있었던 것은 1720년의 법률이 전술한 2개 특허회사 이외의 회사 및 조합에 대한 보험업을 금지하면서도 개인보험업자에 의한 영업을 금지하지 않았으며 전술한 2개 특허회사는 화재보험거래에 중점을 두고 해상보험에는 중점을 두지 않았기 때문이다.

그러나 당시 도박이 크게 유행하고 있었으며 로이즈 커피점에서도 해상보험거래를 하던 중, 예컨대 질병에 걸린 국왕이 특정기간 내에 사망할지의 여부, 강도가 체포되어 교수형에 처해질지의 여부 등 도박을 인수하는 자가 대두되어 비난을 받게 되었다. 진심으로 해상보험을 영위하는 고객들은 이것을 한탄하여 1769년 근처의 Pope' s Head Alley 5번지로 상점을 이전하고 새로운 로이즈 커피점(New Lloyd' s Coffee House)을 만들었다. 그러나 이 상점은 공간이 좁아 1771년에 새로운 가게를 찾기 위해 위원회가 조직되어 79명의 상인, 보험자 및 중개인은 이 목적을 위해 각자 100파운드를 거출하여 잉글랜드은행의 계좌에 지급했다. 1774년에 위원회는 나중에 '로이즈의 아버지(Father of Lloyd's)' 라고 불리게 된 J. J. Angerstein의 노력으로 '21년간 집세 약 160파운드' 의 조건으로 왕립거래소 내에 방(room)을 빌릴 수 있었으며 이것을 계기로 새로운 로이즈(New Lloyd' s)는 커피점의 영업을 정지하였다.[36)]

1800년대가 되자 로이즈 보험업자 집단은 더욱 충실하게 되어 1824년에 The Alliance 및 The Indemnity의 2개 회사가 설립되어 해상보험업의 독점이 법률상 폐지된 때는 1,000명 이상의 개인보험업자로 구성되게 되었다. 이로 인하여 로이즈는 해상보험시장에서 부동의 지위를 누리게 되었고, 오늘날 로이즈 또는 로이즈 오브 런던(Lloyd' s of London)으로 세계에 알려지게 되었다.

2) 로이즈의 법인화

로이즈는 1871년 이전까지는 각자가 서로 마음대로 모여 보험거래를 하여 개인보험업자의 집단을 이루었으나 1871년에 이르러 「로이즈법(Lloyd' s Act)」이라는 국회제정법에 의해 로이즈조합으로 법인화되었다. 1911년에는 「신로이즈법(New Lloyd' s Act)」이 제정되었고 로이즈가 종래에는 취급하지 않았던 해상보험 이외의 영업까지도 하게 됨으로써 비해상보험분야로 활동영역을 확장하게 되어 오늘날 세계보험시장의 중심이 되고 있다. 로이즈 수입보험료의 75%는 영국 이외의 국가로

---

36) Hodges, S., *Law of Marine Insurance*, Cavendish Publishing Ltd., 1996, p.53.

부터의 수입이라고 말해지고 있다. 이는 개인보험업자(Underwriter: Name)의 조합이지 보험회사가 아니다. 현재 로이즈의 보험인수회원은 약 20,000명 정도이다. 단 위험이 거대화된 오늘날에는 각자가 개개로 직접 보험을 인수하지 않고 각자 해상, 비해상, 항공, 자동차, 생명의 다섯 분야로 나누어진 200개 신디케이트에 소속하여 신디케이트를 통해 보험을 인수하고 있다.

3) 로이즈의 인수액

그러나 각 개인은 그 인수액에 관해 무한책임을 지며 신디케이트는 연대책임을 지지 않는다. 법인인 로이즈는 보험거래를 위한 장소를 제공(로이즈보험조합과 보험계약을 체결하는 것이 아님)할 뿐이며 보험은 개개의 보험업자와 계약이 체결되고 있다. 로이즈의 개인보험업자는 로이즈에서 로이즈 브로커(Lloyd' s Broker: 현재 약 210개사)가 세계 각지에서 가져온 위험을 인수하지만, 보험계약자와 직접거래는 하지 않는다.

제5절 우리나라의 해상보험

우리나라에 해상보험이 도입되게 된 배경은 1876년의 강화도조약체결이 계기가 되었다. 동 조약체결로 인해 부산, 원산, 인천 등의 항구가 개항되고 외국의 금융기관과 무역업자가 진출하게 되었는데 이들은 대부분 자국보험회사의 대리점 업무도 겸영하고 있었다.

1880년에 동경해상화재보험주식회사(Tokyo Marine Fire Insurance Co.)가 제일 먼저 진출하여 제일은행 부산지점과 보험업무 대리점계약을 체결하였다. 그 후 1922년에 일본인이 세운 조선화재해상보험주식회사가 그 효시이며 일본인의 자본으로 운영된 것으로서 사실상 화재보험에만 주력하였고 해상보험에 참여할 능력이 없었다.

그러나 1945년 해방과 더불어 일본인의 보험회사가 퇴거함으로써 보험업은 비로소 우리의 힘으로 운영하게 되었다. 해방 이후 설립된 손해보험회사는 10여 개 회사에 이르렀으나 모두 해상보험을 취급하지 않았다. 그 이유는 그 당시 우리나라는 선박이 없었으며 대외무역거래도 미미했고 해상보험에 대한 실무도 까다로웠기 때문이다. 따라서 필요한 경우 부보는 무역상에게 의뢰하거나 부득이한 경우 국내에서 영업을 하고 있던 외국보험회사의 대리점에 의존하여 이루어졌다.

1952년부터 전시무역체제의 변화와 외국 원조물자의 도입 등으로 해상보험의 개업을 재무부에서 권고하기에 이르렀으나 해상보험에 대한 경험이 없고 자료부족과 영업수지에 자신이 없어 Pool체제로 운영하기로 하여 1952년 12월에 해상보험 Pool로서 '대한해상운송보험공동사무소' 가 발족되어 1953년 2월 1일부터 영업을 개시하였다. 이것이 우리나라가 독자적으로 해상보험을 인수하고 민족자본에 의해 영위한 우리나라 최초의 해상보험사업체이다.

1967년 3월부터는 해상보험을 영위하는 국내 10개사의 합의에 의해 해상보험의 취급을 단일창구화하고 이를 '한국해상보험공동사무소' 라고 불렀다. 보험의 판매 및 이재보상금 지급 등의 능률화 및 합리화를 도모하고 보험자 상호간의 과당경쟁을 배제하고자 함이 그 설립이유였으나, 무역업계의 요청과 기업형태로의 본연적인 복귀를 위하여 1968년 11월에 상기의 공동사무소도 해체되어 개별회사에 의한 해상보험의 영위가 재개되어 오늘에 이르고 있다.

현재는 손해보험회사가 독자적으로 해상보험업무를 취급하고 있는 것이 실정이다. 그런데 해상재보험계약에 대해서는 대한재보험(주)과 보증보험(주)에서 인수하고 있으며, 총톤수 500톤 미만의 소형 선박보험 및 방위산업과 관련되는 선박건조보험은 손해보험협회에서 Pool제로 인수하고 있다.

제3장

해상보험의 분류

제1절 보험의 분류와 해상보험

해상보험은 해상위험에 의해 발생한 손해보상을 목적으로 하는 보험이다. 보험[37]은 분류기준 여하에 따라 여러 가지로 분류되는데 그 중에서 해상보험이 속하는 범주는 다음과 같다.

① 보험은 incertus an의 위험에 의해 발생한 구체적인 실손보상을 목적으로 할지, 주로 incertus quando의 위험에 의해 발생한 추상적 손해에 대한 일정액의 급부를 목적으로 할지에 따라 손해보험(indemnity insurance)과 정액보험 또는 비손해보험(non-indemnity insurance)으로 분류되지만 해상보험은 손해보험의 일종이다.

② 보험은 사고발생의 객체가 생명인지의 여부에 따라 생명보험(life insurance)

---

37) 보험을 영어로는 insurance라고 하는 것이 보통인데 보험이 해상보험뿐이었을 즈음에는 assurance라는 것이 일반적이었으며 1720년에 설립된 2개 특허회사의 명칭도 The London Assurance 및 The Royal Exchange Assurance였다. 그러나 17세기 후반부터 화재보험에서 insurance라는 용어가 사용되기 시작하여 19세기에는 생명보험 이외에는 그다지 사용되지 않게 되었다. 미국에서는 생명보험에서도 life insurance라고 하며 life assurance라고는 부르지 않고 있다. 영국의 1946년 보험회사법(Assurance Companies Act 1946)도 Insurance Companies Act 1958로 대체되었다. 그러나 해상보험분야에서는 지금도 전통적으로 assurance 및 그 계통의 문언이 상당히 많이 사용되고 있다. 로이즈 보험증권에는 make assurance; assured; assurers; policy of insurance; sum assured 등의 문언이 this insurance; insurer or insured 등과 함께 사용되고 있다.

과 비생명보험(non-life insurance)으로 구분되는데 해상보험은 비생명보험에 속한다. 해상위험에 의한 사망에 대한 보험은 후술하는 바와 같이 생명보험이지 해상보험에 속하지 않는다.

③ 보험은 사고발생의 객체에 따라 물보험과 인보험 2가지로 구분되는 경우도 있으며, 물보험, 인보험 또는 재산보험 3가지로 구분되는 경우도 있다. 해상보험은 2가지로 구분된 경우에는 물보험에, 3가지로 구분된 경우에는 물보험 및 재산보험에 속하며 인보험을 포함하지 않는다. 15~16세기에는 노예가 자주 해상보험에 부보되었는데 그것은 화물로서이며 노예가 자살한 때는 화물의 내부적 하자로서 보험자가 면책되었다. 사람에 대해 발생하는 사고는 그것이 항해에 관한 것이어도 해상보험의 대상이 아니라 생명보험 또는 상해보험의 대상이다. 즉 해상보험은 비인보험에 한정된다.

④ 보험은 사고발생의 주요한 장소가 육, 해, 공 중에서 어딘가에 따라 해상보험, 육상보험 및 항공보험으로 구분된다. 해상보험의 대상인 해상위험, 즉 항해에 관한 사고의 발생장소는 물론 주로 해상이지만 항해에 관한 사고인 한 반드시 해상에 한정되지는 않는다.

⑤ 손해보험은 대별하여 해상보험과 그 밖의 보험, 즉 marine insurance와 non-marine insurance로 구분된다. 해상보험은 다른 보험에 비교한 경우 역사적으로 가장 오래되었으며 국제성이 강하며 피보험자가 상인이라는 것 등 많은 특색을 가지고 있기 때문이다.

⑥ 손해보험 중 운송위험에 대한 보험은 일반적으로 운송보험(transport insurance)이라 불리고 있는데 운송보험은 운송이 행해지는 장소에 따라 해상운송보험, 내륙운송보험(육상운송보험과 하천운송보험으로 구분된다), 항공운송보험 및 복합운송보험으로 분류된다. 해상보험이 제1의 범주에 속하는 것은 물론이지만 복합운송의 과정에 해상운송이 포함되어 있을 때는 해상운송의 행정이 가장 단거리인 경우라도 전 행정을 통해 해상보험에서 인수되고 있다.[38]

⑦ 운송보험은 운송용구의 보험과 운송객체의 보험으로 구분되는데 해상보험

38) 예컨대 독일의 뮌헨에서 미국의 피츠버그에 수출되는 화물은 다음과 같은 운송행정을 거치는데 전 행정이 해상보험에서 인수된다. 뮌헨(철도운송), 디스부르크(하천운송), 로테르담(창고에서 일시적으로 보관: 해상운송), 뉴욕(창고에서 일시적으로 보관: 철도운송), 피츠버그(일시보관 · 트럭운송) 수하인창고.

은 그 양자를 포함한다. 선박보험은 전자에 속하며, 적하보험은 후자에 속한다.

⑧ 미국에서는 marine insurance를 ocean marine insurance와 land marine insurance로 구분하고 있다. 전자를 wet marine insurance, 후자를 dry marine insurance라고도 한다. 전자는 일반적으로 말하는 해상보험에 속하며, 후자는 ㉠ 내륙운송 화물의 보험, ㉡ 교량, 터널, 잔교 등 교통시설의 보험, ㉢ floater, 즉 소재지 여부를 불문하고 동산을 담보하는 보험의 모두를 총칭하는 미국 독특한 inland marine insurance이다.

제2절 해상보험의 분류

1. 피보험이익에 의한 분류

1) 선박보험

선박보험(hull insurance)이란 선박을 보험의 목적으로 하며, 선박이 항해에 관한 사고에 의해서 입은 손해를 보상하는 보험이다. 그런데 선박을 보험의 목적으로 하는 보험은 모두 선박보험이라고 할 수 있지만 보통 선박보험이라고 하면 선주가 자기의 선박에 대해서 가지는 이익, 즉 소유자이익의 보험을 의미한다. 선박보험에서 보험의 목적은 상선, 비상선 또는 개인선박이나 공용선박을 막론하고 거래 통념상의 선박으로 인정되는 것은 모두 포함하고 있다. 예컨대, 화물선, 유조선, 예인선, 컨테이너선, 원자력선, 페리보트, 요트, 어선 등은 물론 관측선, 해양박람선, 석유굴착선 등 해상에 떠올라 있거나 해상 이동이 가능한 것, 그리고 건조 중이거나 예인 중, 또는 수선 중에 있는 선박까지도 포함된다. 또한 선체 외에도 기관, 조타기, 권양기, 추진기, 나침반, 해도 등 선박의 속구와 선박의 운항에 필요한 연료, 식료, 소모품 등도 선박보험의 대상이 된다.[39]

---

39) 김주동, 『손해보험론』, 형설출판사, 1997, p.315.

선박가동불능 손실보험: 선박이 해상위험으로 인하여 운항을 할 수 없게 되면 선박 소유자는 그 가동력이 회복될 때까지 운임 또는 용선료 등의 수입중단에 의한 경제력 손실을 입게 된다. 일반 선박보험이 해상위험에 의한 선박의 물적 손해를 보상하는 데 주력하고 있음에 반하여 선박가동불능 손실보험은 특정한 해상위험에 의해 선박이 불가동 상태에 빠진 경우에 선박 소유주가 입는 경제적 손실을 보상하는 보험이다.

선박수선에 관한 보험: 선박수선에 관한 보험은 수선 대상이 되는 선박이 수선공사 중에 입게 되는 위험을 담보하는 보험으로써 선주가 부보한 선박수선보험과 조선소가 부보하는 선박수선자 공사보험, 선박수선자 배상책임보험, 선박수선비보험 등이 있다.

① 선박수선보험: 선주가 자신의 소유자 이익을 부보하는 것이며 선박의 수선 또는 개조 공사기간 중에 해상위험 또는 육상위험에 의하여 선박에 발생한 손해를 보상받는 보험이다.
② 선박수선자 공사보험: 선박수선자가 선박의 수선 또는 개조 공사기간 중에 해상위험 또는 육상위험에 의해서 선박, 수선 또는 공사자재에 발생한 손해를 보상받는 보험이다.
③ 선박수선자 배상책임보험: 선박수선자가 수선의뢰인인 선사 또는 선박임차인으로부터 청부한 선박의 수선공사를 시공하는 사이에 조선소의 과실에 의해서 선박 또는 화물에 손해가 발생함으로써 수선의뢰인 혹은 제3자에 대하여 법률상의 배상책임을 지는 경우가 있다. 이 보험은 법률상의 배상책임을 보험의 목적으로 하며, 조선소를 보험계약자 또는 피보험자로 하고, 피보험자가 법률상 부담하는 배상책임을 보상하는 보험이다.
④ 선박수선비보험: 조선소가 선박의 수선 또는 개조 공사기간 중에 해상위험 또는 육상위험에 의해서 사고가 발생하여 그때까지 지출한 수선재료비, 공임, 기간비용 등 수선비를 선주로부터 수령하지 못함으로써 손해를 입게 되는데 이를 보상하는 보험이다.

선박건조보험: 선박건조보험(builder risk insurance)은 선박의 건조 중, 진수시 및 시운전시에 해상위험이나 육상위험에 의하여 발생하는 선박건조자의 손해를 보상하는 것을 목적으로 하는 것이다. All Risk 보험으로는 화재, 풍수해, 전복 등이 있

으며 진수시나 시운전시에 침몰, 좌초, 충돌 등의 위험을 담보하고 있다.

P&I 보험: 해상보험의 기본당사자라고 할 수 있는 선주가 부담하는 손해 및 배상책임을 보상받기 위해서는 해상보험회사와 선박보험계약을 체결하여 해결할 수 있다. 그러나 통상 충돌조항에서 제외된 배상책임, 선원의 사상에 대한 배상책임 및 비용, 선하증권의 면책조항에 해당하지 않는 배상책임 등은 선박보험에서 보상을 받지 못한다. 이러한 위험을 부담하는 보험으로 선주책임상호보험조합(mutual club; mutual insurance association)이 인수하는 경우와 선박보험자가 특별약관에 의해서 인수하는 경우가 있다. 세계적으로는 전자가 주로 이용되고 있다. 이 보험의 명칭을 P&I 보험(Protection and Indemnity Insurance)이라 하며, P&I에서 담보하는 위험은 Protection과 Indemnity로 나눌 수 있는데, Protection은 선주의 제3자에 대한 배상책임 및 선원에 대한 고용주로서의 배상책임을, Indemnity는 주로 화물의 운송인으로서의 화주에 대한 배상책임을 담보위험으로 하고 있다. P&I 보험의 자세한 내용은 후술한다.

선비보험: 선비보험(disbursement insurance)이란 선박을 운항하기 위하여 항해에 필요한 연료, 식료, 음료수, 기타의 소모품, 선원의 급료, 선박 및 선비에 대한 보험료 등의 비용을 지출하였음에도 불구하고 그 대상이익으로 당연히 획득되어야 할 운임 등의 이익이 해상위험의 발생으로 인하여 획득 불가능하게 되는 경우에 이같이 선박운행에 지출된 제 비용을 보험의 목적으로 하는 보험을 말한다. 즉, 선박이 항해를 하기 위하여 지출된 비용은 운임을 통하여 보상받는데 선주가 운임을 획득하지 못함으로써 항해지출비용을 획득하지 못하여 손해를 입는다. 이러한 비용손해를 보험의 목적으로 하여 보상하는 것이 선비보험이다.

2) 적하보험

적하보험(cargo insurance)[40]은 해상물건운송의 대상인 운송물을 보험의 목적으로 하여 그 적하에 대한 이익을 피보험이익으로 한 보험이다.

적하보험은 해상운송 중에 해상위험에 의하여 발생하는 화물의 손해를 보상하는 것을 목적으로 하는 보험이다. MIA에 의하면, 적하보험계약은 보험자가 피보험

40) 우리나라 상법에서는 '적하보험' 이라는 용어를 사용하고 있으며, 보험실무에서는 일반적으로 '화물보험' 이라는 용어를 사용하고 있다.

〈표 3-1〉 선박보험의 종류

선박보험의 형태		보험계약자	주요 내용
선박불가동손실보험		선주	선박이 해상위험으로 운항되지 못함으로써 선주가 입게 되는 경제적 손실을 보상하는 보험
선박건조보험		선박 건조자	선박건조자가 건조 중, 진수시 및 시운전시 해상위험이나 육상위험의 발생으로 입은 손해를 보상받을 수 있는 보험
P&I 보험		선주	선주가 선원 및 화주에 대한 배상책임, 충돌조항에서 제외된 배상책임 등의 손해를 보상받는 보험
선박 수선에 관한 보험	선박 수선보험	선주	선주가 선박의 수선 또는 개조공사 중에 해상 또는 육상위험에 의한 선박의 손해를 보상받는 보험
	선박수선자 공사보험	선박 수선자	선박수선자가 선박의 수선 또는 개조공사 중에 해상 또는 육상위험에 의해 선박 또는 공사자재에 발생한 손해를 보상받는 보험
	선박수선자 배상책임보험	선박 수선자	선박수선자가 수선공사를 하는 중에 조선소의 과실에 의해 선박에 손해를 입힘으로써 수선의뢰인 또는 제3자에게 배상책임을 지는 경우 그 배상책임을 보상받는 보험
	선박수선비 보험	선박 수선자	선박수선자가 선박의 수선 또는 개조공사 중에 해상위험 또는 육상위험의 발생으로 수선재료비, 공임 등 수선비를 수령하지 못하는 경우 그 수선비를 받지 못하는 손해를 보상받는 보험
선비보험		선주	선주는 항해에 필요한 제 비용(연료, 식료, 소모품, 선원의 급료 등)을 지출하였음에도 불구하고 운임을 받지 못함으로써 발생한 손해를 보상받는 보험

자에 대하여 그 계약에 의해 합의된 방법과 범위 내에서 해상손해, 즉 해상사업에 수반하는 손해를 보상할 것을 약속하고 있는 화물에 대하여 해상위험으로 인하여 발생한 손해를 보상할 것을 약속하는 계약이라고 규정하고 있다(제1조). 이러한 적하보험계약을 이행하기 위하여 보험자는 손해보상을 약속하고 보험계약자는 그 반대급부로서 보험료를 약인으로 보험자에게 제공함으로써 보험계약의 효력이 발생하며, 계약의 내용을 명확히 준수하기 위하여 보험증권이 교부되고 있다.

한편 적하보험은 해상구간을 담보할 뿐만 아니라 해상항해에 수반하는 육상 또는 내륙수로의 위험까지 담보하고 있다. 이는 보통 창고간담보약관(Warehouse to Warehouse Clause)으로 해상위험과 육상위험을 담보하고 있다.

또한 적하보험은 수출입화물을 대상으로 하는 해상보험과 우리나라의 국내연안 상호간을 수송하는 화물을 대상으로 하는 내항화물보험으로 구별된다. 외항화물 해상보험은 원칙적으로 외화로 보험계약을 맺고 보험증권이나 보험증명서도 영문으로 발행하며, 보험금 청구에 대한 보험회사의 책임유무 및 정산에 대해서는 영국의 법률 및 관습에 준거한다.

이에 반하여 내항화물 해상보험은 보험계약을 원화로 맺고 보험증권 및 보험인수증도 국문으로 발행한다. 그리고 보험약관의 규정에 없는 사항이 야기되었을 때에는 우리나라의 법률에 따른다.

희망이익보험: 화물이 선적지에서 최종목적지에 무사히 도착한다면, 화주가 얻을 수 있는 것으로 기대되는 이익을 희망이익(expected profit)이라고 하고, 이 이익에 대한 보험을 희망이익보험(expected profit insurance)이라 한다. 화주의 희망이익은 대부분 적하보험으로 체결되고 있다. 희망이익은 화물의 도달에 의하여 이익의 획득을 기대할 수 있는 사람에게 귀속되는 것이므로 화물의 소유주만이 이 같은 수익이익을 가진다.

수입세보험: 수입화물의 전부 또는 일부가 항해 도중에 손해를 입는 경우에는 손해를 입은 부분에 대해서는 수입세를 지급할 필요가 없다. 그러나 손해를 입은 화물이 수입항에 도달하였지만, 중량세로 부과되는 화물에 대해서는 도달수량에 변경이 없는 한 아무리 손상상태의 화물이라도 감세되지 않는 경우가 있다. 또한 화물이 손상상태로 수입항에 도착하였지만, 수입절차만료 전에 이를 미처 발견하지 못한 경우에는 정품으로서의 수입세를 지급할 수밖에 없는 경우도 있다. 이같이 수입상이 입는 수입세의 손해에 대해 담보하는 보험을 수입세보험(import duty insurance)이라 한다.

컨테이너보험: 컨테이너보험은 복합수송에 사용되어 컨테이너운송을 전제로 하고 있다. 컨테이너 보험은 컨테이너 자체의 보험(container itself insurance), 컨테이너 소유자(임차인도 포함)의 제3자에 대한 배상책임보험(container owner' s third party liability insurance), 컨테이너 운영자의 화물손해배상책임보험(container operator' s cargo indemnity insurance) 등으로 나누며[41], 이들 세 가지 보험을 일괄하여 하나의 증권으로 인수할 뿐만 아니라 계약자의 요청이 있으면 잔해제거, 소독, 검역비용담보특약(special cover for wreck removal, disinfection and quarantine expense)도 담보된다.

---

41) 오원석, 『국제운송론』, 박영사, 1995, pp.331~335.

〈표 3-2〉 적하보험의 종류

보험의 종류	주요 내용
적하보험	해상운송 중에 해상위험에 의하여 화주가 입은 손해를 보상하는 보험
희망이익보험	화물이 목적지에 도착함으로써 화주가 당연히 얻게 되는 희망이익이 해상위험의 발생으로 상실된 경우 그 상실된 희망이익을 보상하는 보험
수입세보험	수입화물의 전부 또는 일부가 항해 중 손상된 경우 화주가 정해진 수입세를 지급함으로써 입은 손해를 보상하는 보험
컨테이너보험	컨테이너에 화물을 싣고 운송되는 경우 컨테이너와 관련된 보험으로 컨테이너 자체 보험, 컨테이너 소유자의 제3자에 대한 배상책임보험, 컨테이너 운영자의 화물손해배상책임보험으로 구분된다.

① 컨테이너자체보험: 컨테이너 자체의 멸실 또는 손상에 따른 손해를 보상하는 것인데, 전위험담보조건과 전손담보조건이 있다. 전위험담보조건은 보험자가 담보하는 모든 손해에 대하여 보상하지만 전손담보조건은 전손, 공동해손, 구조비 및 손해방지비용만을 보상한다.

② 배상책임보험: 컨테이너 운송작업 중 제3자에게 끼친 신체적 손상이나 재산상의 손해에 대하여 보상하는 보험이다. 그러나 피보험자의 고의 또는 중과실에 의한 손해, 전쟁이나 폭동, 지진이나 화산에 의한 천재지변은 보상되지 않는다.

③ 화물손해배상책임보험: 컨테이너 운영자가 운송 중의 화물손해에 대하여 운송계약상 배상책임을 보상하는 보험이다.[42)]

복합운송적하보험

① 컨테이너 화물의 손해: 컨테이너 운송으로 인한 손해발생의 경향을 보면, ㉠ 발생빈도는 높으나 사고건당 손해액이 낮은 손해의 종류는 파손, 곡손, 도난, 발화 및 불착 등이며 ㉡ 사고건당 사고 심도가 높아지기 쉬운 손해는 화재나 갑판적의 갑판유실(washing overboard) 등이다.

② 담보기간: 협회적하약관(ICC) 제8조(운송조항)는 창고로부터 창고까지 담보하도록 되어 있으나 FOB 계약의 경우는 물건이 본선에 적재될 때까지는 매수인이 피보험이익을 갖지 못하므로 본선에 적재되면서부터 매수인의 창고

42) ②는 컨테이너 소유자가 부보하며 ③은 컨테이너 운영자(운송주선인 등)가 부보하는 보험이다.

까지 담보한다고 보아야 한다. FOB, CFR 및 CIF 계약은 순수하게 해상운송만을 위한 계약조건이므로 복합운송과 함께 사용하면 법적 문제점을 나타내게 된다. 이에 대비하기 위해서도 FCA, CPT, CIP 조건을 사용하는 것이 바람직하다. 왜냐하면 이들 조건은 매수인의 위험부담이 본선에 적재된 때가 아니라 최초의 운송인에게 물품이 인도한 때이므로 FCA 계약의 경우 매수인의 피보험이익이 최초의 운송인에게 물품이 인도된 때부터 발생하므로 보험자의 담보구간도 육상운송구간을 포함하게 되어 협회적하약관의 운송약관이 실효를 발휘하게 된다.

FCA와 CPT 계약에서는 매수인이 자기의 비용과 책임으로 운송보험 계약을 체결하여야 하고, CIP 계약에서는 매도인이 동보험 계약을 체결하여야 한다. CIP 계약에 있어서 복합운송의 부보범위는 특별한 약정이 없는 한 매도인은 ICC(FPA)나 ICC(C)로 부보하면 된다.[43] 그러나 CIP 계약이 해상운송만 하는 것이 아니라 도로, 철도, 항공 등 다른 운송구간을 포함하기 마련이므로 거래관습 등을 고려하여 적절한 조건으로 부보하여야 한다.[44]

③ ICC의 컨테이너 관련조항: ICC상의 컨테이너 운송 관련조항으로, ㉠ 제4조 제3항에서는 화물의 포장 또는 준비의 불충분과 부적절로부터 발생한 손해는 면책된다고 규정하고 있다. 여기서 컨테이너는 위 약관의 포장의 개념에 해당한다. ㉡ 선박, 운송용구, 컨테이너 등의 화물이 운송에 부적합(unfitness)할 경우 이에 기인하는 손해는 보험자의 면책으로 약정하고 있다.[45] ㉢ (B)약관과 (C)약관의 경우 육상운송용구의 전복 또는 탈선이 명시되어 있고 (B)약관에서 지진, 분화, 낙뢰를 담보위험으로 규정하고 있다는 것은 해 · 육 복합운송을 수용하기 위한 약관이라고 볼 수 있다.

예정보험: 예정보험이라 함은 보험계약의 내용의 일부 또는 전부가 보험계약을 맺을 때에 확정되어 있지 아니한 보험계약을 말한다. 이에 대하여 보험계약의 내용이 모두 확정된 보험을 '확정보험' 이라 한다. 예정보험은 해상보험뿐 아니라 운송보

43) 전쟁위험이나 동맹파업위험과 같은 위험은 매수인이 요청할 경우 매수인의 비용부담으로 매도인이 부보할 수 있다.

44) 예컨대 복합운송의 형태가 해상 + 항공이라면 통상 협회적하운송약관에 따른 해상보험증권 + 협회항공화물약관을 첨부하게 된다. 항공 + 해상이라면 반대로 첨부된다.

45) 컨테이너 B/L의 이면약관 가운데도 화주가 선사로부터 받은 컨테이너가 불완전할 경우 이를 서면으로 통지하지 않는다면 완전한 컨테이너를 수령한 것으로 간주한다는 컨테이너면책조항이 있다.

험, 재보험 등에서 많이 이용되고 있으며, 또 화재보험에 있어서도 총괄보험의 경우에 이용된다. 이와 같이 예정보험은 각종 보험에 이용될 수 있으나 실제로는 해상보험, 특히 적하보험과 희망이익보험에서 가장 많이 이용되고 있다.

① 적하예정보험: 보험의 목적인 화물을 적재하여 운송할 선박을 특정하지 아니하고, 선박특정 후의 적하에 대한 손해를 보험자가 담보하는 해상보험계약이다.

② 적하예정보험계약의 체결: 선박 미확정의 적하예정보험은 보험계약의 체결장소와 선적지가 다르거나 또는 선적지가 보험계약 체결 시와 동일하지 않은 경우에도 선박만을 지정하지 아니하고 유효한 계약을 체결하게 함으로써 보험계약자의 무보험 상태로 인한 위험을 없애고, 또 현대적 상업의 수요에도 적응시키는 제도이다.

2. 기타 보험에 의한 분류

1) 운임보험(freight Insurance)

운임이란 운송인이 운송계약을 기초로 물품의 운송업무를 수행함에 따라 취득하는 보수이다. 운임은 일반적으로 운송의 종료에 대해 지급되는 성질의 것이므로 만약 해상위험에 의해 운송품이 목적지에 도달하지 않으면 운송인은 운임을 청구할 수 없다. 운송인은 이러한 운임에 대한 권리를 해상위험으로 인해 상실할 우려가 있으므로 운임에 대해 부보할 수 있는데 이와 같은 보험을 '운임보험' 이라 한다.

운임의 피보험이익은 원칙적으로 운송계약의 존재를 전제로 하는 것이므로 그것이 개품운송계약인지 용선계약인지를 불문한다. 따라서 이들 계약을 기초로 하여 취득되는 개품운임 및 용선료는 운임의 전형적인 예이다.

한편 화주에 있어 화물이 가령 손상을 입고 도달하여도 운임 전부를 지급해야 한다면 감가된 화물에 대응하여 운임이 감액되지 않으므로 화주는 감가부분에 대해 여분의 운임을 부담하게 된다. 이러한 경우 운임의 감가부분에 대해 화주가 부보하는 보험을 '미필운임보험(contingent freight insurance)' 이라고 하는데 이것은 미필이익의 한 종류에 속한다.

2) 보험비용(charges of insurance)의 보험

보험비용 중에는 보험료 외에 보험계약에 부수하여 보험계약자가 부담하는 비용, 예컨대 수수료, 서류작성비용, 인지세 등의 비용이 포함되지만 보험비용의 주요한 것은 보험료이다. 화물을 적재한 선박이 보험기간 중 특히 보험기간개시 직후에 전손이 된 경우에는 선박 및 화물의 물적 손해 외에 선박 및 화물에 관한 보험료 상당액도 상실되므로 이와 같은 경우에 소요되는 보험료에 대해 보험을 부보할 필요가 있는데 이와 같은 보험을 '보험비용의 보험' 이라 한다.

선박의 보험비용에 대해서는 이것을 선비에 가산하여 선비보험에, 운임의 보험비용에 대해서는 이것을 총운임액에, 화물의 보험비용에 대해서는 이것을 화물의 보험가액에 포함하여 부보할 수 있다. 그러나 MIA 제13조[46)]와 같이 이것을 별개 이익으로써 보험에 부보할 수도 있다.

화물의 보험비용(보험료)의 보험가액에 대해서는 실제로 다음과 같이 산출된다.

- 화물의 원가(C)
- 총보험료(I)
- 보험료율(R)
- 화물의 보험가액(V)
- 보험가액(X)

이들 간에 다음과 같은 식이 성립한다.

- $V = C + I$
- $V = C + VR$
- $V - VR = C$
- $V(1 - R) = C$
- $V = C/1 - R$
- $X = R \times C/1 - R \quad \therefore X = RC/1 - R$

예컨대 화물의 보험가액을 1,000만원, 보험료율을 5%라고 한다면 이 경우 보험료의 보험가액은 다음과 같다.

46) 피보험자는 자기가 부보하는 모든 보험의 비용에 대해 피보험이익을 가진다.

$$X = 10,000,000 \times 0.05/1 - 0.05 = 526,316\text{원}$$

3. 보험기간에 의한 분류

1) 항해보험(voyage policy)

일정항해를 단위로 보험기간을 정하는 경우, 예컨대 부산에서 뉴욕까지의 왕항(往航)항해, 뉴욕에서 부산까지의 복항(復航)항해 또는 부산 · 뉴욕 왕항항해와 같이 1항해 또는 수(數)항해를 단위로 보험기간을 정하는 방법이다. 이 경우 보험기간은 항해를 계속하는 기간이므로 보험기간이 시간적으로 확정되어 있지 않아 미리 정확하게 이를 알 수는 없다. 즉, 보험자의 위험부담책임의 시간적 한계가 항해라는 사실 또는 상태의 계속기간에 좌우되는 것이다. 적하보험은 일정 장소에서 다른 장소까지 운송할 것을 목적으로 하는 적하를 대상으로 하는 보험이므로 특수한 경우를 제외하고 통상 항해보험으로 계약된다.

2) 기간보험(time policy)

○○년 ○○월 ○○일부터 ○○년 ○○월 ○○일까지와 같이 일정기간을 표준으로 보험기간을 정하는 방법으로 보험자의 위험부담책임의 시간적 한계가 일정기간에 의해 표시된다. 항공기보험 등에서는 드물게 항해보험으로 계약되는 수도 있지만 선박보험 및 선비보험 등에서는 통상 기간보험으로 계약되는 수가 많다.

3) 혼합보험(mixed policy)

일정항해 및 일정기간을 표준으로 보험기간을 정하는 방법으로 예컨대 'At and from London to Cadiz for six months' (런던에서 및 런던에서부터 카디스까지 6개월간), 'From the 1st of January, 1967, to the 1st of June, 1967, at and from Bristol to Marseilles' (1967년 1월 1일부터 1967년 6월 1일까지 브리스톨에서 및 브리스톨에서부터 마르세유까지)와 같은 경우이다. 이런 종류의 보험은 보험증권에 기재된 기간 내에 위험이 발생하지 않으면 보험자는 그 책임을 지지 않으므로 이 의미에서는 기간보험이지만 선박이 일정한 항해에 취항할 목적으로 지정된 발항항에 정박 중이거나 또는 그곳을 출항하여 피보험항해 수행 중에 위험이 발생하지 않으면 보험자가 그 책임을 지지 않는다는 의미에서는 항해보험이다. 하지만 현재에는 거의 행해지지 않고 있다.

제4장

무역거래조건과 보험

제1절 Incoterms

1. Incoterms의 의의

무역계약은 매도인과 매수인 사이에 각자 부담해야 할 여러 가지 의무가 있다. 이러한 매매당사자 간의 의무는 다양하기 때문에 매 계약시마다 일일이 열거한다는 것은 계약체결 실무상 번거롭고 비효율적이다. 따라서 무역업자들은 무역거래조건에 대한 표준화 내지 통일화 작업을 거쳐서 FOB나 CIF처럼 간단하게 정형화된 조건을 무역거래에 이용할 수 있게 되었다. 이와 같이 표준화된 거래조건을 '정형거래조건(typical trade term)' 이라고 한다.

Incoterms란 정형거래조건의 해석에 관한 국제규칙(International Rules for the Interpretation of Trade Terms; International Commercial Terms)의 약칭이다. 이것은 1936년에 국제상업회의소(International Chamber of Commerce; ICC)에서 계약당사자들이 국가 간의 상이한 무역관행을 인식하지 못하고 있기 때문에 야기될 수 있는 시간 및 금전상의 낭비를 초래하는 오해, 분쟁 및 법정소송 등의 문제를 해소하기 위해 제정된 것이다. 그 후 변화되는 국제무역관행에 일치시키기 위해 Incoterms는 1953년, 1967년, 1976년, 1980년, 1990년, 2000년에 개정되어 왔다.[47]

47) D' Arcy, L., et al., *Schimitthoff's Export Trade: The Law and Practice of International Trade*, 10th ed., Sweet & Maxwell, 2000, p.7.

2010년의 개정은 일곱 번째로서 밀레니엄이 시작되면서 실시된 Incoterms 2000 이후 9년 만에 초안위원회를 구성하고 세 차례에 걸친 초안작성을 통하여, 2010년 Incoterms® 2010(Pub. No. 715E)(이하 Incoterms 2010이라 한다)을 발간하였다. 개정 Incoterms는 2011년 1월 1일부터 발효되고 있다.

2. Incoterms 2010의 개정이유

Incoterms가 1936년 제정된 이후 정기적으로 개정되는 이유는 시대의 변화에 따라 변하는 운송관습 및 국제상관습의 변화에 대응하기 위한 것이다. 개정 Incoterms는 거래조건의 재구성, 국내거래를 포함한 적용범위의 확대, 매도인과 매수인의 의무사항의 표제 변경, 범세계적으로 관세자유지역의 확대, 전자통신문의 적용범위를 확대하기 위한 전자기록의 도입, 정보제공의 범위를 보안까지 확대, 변화된 운송관행 등의 변화로 인하여 개정된 것으로 보인다.

특히 Incoterms 2010의 주요 개정 배경은 관세자유지역의 지속적인 확대, 전자통신의 사용증대, 물류보안 강화, 운송관행의 변화 등 무역실무환경의 변화에 보조를 맞추고, 이와 더불어 기존 정형거래조건의 사용에 있어 잘못된 정형거래조건의 선택 및 그 해석상의 오류방지 등 정형거래조건 사용의 효율성 제고라고 할 수 있다. 이에 ICC는 다음과 같은 주요 개선내용을 Incoterms 2010에 담고 있다 할 수 있다. 첫째, 규칙의 단순화 및 명료화이다. 이를 위해 서문(Introduction)의 도입 및 개별조건에 대한 지침서(Guidance Note)를 제공함과 동시에, 당사자 의무조항을 재정비하여 보다 명료히 하고, 운송인 등 관련 용어를 명확하게 정의하였다. 둘째, 공식명칭의 변경과 상표의 등록이다. '정형거래조건에 관한 국제해석 규칙(International Rules for the Interpretation of Trade Terms)' 에서 '국내 및 국제 정형거래조건의 사용에 관한 ICC 규칙(ICC rules for the use of domestic and international trade terms)' 으로 변경하였다. 아울러 상표를 등록하여 Incoterms®로 하였다. 셋째, 'D' 조건의 신설 및 폐지이다. DAP, DAT 등 2개 조건을 신설하고, DES, DEQ, DAF, DDU 등 4개를 폐지하여 전체 11개 조건으로 축소 조정하여 무역거래 당사자들의 편의성을 제고하였다. 넷째, Incoterms 구조를 운송방식으로 분류하였다. 종전의 Group E(Departure), Group F(Main carriage unpaid), Group C(Main carriage paid), Group D(Arrival)의 분류방식에서 운송방식 불문조건(rules for any mode or modes of transport)과 선박운송 전용조건(rules for sea and inland waterway transport)으로 구분하였다. 다섯째, 개별조건 당사자 의무에 관한 표제의 변경이다. 전자서류 표기문언, 보험부보, 보안통관 등과 관련하여 표제를 조정함으로써 진일보된 개정이 이루어졌다고 할 수 있다. 여섯째, 전통적인 해상매매계약에서 위험이전과 비용부담의 분기점으로 본선의 난간(ship' s rail)을 기준으로 한 점에 대한 비판이 학계와 업계에서 꾸준하게 제기되고 왔고, 화물의 컨테이너선 운송의 보편화에 따라 화물터미널에서의 화물취급비용 등의 부담자에 대한 논란이 계속되고 있으며, 9 · 11 테러 등을 겪으면서 수출입화물의 보안에 대한 관심이 고조되고 있다는 점 등으로 인하여 Incoterms 2000의 개정은 불가피하였다.

Incoterms가 개정됨에 따라 앞으로 무역거래에 큰 변화를 가져올 것으로 예상된다. 새로운 Incoterms 2010이 발효되었다고 해서 과거의 Incoterms가 폐지되는 것은 아니다. 예컨대 당사자들이 해당 무역거래에서 사용되는 정형거래조건의 해석기준을 Incoterms 2000 또는 Incoterms 1990으로 한다고 명시적으로 합의한다면 과거의 Incoterms에 따라서 거래가 이루어지게 된다.

3. Incoterms 2010의 구성과 주요 개정내용

1) Incoterms 2010의 구성

Incoterms 2010의 거래조건은 다음과 같은 11가지 조건으로 구성되었다(〈표 4-1〉 참조).

〈표 4-1〉 Incoterms의 변천

구분	1936년	1953년	1967년	1976년	1980년	1990년	2000년	2010년
Ex Works	○	○	○	○	○	○(EXW)	○	○
FOR/FOT	○	○	○	○	○	※		
Free…	○	삭제						
FAS	○	○	○	○	○	○	○	○
FOB	○	○	○	○	○	○	○	○
C&F	○	○	○	○	○	○(CFR)	○	○

〈표 4-1〉 Incoterms의 변천 (계속)

구분	1936년	1953년	1967년	1976년	1980년	1990년	2000년	2010년
CIF	○	○	○	○	○	○	○	○
Freight or Carriage Paid to	○	○	○	○	○	○(CPT)	○	○
Free or Free Delivered…	○	삭제						
Ex Ship	○	○	○	○	○	○(DES)	○	
Ex Quay	○	○	○	○	○	○(DEQ)	○	
Delivered at Frontier			○	○	○	○(DAF)	○	
Delivered Duty Paid			○	○	○	○(DDP)	○	○
FOB Airport				○	○	※		
Free Carrier					○	※		
Freight or Carriage and Insurance Paid to					○	○(CIP)	○	○
FCA						○	○	○
DDU						○	○	
DAT								○
DAP								○
11종	11종	9종	11종	12종	14종	13종	13종	11종

※로 표시한 조건은 FCA 조건으로 통합됨.

여기서 Incoterms 2010에 규정된 11개 조건을 Incoterms 2000의 구분 방식에 따라 구분하여 비교해 보면 〈표 4-2〉와 같다.

〈표 4-2〉에서 보는 바와 같이 이른바 선적지 인도조건에 속하는 E, F 및 C 조건의 경우는 Incoterms 2000과 Incoterms 2010상에 변화가 없고 이른바 양륙지 인도조건에 속하는 D조건에서만 Incoterms 2000과 Incoterms 2010상에 변화가 생겼다. 즉, 2000년 Incoterms에 있던 DAF, DES, DDU 및 DEQ 조건이 없어지고 DAT와

DAP 조건이 새로 만들어졌는데, Incoterms 2000하에서 DAF, DES 및 DDU 조건이 사용된 경우에는 Incoterms 2010상의 DAP 조건을 사용하여야 하고, Incoterms 2000하에서 DEQ 조건이 사용된 경우에는 Incoterms 2010상의 DAT 조건을 사용하여야 한다.[48)]

Incoterms 2010의 거래조건은 '모든 운송방식에 사용될 수 있는 조건'과 '해상 및 내수로 운송을 위한 조건'으로 구분하여 다음과 같이 단순하게 분류하고 있다(〈표 4-3〉 참조).

〈표 4-2〉 Incoterms 2000과 Incoterms 2010상의 정형거래조건 비교

구분	Incoterms 2000	Incoterms 2010
E그룹	EXW	EXW
F그룹	FCA	FCA
	FAS	FAS
	FOB	FOB
C그룹	CFR	CFR
	CIF	CIF
	CPT	CPT
	CIP	CIP
D그룹	DAF	DAP
	DES	
	DDU	
	DEQ	DAT
	DDP	DDP

48) http://www.wragge.com/published_articles_6466.asp(2010.10.21)

〈표 4-3〉 Incoterms 2010의 거래조건의 구성

Rules for Any Mode or Modes of Transport (모든 운송방식에 사용될 수 있는 조건)	1. EXW (Ex Works) 2. FCA (Free Carrier) 3. CPT (Carriage Paid To) 4. CIP (Carriage and Insurance Paid to) 5. DAT (Delivered At Terminal) 6. DAP (Delivered At Place) 7. DDP (Delivered Duty Paid)
Rules for Sea and Inland Waterway Transport (해상 및 내수로 운송을 위한 조건)	8. FAS (Free Alongside Ship) 9. FOB (Free On Board) 10. CFR (Cost and Freight) 11. CIF (Cost Insurance and Freight)

한편 Incoterms 2010은 당사자의 의무를 10개 항목의 표제(Headings)로 분류하여 서로 대칭되도록 규정함으로써 매도인과 매수인의 의무를 대칭적으로 이해할 수 있도록 하였다.

〈표 4-4〉 매도인 의무의 항목 구성

구분	Incoterms 2000	Incoterms 2010
A1	계약에 일치하는 물품의 제공(provision of goods in conformity with the contract)	매도인의 일반적 의무(general obligations of the seller)
A2	허가, 승인 및 통관절차	허가, 승인, 안전확인(security clearances) 및 기타 절차
A3	운송 및 보험계약	좌동
A4	인도	〃
A5	위험의 이전	〃
A6	비용의 분담(division of costs)	비용의 배분(allocation of costs)
A7	매수인에 대한 통지	좌동
A8	인도증거, 운송서류 또는 이에 상응하는 전자메시지(proof of delivery, transport document or equivalent electronic message)	인도서류(delivery document)
A9	점검 · 포장 · 화인	좌동
A10	기타 의무(other obligations)	정보에 의한 협조와 관련비용(assistance with information and related costs)

〈표 4-5〉 매수인 의무의 항목 구성

구분	Incoterms 2000	Incoterms 2010
B1	대금의 지급	매수인의 일반적 의무(general obligations of the buyer)
B2	허가, 승인 및 통관절차	허가, 승인, 안전확인(security clearances) 및 기타 절차
B3	운송 및 보험계약	좌동
B4	인도의 수령	〃
B5	위험의 이전	〃
B6	비용의 분담(division of costs)	비용의 배분(allocation of costs)
B7	매도인에 대한 통지	좌동
B8	인도증거, 운송서류 또는 이에 상응하는 전자메시지(proof of delivery, transport document or equivalent electronic message)	인도의 증거(proof of delivery)
B9	물품의 검사	좌동
B10	기타 의무(other obligations)	정보에 의한 협조와 관련비용(assistance with information and related costs)

2) 주요 개정내용

(1) 모든 운송형태 적용 정형거래 규정의 개요

EXW: 공장인도조건이란 매도인이 자신의 구내(premises) 또는 기타 지정장소(즉, 작업장, 공장, 창고 등)에서 물품을 매수인의 임의처분상태로 둘 때 인도하는 것을 의미한다. 매도인은 어떤 집화차량(collecting vehicle)에 물품을 적재할 필요가 없으며 또한 그러한 통관이 적용될 경우에는 수출통관을 이행할 필요가 없다.

매도인은 지정된 인도장소 지점까지의 비용과 위험을 부담하고, 매수인은 그 지점으로부터 물품을 인수하는 데 수반되는 모든 비용과 위험을 부담한다.

EXW 조건은 운송형태에 관계없이 사용될 수 있고, 개입하는 운송수단 여부에도 관계없이 적용 가능하며, 국제거래에도 적용 가능하나 국내거래에 보다 적합하고, EXW 조건과 인도장소가 같으면서 수출통관을 매도인이 취할 필요가 있을 때는 그 대안으로 FCA 조건의 사용을 권고하고 있다.

이 조건은 매도인의 거소 또는 공장, 작업장, 창고와 같은 물품이 있는 다른 장소 에서 매수인의 임의처분상태로 인도, 즉 적치하는 것을 기본적인 매도인의 인도의무로 하는 조건이다. 이 경우 주의를 요할 것은 매도인은 일체의 물품수거 수송수단에 물품을 적재할 필요가 없으며 구입된 물품이 매수인에 의해 수출되기에 수출통관이 필요하다 해도 수출통관의 의무 역시 없다.

EXW 조건은 매도인의 최소의무, 매수인의 최대의무 부담 조건이기 때문에 다음 사항을 유의해야 한다.

① 수출을 위해 EXW 조건으로 매도인으로부터 물품을 구입하는 매수인은 매수인이 수출국에서 수출을 이행하는 데 필요한 협조만을 제공할 의무가 매도인에 있다는 것에 주의할 필요가 있다. 즉, 매도인은 수출통관을 이행할 의무가 없다. 그러므로 매수인은 자신이 직접적으로 또는 간접적으로 수출통관을 취득할 수 없다면 EXW 조건을 사용하지 않는 것이 바람직하다.

② 매도인은 실무상으로 물품을 적재하는 데 더 좋은 위치에 있다고 하더라도 매수인에 대하여 물품을 적재할 의무가 없다. 매도인이 물품을 적재하고자 한다면 매수인의 위험과 비용으로 그렇게 할 수 있다. 매도인이 물품을 적재하는 데 보다 좋은 위치에 있는 경우에는 매도인은 자신의 위험과 비용으로 적재할 의무가 있는 FCA 조건이 통상 더 적절하다.

③ 매도인은 자신이 물품을 인도하는 장소의 시설 등으로 보아 물품을 수거운송수단에 적재할 유리한 입장에 있다 해도 그리고 이러한 작업을 매도인이 한다면 매수인의 위험과 비용으로 이루어지는 경우라도 매도인은 물품을 적재할 의무가 없다. 이런 경우 매도인의 거소에서 물품을 적재할 의무를 매도인에게 부과하는 FCA 조건이 적합하다.

④ 반면 매수인의 매도인에 대한 의무는 수출물품에 관한 정보제공의무에 국한된다.

⑤ Incoterms 2010의 경우 전 Incoterms 조건 끝에 Incoterms 2010을 반드시 명시하도록 유도하고 있다.

FCA: Incoterms 2010 FCA 조건에서의 인도장소는 '지정된 장소(the named place)'의 표현 대신에 '매도인의 구내 또는 다른 지정장소'로 지정확대하고 있는 것이 특징이다. Incoterms 2010은 Incoterms 2000과 비교할 때, 지정 인도장소의 지점을 명확히 기재할 것을 권고하고 있다. "당사자가 매도인의 구내에서 물품을 인도할 의도가 있다면, 당사자는 지정된 인도장소로서 그 구내의 주소를 명시하여야 한다. 한편 당사자가 다른 지역에서 물품이 인도되기를 의도한다면 다른 구체적인 인도장소를 명시하여야 한다."고 구체적인 인도장소의 명기를 강조하고 있다.

FCA 조건의 경우 운송형태와 복수운송인 개입 여부에 관계없이 적용 가능한 조건임을 설명함으로써 어떠한 운송형태와 방법에도 사용될 수 있는 조건임을 대전제로 하고 있다.

FCA 조건은 매도인의 거소 또는 기타 지정된 장소에서 운송인에게 인도하는 것을 기본인도의 개념으로 하고 있다. 그렇기에 인도장소 또는 지점을 가능한 한 분명히 사전에 합의하여 표시하도록 하고 있다. 이러한 인도의 대전제조건과 기본인도 개념에 따라 인도할 때 매도인의 거소에서 인도할 경우에는 물품을 매수인이 제공한 운송수단에 적재하여 인도하여야 하고 기타 지정된 장소에서 인도 시는 거소와 상이한 특정 인도장소를 명시하여 동 장소에서 적재의무 없이 매도인에 의해 지명된 운송인이나 매수인에 의해 지명된 자의 임의처분상태로 물품을 인도할 수 있다.

CPT: 운송비지급 인도조건은 매도인이 운송인에게 물품을 인도하되 목적지까지의 운송비를 지급하는 것으로서 운송계약에 포함된 경우에는 제3국으로의 통과비용도 매도인이 부담하도록 되어 있다.[49] 또한 CPT 조건은 매도인이 운송비를 지급하는 것을 제외하면 FCA 조건과 유사하다. C 그룹인 CPT, CIP CFR 또는 CIF 조건이 사용된 경우, 매도인은 물품이 목적지에 도착할 때가 아니라 운송인에게 점유이전될 때 그의 인도의무가 이행된다.

이 조건은 두 개의 분기점, 즉 위험과 비용의 분기점이 다름을 전제하고 이 점을 감안하여 당사자들은 위험이 매수인에게 이전하는 장소이자 매도인이 물품의 운송을 위해 계약을 체결하고 운임을 지급해야 하는 비용의 분기점인 지정된 도착지 장소에 관해 계약서상에 가능한 한 정확하게 명시할 것을 주문하고 있다.

아울러 매수인의 경우 인도지점에 관해 합의를 해태한 경우 매수인이 관여할 수 없는 매도인의 전적 선택권에 의해 지정된 지점에서 매도인에 의해 물품이 운송인에게 인도된 때 위험이 자신에게 이전됨을 명시해야 함을 강조하고 있다.

당사자들은 매도인이 운임을 지급해야 하는 목적지 지정된 장소 내의 인도지점

49) ICC, Incoterms® 2010 Rule, CPT A8.

에 관해 가능한 한 정확하게 할 것을 권고하고, 그 지점과 정확하게 일치할 수 있는 운송계약을 매도인에게 권고하고 있다. 이와 관련하여 매매계약상에 합의한 지정된 도착지장소에서 양하 또는 이와 관련한 조양과 관련한 비용이 운송계약에 따라 지급된 경우 당사자들 간에 달리 합의가 없는 한 매도인은 매수인으로부터 지급받지 못함을 규정하고 있어, 컨테이너 운송에 따라 종전에 빈발하였던 적재와 관련한 비용과 위험에 대한 분명한 책임관계를 규정하고 있다.

당사자는 합의된 목적지점까지의 비용을 매도인이 부담하기 때문에 합의된 목적지 내의 지점을 가능한 한 상세하게 명시하는 것이 바람직하다. 매도인이 지정된 목적지에서 양하와 관련된 운송계약에 의거하여 비용을 야기한 경우, 매도인은 당사자 간에 별도의 합의가 없는 한 매수인으로부터 그러한 비용을 받을 자격이 없다.[50]

CIP: 운송비 · 보험료지급 인도조건은 매도인이 운송인에게 물품을 인도하되 목적지까지의 운송비와 보험료를 지급하는 조건을 말한다. 또한 CIP 조건은 매도인이 물품이 운송될 동안 물품에 대한 멸실 또는 손상에 대한 보험부보를 매도인이 해야 하는 점을 제외하면 CPT 조건과 유사하다.

'운송비 및 보험료 지급인도' 규칙은 매도인이 합의된 장소(그러한 장소는 당사자 간의 합의가 있는 경우)에서 자신이 지정한 운송인 또는 그 외 자에게 물품을 인도하고, 지정된 목적지까지 물품을 운반하는 데 필요한 운송계약을 체결하고 운송비를 지급해야 함을 의미한다.

또한 매도인은 운송 중 물품의 멸실 또는 손상에 대한 매수인의 위험에 대하여 보험부보를 위한 계약을 체결하여야 한다. 매도인은 2009년 LMA(로이즈시장 협회), 런던국제보험인수협회(International Underwriting Association of London; IUA)가 제정한 협회적하약관의 최소의 담보조건으로 부보할 것을 요구하고 있다는 사실에 유의하여야 한다. 매수인이 더 많은 담보조건으로 보호를 받고자 원하는 경우에는 매수인은 매도인과 더 많은 조건의 명시적인 합의를 하거나 또는 스스로 별도의 보험약정을 체결하여야 할 필요가 있다.

그러나 CIF 조건과 CIP 조건에서 요구하고 있는 최저부보조건에 비해 보험료가 비싼 것이 흠이다. 이렇게 볼 때 CIF 조건과 CIP 조건 어느 조건이든 적절한 부보를 제공하지 못하고 있음을 알 수 있다. 그러나 CIF 조건과 CIP 조건의 경우 보험

---

50) 오세창 · 조현정, 전게서, 2011, pp.179~181.

계약에 관한 규정에도 불구하고 당사자들 간의 합의를 통해 구입하는 물품에 적절한 보상조건을 정해야 함을 묵시하고 있지만, Incoterms 규정을 통해 기본적인 보상조건과 필요에 따라 추가적인 보상조건의 필요성을 인식하게 하고 있음을 알 수 있다. 물론 추가보험을 매수인이 필요로 할 경우 매도인은 이에 따른 보험료를 수출가격에 반영시켜야 한다.[51] 매수인이 별도로 추가보험에 부보할 경우엔 자신의 비용으로 자신이 원하는 만큼 부보할 수 있다.[52]

DAT: DAT 조건은 Incoterms 2010에 신설된 규칙이다. 이 규칙은 컨테이너 운송(container traffic)에 더 적합할 목적으로 DEQ 조건을 대신할 의도로 제정되었다.[53] Incoterms 2000 DEQ 조건에서 '지정목적지항' 이 '지정목적항 또는 목적 장소의 지정터미널' 로 한정된 것 이외에는 본질적으로 바뀐 것은 없다.

DAT 조건은 도착하는 운송수단으로부터 일단 양하된 물품을 지정된 항구 또는 목적지의 지정터미널에서 매수인의 임의처분상태로 둘 때 매도인이 인도하게 됨을 의미한다. 도착하는 운송수단은 선박, 항공기, 트럭, 기차, 또는 파이프라인 등 모든 운송수단을 의미한다.[54] 터미널은 덮여 있든 그렇지 않든 관계없이 부두, 창고, CY 또는 도로, 철도 또는 항공화물터미널과 같은 모든 장소를 포함한다. 매도인은 지정된 항구 또는 목적지 지정장소의 터미널까지 운송하고 그 장소에서 양하하는 데 포함된 모든 위험을 부담한다. 따라서 목적지 지정터미널에서 다른 장소까지의 운송 및 하역에 포함된 위험과 비용을 매도인이 부담하길 원한다면, DAP 또는 DDP 조건이 사용되어야 한다.[55]

DAT 조건은 적용 가능한 경우 매도인이 물품의 수출통관을 이행할 것을 요구한다. 그러나 매도인은 수입통관의 의무가 없으며, 일체의 수입관세 또는 일체의 수입통관절차를 이행할 의무가 없다는 점은 Incoterms 2000 DEQ 조건과 동일하다.

이런 의미에서는 도착지인도조건으로 Incoterms 2010의 양축의 하나인 DDP 조건을 제외하고 도착지에서 인도하는 조건으로 DAP 조건 터미널 인도조건과 DAP

51) 오세창, 『Incoterms 2000의 실무적 해설』, 삼영사, 2007, pp.67~68.

52) 상게서, pp.233~235.

53) http://bbs.fobshanghai.com/thread-2873158-1-1.html

54) Bill Armbruster, "Talk of the Trade Incoterms 2010 simplify the rules" (http://www.datamyne.com/blog/?p=362).

55) ICC, Icoterms 2010 Rule, DAT Guidance Note.

조건 기타 장소 인도조건으로 나누어졌다. 제1차 초안 시 Incoterms 2000상의 DDP 조건을 제외한 DAF, DES, DEQ, DDU 조건을 모두 포함하는 DAP 조건이 둘로 나누어져 도착지 터미널 인도용 DAP 조건과 도착지 기타 장소인도용 DAP 조건으로 이원화되게 되었다. 이와 동시에 도착지 터미널인도용 DAP 조건과 도착지 기타 장소인도용 DAP 조건의 구분을 위해 전자의 경우 양하하여 매수인의 임의처분상태로 물품을 인도하는 규정으로, 후자의 경우 양하 준비된 상태에서 매수인의 임의처분상태로 인도하는 규정으로 그 인도방법을 구분하여 양자의 차별화를 시도하였다. 전자의 경우 Incoterms 2000상의 해상전용 터미널인 부두에서 물품을 양하하여 인도하는 DEQ 조건을 모체로 한 다양한 운송형태에 따른 터미널 인도규정이 확대 개편되었다고 볼 수 있다.[56)]

DAP: 이 조건은 Incoterms 2000의 DES, DAF 및 DDU 조건을 대체한 것이며 합의된 어떠한 장소에서 인도가 수행되는 조건이라는 점을 제외하고는 DAT 조건과 유사하다.[57)] DAP 조건은 물품이 지정된 목적지에 도착하는 운송수단으로부터 양하를 위해 준비된 상태로 물품을 매수인의 임의처분상태로 둘 때 매도인이 인도하게 됨을 의미한다. 매도인은 지정된 장소까지 물품을 운반하는 데 포함된 모든 위험을 부담한다.

당사자는 합의된 목적지 내의 지점까지의 위험이 매도인의 비용이 되므로 그 지점을 가능한 한 명확하게 명시하는 것이 바람직하다. 매도인이 목적지에서 양하와 관련된 그의 운송계약하에서 비용을 초래하였다면 매도인은 당사자 간에 별도의 합의가 없는 한 매수인으로부터 그러한 비용을 받을 권리가 없다.[58)] DAP 조건은 적용 가능한 경우 매도인이 물품의 수출통관을 이행할 것을 요구한다. 그러나 매도인이 물품의 수입통관의 의무가 없으며, 일체의 수입관세를 지급하거나 일체의 수입통관절차를 이행할 의무가 없다.

수입통관절차를 매수인의 부담으로 하고 도착운송수단상에서 매수인의 임의처분상태로 인도하는 지정된 목적지 장소 인도조건인 DAP 조건은 역시 수입통관절차와 도착운송수단으로부터의 양하책임을 매수인의 부담으로 공동으로 규정하고

---

56) 오세창 · 조현정, 전게서, 2011, pp.291~292.

57) Bill Armbruster, "Talk of the Trade Incoterms 2010 simplify the rules" (http://www.datamyne.com/blog/?p=362).

58) ICC, Icoterms 2010 Rule, DAP Guidance Note.

있던 종전 착선인도조건인 DES 조건, 국경인도조건인 DAF 조건, 목적지 합의한 장소에서 인도하는 조건인 DDU 조건을 통합한 조건으로, 목적항, 선상, 국경, 목적지 장소(지점)를 당사자들의 합의에 따라 지정될 수 있는 하나의 장소로 보고 통폐합한 특징이 있는 조건이다. 따라서 이 조건은 지정된 목적지 장소에서 매수인이 양하준비를 하는 데 지장이 없도록 도착운송수단상에 매수인의 임의처분상태로 물품이 적치된 때를 매도인의 인도의무로 하는 조건임을 명시하고 있다.

당사자들은 위험과 비용의 분기점이 되는 합의한 목적지 장소 내의 인도지점을 가능한 한 분명히 명시할 것을 권고하고 있다. 왜냐하면 이 지점까지 물품에 관한 위험과 비용은 매도인 부담이기 때문이다. 이 조건하에서는 매도인은 이러한 지점과 운송계약이 정확하게 일치하게 운송계약을 체결할 필요가 있으며, 매매계약상에 합의한 목적지장소에서 양하와 이와 관련한 비용으로서 운송계약에 따라 매도인이 지급해야 한다면 달리 합의가 없는 한 매수인으로부터 이러한 비용을 반환받을 수 없음을 분명히 하므로 복합운송에 따라 빈번한 문제였던 운송과 비용에 관한 책임관계를 분명히 하고 있다.

Incoterms 2000의 DES, DAF, DDU 조건의 통합조건으로 이 조건상의 인도장소인 도착항 본선갑판, 국경장소(지점), 도착지 합의한 지점을 하나로 통합하여 하나의 장소와 장소 내 지점으로 하여 운송, 인도, 위험, 비용 등의 방법과 이전에 관해 규정하고 있는 점이 특징이다.[59]

DDP: 이 조건은 국제매매인 경우 매도인이 수입통관을 이행하고 수입관세를 지급해야 하는 것을 제외하고는 DAT 조건과 유사하다.[60] 관세지급인도조건은 매도인이 지정된 목적지에서 양하를 위해 준비된 운송수단으로부터 수입통관을 이행하고 물품을 매수인의 임의처분상태로 둘 때 물품이 인도된 것을 의미한다. 매도인은 목적지까지 물품을 운반하는 데 포함된 모든 비용과 위험을 부담하며, 수출뿐만 아니라 수입의 통관, 수출 및 수입에 대한 모든 관세를 지급하고 모든 통관절차를 이행할 의무를 지닌다. DDP 조건은 매도인에 대한 최대의무를 나타낸다.[61]

EXW 조건의 정반대의 조건으로, EXW 조건이 매수인의 최대의무와 매도인의

---

59) 오세창, "Incoterms 2011 2차 초안의 특징과 문제점", 『경영경제』, 제43집 제1호, 산업경영연구소, 2010, p.34.

60) Bill Armbruster(2010), "Talk of the Trade Incoterms 2010 simplify the rules" (http://www.datamyne.com/blog/?p=362).

61) ICC, Incoterms 2010 Rule, DDP Guidance Note.

최소의무인 반면에, DDP 조건은 매도인의 최대의무와 매수인의 최소의무로 하는 조건으로 이 조건의 경우 지정된 도착지장소에서 도착운송 수단상에 수입통관된 물품을 매수인이 양하할 수 있도록 그의 임의처분상태로 물품을 인도하는 조건으로 매도인은 그 장소에서 물품을 인도할 때까지의 물품에 관한 일체의 비용과 위험을 자신이 부담해야 하는 조건이다. 따라서 당사자들은 위험과 비용의 분기점이 되는 합의한 목적지 장소 내의 인도지점을 가능한 한 분명히 명시할 것을 권고하고 있다. 왜냐하면 이 지점까지 물품에 관한 위험과 비용은 매도인 부담이기 때문이다. 이 조건하에서는 매도인은 이러한 지점과 운송계약이 정확하게 일치하게 운송계약을 체결할 필요가 있으며, 매매계약상에 합의한 목적지장소에서 양하와 이와 관련한 비용으로서 운송계약에 따라 매도인이 지급해야 한다면 달리 합의가 없는 한 매수인으로부터 이러한 비용을 반환받을 수 없음을 분명히 하므로 복합운송에 따라 빈번한 문제였던 운송과 비용에 관한 책임관계를 분명히 하고 있다.

이 조건의 경우 매도인이 직·간접으로 수입통관을 취득할 수 없다면 DDP 조건을 사용해서는 안 되며 수입통관에 따른 모든 비용과 이에 따른 위험을 매수인이 부담하길 원할 경우 DAP 조건을 사용할 것을 권장하고 있다.

이렇게 볼 때 DDP 조건의 경우 종전 DDP 조건과 비교해 볼 때 양하와 이와 관련한 비용에 관해 보다 분명히 한 것 외에는 크게 변화된 것이 없다.[62]

(2) 해상전용 정형거래 규정의 개요

FAS: 이 조건은 물품을 지정된 선적지항에서 매수인이 지정한 선박(즉, 부두 또는 부선) 선측에 둘 때 매도인이 인도하는 것을 말한다. 물품을 선측에 둘 때 물품에 대한 멸실 또는 손상의 위험이 이전되며, 매수인은 그 순간 이후 모든 비용을 부담한다.

지정 선적 지점까지의 비용과 위험이 매도인의 부담이 되며 이들 비용과 관련 처리비용은 항구의 관습에 따라 다양할 수 있으므로 당사자는 지정 선적항의 적재 지점을 가능한 한 명확하게 명시하도록 Incoterms 2010에서 권장하고 있다.

다만 Incoterms 2000에서 언급되지 아니한 물품의 조달의무를 언급하고 있는 점이 특징이다. 매도인은 물품을 선측에 인도하든지 선적을 위해 이미 인도된 물품을 조달할 필요가 있다.[63]

---

62) 오세창, 전게논문, 2011, pp.34~35.

63) ICC, Incoterms 2010 Rule, FAS Guidance Note.

다른 조건과 마찬가지로 FAS 조건의 활용범위를 분명히 함과 동시에 지극히 제한적 사용을 의도하고, 선측의 현대적 의미를 정의함으로써 인도와 관련하여 현실적으로 FCA 조건과 FOB, FAS 조건의 혼동을 방지하는 의미를 강조하고 있다.

그리고 부두에 입항한 선박의 선측 외에 해상에 정박해 있는 선박의 경우에 대비하여 현실적으로 인정되고 있었으나 규정적으로 되어있지 아니하였던 선측의 예를 'on a quay or a barge' 로 표시함으로써 선측의 범위를 명시하고 있다. 그리고 선측인도 시까지 위험과 비용을 매도인이 부담해야 할 경우 이와 관련하여 논란의 대상이 되었던 인도비용이나 취급비용(handling charges) 등은 항구의 관례에 따라 다양할 수 있는바 이 비용 역시 매도인 부담임을 분명히 하고 있다. 따라서 적재지점의 사전명시를 강조하고 있다.[64)]

선측에서의 인도가 아닌 컨테이너에 적재되어 인도되는 경우에는 FAS 조건보다 FCA 조건이 바람직한 대안임을 제시하고 있다.

수출과 관련한 수출통관과 이와 관련한 비용은 매도인 부담이지만 수입통관과 이에 따른 과세지급과 수입지 세관통관절차의 수행은 매수인 부담이다.[65)]

FOB: 이 조건은 Incoterms 2000과 비교할 때 위험의 이전과 비용 분담의 분기점에서 근본적인 변화가 있었다. 이 조건은 지정된 선적지항에서 매수인이 지정한 선박의 본선상에 물품을 매도인이 인도하거나 그렇게 이미 인도된 물품을 조달하는 것을 의미한다. 한편 물품의 멸실 또는 손상의 위험은 물품이 선박 본선상에 있을 때 이전되며, 매수인은 그 순간 이후 모든 비용을 부담한다고 규정하여 본선의 난간(ship' s rail)의 개념에서 본선상(on board the vessel)으로 분기점이 바뀌었다. 매도인은 물품을 본선상에 인도하든지 이미 인도된 물품을 조달할 필요가 있다. 여기서 조달의 의미는 상품거래에서 이례적이고 통상적인 다수의 연속적 판매과정(전매)을 준비하는 것이다. FOB 조건은 예컨대 터미널에서 일반적으로 인도되는 컨테이너 화물과 같이 본선상에 화물이 인도되기 전 운송인에게 물품이 인도되는 경우에는 적절하지 않으며, 그러한 상황에서는 FCA 조건이 사용되어야 한다고 권고하고 있다.[66)]

FOB 조건은 적용 가능한 경우 매도인이 물품의 수출통관을 이행할 것을 요구한

64) 오세창, 전게논문, 2011, p.35.

65) 오세창 · 조현정, 전게서, 2011, pp.412~413.

66) ICC, Icoterms 2010 Rule, FOB Guidance Note.

다. 그러한 매도인은 물품의 수입통관의 의무가 없으며, 일체의 수입관세를 지급하거나 또는 일체의 수입통관절차를 이행할 의무가 없다.

FOB 조건의 활용범위에 관해 터미널에서 인도하는 컨테이너 화물이나 RO/RO 또는 LASH 방식의 거래에 적합하지 아니하고 인도는 본선에 물품인도나 본선에 인도된 물품의 확보, 즉 본선적재를 인도의 개념으로 하고 위험과 비용의 이전 역시 본선의 인도를 중심으로 하고 있다.

CFR: 이 조건도 물품의 멸실 또는 손상에 대한 위험의 이전시점이 본선의 난간에서 본선상으로 바뀐 것 이외에는 본질적인 변화는 없다. 이 조건은 매도인이 선적항의 본선에 물품을 인도하거나 이미 그렇게 인도된 물품을 조달하는 것을 인도로 하는 조건이다. 물품의 멸실이나 물품에 관한 손상의 위험은 물품이 본선에 적재된 때 이전한다. 매도인은 지정된 도착지항까지 물품을 운송하는 데 필요한 비용과 운임을 지급해야 한다.

CPT, CIP, CFR 조건 또는 CIF 조건이 사용되는 경우에 매도인은 물품이 도착지 장소에 도착한 때가 아니라 선정된 규정에 명시된 방법에 따라 운송인에게 물품이 인도된 때를 인도로 하는 자신의 의무를 이행한 것으로 된다.

이 조건은 상이한 지점에서 이전하기 때문에 두 개의 분기점을 가지고 있다. 계약은 도착지항을 항상 명시하는 반면에 선적항을 명시하지 아니할 수 있다. 위험이 매수인에게 이전하는 장소인 선적항이 매수인에게 특별한 이해관계가 있다면, 당사자들은 선적항을 계약서상에 가능한 한 정확하게 명시하는 것이 바람직하다. 또한 당사자들은 합의한 도착지항의 특정지점을 가능한 한 정확하게 명시하는 것이 바람직하다. 왜냐하면 그 지점까지 비용은 매수인 부담이기 때문이다. 매도인은 그러한 선택에 정확하게 일치하는 운송계약을 확보하도록 해야 한다. 매도인이 매매계약서상에 합의한 도착지항구의 특정한 지점에서 양하와 관련한 비용과 같은 운송계약에 따라 발생할 비용을 지급하였다면 매도인은 양 당사자들 간에 달리 합의가 없는 한 매수인으로부터 이러한 비용을 보상받을 권리가 없다.

CFR 조건은 적용되는 경우, 매도인에게 물품의 수출통관을 요구한다. 그러나 매도인은 물품의 수입통관이나 모든 수입관세나 통관절차비용을 지급해야 할 의무가 없다.[67]

---

67) 오세창 · 조현정, 전게서, 2011, pp.494~495.

CIF: CIF 조건은 매도인이 지정 선적항에서 매도인이 지정한 본선상에 물품을 인도하거나 이미 그렇게 인도된 물품을 조달함으로써 인도의무가 완료되며 지정목적항까지의 운송계약을 체결하고 운임을 지급해야 한다. 매도인은 물품을 본선상에 적재하거나 그렇게 인도된 물품을 조달할 때까지 물품에 대한 위험과 비용을 부담하고 인도된 후에는 매수인이 부담하게 된다. 물품의 멸실 또는 손상의 위험은 상기 FOB 및 CFR 조건과 같이 물품이 본선에 적재된 때에 이전한다. 또한 CFR 조건과 유사하게 매도인은 물품을 지정 목적항까지 운송하는 데 필요한 계약을 체결하고 그에 따른 비용과 운임을 부담하여야 한다. 그리고 이 조건은 CFR 조건처럼 계약에서 항상 목적항을 명시하면서도 선적항은 명시하지 않으므로, 매수인이 선적항에 특별한 이해관계를 갖는 경우라면 이를 계약서에 별도로 기재하여야 할 것이다. CIF는 일반적으로 터미널에서 인도되는 컨테이너 화물과 같이 물품이 본선에 적재되기 전에 운송인에게 인계되는 경우에는 적절하지 않기 때문에 이 경우 CIP 조건이 사용되어야 한다.[68]

다만 CFR 조건과 달리 매도인은 운송 중 매수인의 물품의 멸실 또는 손상의 위험에 대비하여 보험계약을 체결한다. 보험과 관련하여 LMA/IUA가 공동으로 2009년에 개정한 협회화물약관(ICC), 협회전쟁약관(IWC), 협회동맹파업약관(ISC) 등을 반영하여 동 조항을 재정비하였다. 매수인이 유의할 것으로, CIF에서 매도인은 단지 최소조건으로 부보하도록 요구될 뿐이기에 이보다 넓은 보험의 보호를 원한다면 매수인은 매도인과 명시적으로 그렇게 합의하든지 아니면 스스로 자신의 비용으로 추가보험을 들어야 할 것이다.

따라서 보험조건 여하에 따라 청약가격이 달라져야 하는바, 바로 이런 이유에서도 계약서작성이 필요하나, 부득이한 경우 L/C상에라도 명시하여야 한다. 그러나 L/C상에 명시된 보험조건이 청약시 매도인이 생각한 보험조건과 다를 경우가 있으며, 이런 경우 매도인이 L/C 수령거절을 하면 매수인은 매도인에게 계약서상의 의무이행을 강요할 수 없다. 왜냐하면 매도인이 청약을 할 때의 보험조건과 L/C상의 보험조건이 상이함에 따른 가격조정의 필요성 때문이다. 그러나 실무적으로 최저부보조건과 L/C상의 보험조건상에 보험료상의 큰 차이가 없을 경우 매도인이 묵시적으로 L/C상의 조건을 인정하여 이행하고 있으나, 금액의 차가 클 경우 문제가 될 수 있으니 주의해야 한다.

---

68) ICC, op. cit., pp.105~106.

제2절 위험의 이전과 부보

1. 위험이전의 원칙

Incoterms에서는 물품의 멸실 · 손상에 대한 위험의 이전시점을 매도인의 물품인도 의무와 연관시켜 인도가 이루어졌을 때 위험이 이전되는 것을 원칙을 하고 있다. 따라서 물품에 대한 위험은 매도인이 자신의 물품인도의무를 이행했을 때에 매도인으로부터 매수인에게 이전한다는 것이다. 또한 이러한 원칙에도 불구하고, 물품에 대한 위험이 물품의 인도 전에 이전될 수 있도록 하고 있는 물품인도 전의 위험이전원칙이 있다. 즉, 매수인이 계약에 합의한 대로 물품을 인수하지 않거나 또는 매도인의 물품인도의무를 이행하는 데 필요한 지시, 예컨대 선적시기나 인도장소에 대한 지시 등을 하지 않음으로써 위험의 이전을 지연시킬 수 있도록 하여서는 안 되기 때문에 위험은 물품의 인도 전이라도 이전될 수 있도록 하고 있다. 그러한 물품인도 전의 위험이전을 위한 전제조건은 물품이 특정되어 있거나 거래조건에 규정된 대로 구분되어 있어야 한다.

2. Incoterms 2010과 위험의 이전

Incoterms 2010은 FOB, CFR, CIF 조건상의 'ship' s rail' 이라는 위험이전의 분기점 기준 대신에 'on board(the vessel)(본선적재)' 라는 기준을 채택하고 있다. 이는 기존의 Incoterms 2000에서도 개정논의가 되었던 사항이었으나 역사적인 가치와 판단을 존중하여 유지한 것으로 알려져 있었다.[69]

Incoterms 2010의 각 거래조건에서 규정하고 있는 위험의 이전 조항('Transfer of risks')에서 '~until they have been delivered~' , 또는 '~from the time they have been delivered~' 라고 하여 표현상 구체적인 인도상태를 언급하지 않음으로써 본선상의 선창내적부 및 정돈비용(stowage and trimming charge)에 대한 비용분담이 명확하게 구분되지 않는다.

영국 물품매매법에서는 "당사자 간에 별도의 약정이 없는 한, 물품을 인도할 수 있는 상태에 두기 위한 비용과 이에 부수하여 발생하는 제 비용은 매도인이 부담

69) Jan Ramberg, Guide to Incoterms 2000, ICC, 2000, p.99.

하여야 한다."라고 규정하고 있다.[70] 즉, 약정된 물품을 인도하기 위하여 필요한 비용을 매도인이 지급하여야 한다는 것은 매도인의 물품인도의무를 구성하는 것이므로 매도인이 이러한 비용을 지급하지 않을 때에는 물품을 인도하기 위한 준비나 의사가 부족한 것이므로 매수인은 인도수령을 할 의무가 발생하지 않는다고 볼 수 있다.

Incoterms 2010에서는 위험의 인도에 대해 각 당사자의 모든 조건에서 "부담하여야 한다."라는 표현을 "부담한다."로 표현하고 있다. 매수인의 위험 분기점과 관련하여 FOB, CFR, CIF 조건에서 "passed the ship' s rail at the port of shipment"라는 표현이 "have been delivered as envisaged in A4"로 변경되어 ship' s rail의 개념이 배제되었다. 위의 세 조건을 제외하고는 모든 조건에서 "in accordance with A4"가 "as envisaged in A4"로 변경되었다.

매수인의 통지의무 불이행에 따른 위험의 이전시기에 대해 FCA, FOB, CFR, CIF 조건을 제외한 모든 조건에서는 "인도를 위하여 합의된 기간의 만기일로부터"로 통일하여 규정하였으며, CFR 조건과 CIF 조건에서는 "합의된 일자 또는 선적을 위하여 합의된 기간의 만기일로부터"로 규정하고 있고 FCA 조건, FOB 조건에서는 ① 합의된 일자, ② 합의된 기간 내에 매도인에 의해 통지된 일자(합의된 일자가 없는 경우), ③ 인도를 위해 합의된 기간의 만료일(통지된 일자가 없는 경우)로 규정하고 있다.

제3절 주요 무역거래조건과 보험계약체결의무

2009년에 협회적하약관(Institute Cargo Clauses; ICC)이 개정되었는데[71] 이러한 개정된 내용이 Incoterms 2010에 반영되었다. 이와 관련하여 이러한 약관과 관련된 정보의무를 관련당사자에게 요구하고 있다.

70) SGA §29(6) "Unless otherwise agreed the expenses of and incidental to putting the goods into a deliverable state must be borne by seller."

71) 이재복, "2009년 협회적하약관(ICC)의 도입과 ICC(1982)와의 비교 분석", 『보험학회지』, 제83권, 한국보험학회, 2009, pp.59~92.

Incoterms 2010은 2009년에 개정된 ICC[72]를 반영한 첫 번째 판의 Incoterms이다. Incoterms 2010은 또한 보험과 관련한 정보제공의무를 기존의 A10항과 B10항에서 A3항과 B3항으로 옮겨 규정하고 있다. 당사자들의 의무를 보다 명확히 한다는 의미에서 보험과 관련한 A3항과 B3항의 문구도 변경하였다. 즉, 매도인이 매수인에 대하여 보험계약체결의무가 없는 경우에는 기존의 "No obligation"에서 "The seller has no obligation to the buyer to make a contract of insurance"로, 매도인이 매수인에 대하여 보험계약체결의무가 없는 경우에는 기존의 "No obligation"에서 "The buyer has no obligation to the seller to make a contract of insurance"로 하여 당사자들의 의무를 보다 명확히 하였다.[73]

매도인의 의무에서는 보험정보의 제공의무를 종전의 "보험수배를 위한 정보"에서 CIP와 CIF 조건을 제외한 모든 조건에서는 "매수인의 보험획득에 필요한 정보"로 변경되었으며, CIP와 CIF 조건에서는 "매수인의 추가보험수배에 필요한 정보로"로 그 의미를 확실하게 하였다. 또한 추가부보제공의무와 관련해서 "subject to the buyer providing any necessary information requested by the seller"라는 규정을 추가하여 추가부보와 관련된 매수인의 정보제공의무를 나타내고 있다. 최소부보의무와 관련해서는 "at a minimum"이라는 문언을 추가하였으며, 보험부보기간과 관련해서는 "be in accordance with B5 and B4"라는 표현에서 "from the point of delivery set out in A4 and A5 to at least the named place of destination"으로 변경함으로써 더욱 구체적으로 표현하였다.

매수인의 의무에서는 보험획득을 위한 정보제공의무와 추가보험수배를 위한 정보제공의무가 새롭게 추가되었다. 즉, CPT, DAT, DAP, DDP 조건 그리고 CFR 조건에서는 "요청이 있는 경우 보험획득을 위한 필요한 정보를 매수인에게 제공해

---

72) 개정된 협회화물약관에 관한 연구로는 이재복, "협회적하약관(ICC)상 운송조항(Transit Clause)의 변천과정에 관한 연구", 『무역상무연구』 제43권, 한국 무역상무학회, 2009 및 이시환, "2009년 ICC와 1982년 ICC상의 면책위험 비교 연구", 『무역상무연구』 제43권, 한국무역상무학회, 2009 등이 있다.

73) 이 문제는 개별 규칙검토에서 재론하지 않는다. 또한, 매도인이 매수인에 대하여 운송계약체결의무가 없는 경우에는 기존의 "No obligation"에서 "The seller has no obligation to the buyer to make a contract of carriage"로, 매수인이 매도인에 대하여 운송계약체결의무가 없는 경우에는 기존의 "No obligation"에서 "The buyer has no obligation to the seller to make a contract of carriage"로 하여 당사자들의 의무를 보다 명확히 하였다. 이 점 역시 개별 규칙검토에서 재론하지 않는다.

야 한다."를 추가하였으며, CIP 조건과 CIF 조건에서는 "매수인이 요청한 추가보험을 수배하기 위한 모든 정보를 매도인에게 제공해야 한다."라는 규정을 신설하였다.

1. FOB 조건과 보험계약체결의무

FOB 조건에서 위험부담의 분기점이 본선에 적재된 때이기 때문에 그 이전에는 매도인이 위험을 부담하고, 그 이후에는 매수인이 위험을 부담한다. 따라서 매수인은 물품이 본선에 선적된 이후에 보험계약을 체결하여야 하며, 부보를 위하여 필요한 정보는 매수인의 요청이 있으면 매도인이 제공해야 한다.

FOB 조건에서는 매도인이 물품을 본선에 선적하고 선적에 관련된 정보를 제공하고, 이 정보에 따라 매수인이 보험계약을 체결하게 되는데 매수인이 보험을 체결할 경우 이미 선박은 출항한 경우가 발생하게 된다. 이에 따라 구보험증권에서는 소급약관(Lost or not lost Clause)을, 신보험증권에서는 피보험이익조항(Insurable Interest Clause)을 두어 위험의 이전시점으로 소급하여 보험자가 책임을 지게 된다. 물론 매수인은 보험계약체결 시에 손해가 이미 발생한 사실을 몰라야 한다. 또한 이 경우에 매수인은 매매계약체결 후 즉시 예정보험에 부보하고 예정보험증권(Provisional Policy)을 확보하였다가 매도인으로부터 확정통지를 받고 확정보험을 입수할 수 있다. 이러한 방법으로 매수인은 무보험상태를 면할 수 있게 된다.

한편 FOB 조건에서 매수인은 파산 등 여러 가지의 이유로 매도인의 서류를 수리하여 대금을 지급하지 않는 수가 있다. 이러한 경우에 물품에 대한 소유권과 위험은 다시 매도인에게 귀속되지만 매도인은 이러한 위험에 대하여 보통 보험을 부보하지 못하게 된다. 이때 매도인이 물품에 대하여 갖게 되는 이익이 미필이익(contingent interest)이다. 이러한 미필이익은 미필이익약관(Contingency Insurance Clause)으로 부보할 수 있다.

2. CIF 조건과 보험계약체결의무

CIF 조건에서는 물품의 멸실이나 손상에 대한 위험의 분기점이 FOB나 CFR 조건의 경우처럼 물품이 본선에 적재된 때에 이전하지만, 차이점은 매도인이 매수인을 위하여 보험계약을 체결하고 보험료를 지급하며, 보험서류를 제공하여야 하는 것이다. 매도인이 매수인이 부담할 위험을 부담할 경우에는 부보조건에 관한 보험분쟁의 가능성이 있기 때문에 당사자 간에 명확한 약정을 하는 것이 좋다. 약정이 되어 있지 아니할 경우에는 관습에 따라야 하며, Incoterms 2010에서는 다음과 같은 매도인의 부보의무를 규정하고 있다.

① 해상보험은 당사자 간에 별도의 약정이 없는 한 세계적으로 사용되고 있는 협회적하약관(Institute Cargo Clause; ICC)인 ICC(A), ICC(B), ICC(C) 가운데 최저부보조건(minimum coverage)인 ICC(C) 조건으로 부보한다.

② 매도인은 매수인의 요청과 비용부담으로 전쟁위험, 동맹파업, 소요 · 폭동위험 등을 추가로 부보할 수 있다.

③ 보험금액은 CIF 가격의 110%에 해당하는 금액으로 하며, 여기에서 10%는 희망이익이다.

④ 보험기간은 물품이 선적항에서 본선의 난간을 통과한 때부터 목적항에 도착한 때까지 계속되어야 한다.

⑤ 보험증권의 양식은 매수인이나 피보험이익을 갖고 있는 모든 자가 보험자에게 직접 보상을 청구할 수 있는 양도가능한 것이어야 한다.

⑥ 보험계약은 평판이 좋은 보험업자 또는 보험회사와 체결되어야 한다.

⑦ 매도인은 보험증권(Insurance Policy)이나 기타 부보를 증명할 수 있는 서류를 매수인에게 제공하여야 한다. 기타 부보를 증명할 수 있는 서류로는 보험증명서(Certificate of Insurance)와 통지서(Declaration)가 있다.

⑧ 보험계약상의 표시통화는 매매계약과 동일한 통화여야 한다.

제5장

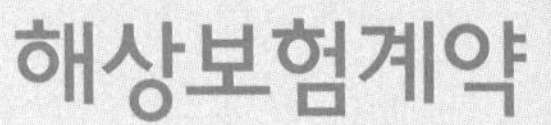

해상보험계약

제1절 해상보험계약의 개념

1. MIA상 해상보험계약의 정의

해상보험은 해상사업과 관련하여 발생하는 손해를 보상하는 경제적 제도이다. 해상보험은 보험자와 보험계약자 또는 피보험자 사이에 체결되는 해상보험계약에 의하여 구체화되는데 여기서는 1906년 영국 해상보험법(Marine Insurance Act 1906; MIA)과 우리나라 상법상의 정의에 대하여 살펴본다.

> MIA 제1조 해상보험의 정의–해상보험계약은 그 계약에 따라 합의된 방법과 범위에서 해상손해, 즉 항해사업에 부수하는 손해를 보험자가 피보험자에게 보상할 것을 약속하는 계약이다(1. Marine Insurance Defined.–A contract of marine insurance is a contract whereby the insurer undertakes to indemnify the assured, in manner and to the extent thereby agreed, against marine losses, that is to say, the losses incident to marine adventure).

해상보험계약: MIA 제1조의 제목은 해상보험의 정의라고 되어 있지만 실제로 그 내용은 해상보험계약을 정의하고 있는 것이므로 해상보험계약과 해상보험을 구분하지 않고 사용하고 있다. 양자를 굳이 구분하자면 해상보험(marine insurance)은 일종의 경제적 제도를 의미하고, 해상보험계약(contract of marine insurance)은 해상

보험을 실제로 운용하는 방법을 의미한다고 할 수 있다.

합의된 방법과 범위: 해상보험계약의 내용은 계약자유의 원칙에 따라 계약체결 시에 보험자와 보험계약자의 합의에 의하여 손해보상의 방법 및 범위가 결정되고, 그 내용은 보험증권에 명시된다. 그러나 해상보험계약의 체결 시 담보위험과 손해보상의 범위와 담보구간을 당사자 간 약정에 의하여 일일이 약정하는 것은 거의 불가능하기 때문에 런던보험업자협회(The Institute of London Underwriters; ILU)가 제정한 협회약관을 채택하여 사용하고 있었다.[74]

피보험자는 자신이 선택한 협회약관이나 기타 특별약관의 내용에 따라 손해보상의 방법과 범위가 달라진다. 만약 약관상의 문제가 발생하면 영국의 법률과 관습에 따라 해결한다.[75]

항해사업에 부수되는 사업: 항해사업(marine adventure)[76]은 해상에서 영리를 목적으로 행하는 사업 행위를 말한다. 해상보험계약에서 보험자가 보상하는 손해는 반드시 항해사업에 부수하는 손해이고, 항해사업에 속하는 모든 합법적인 것은 해상보험계약의 대상이 될 수 있다.

2. MIA상 해상보험의 적용구간

해상보험은 항해에 관한 위험을 담보하는 보험이지만 이와 병행하여 항해에 부수되거나 접속되는 육상, 내수로의 위험도 하나의 해상보험계약으로 담보할 수 있다.

---

74) 오원석, 『해상보험론』, 삼영사, 1996, p.52.

75) 우리나라에서 사용하는 해상보험증권의 양식을 보면 일반적으로 영국의 ILU와 후술하는 로이즈 신해상보험증권을 약간 변경하여 사용하고 있는데, 1982년까지는 영국에서 전통적으로 사용되어 온 Lloyd' s S.G. Form을 모체로 한 회사형태의 보험자들이 사용하고 있는 ILU의 회사용합동보험증권을 사용하였다. 특히 영국의 보험증권을 사용하는 경우 보험계약당사자의 의사는 영국의 법률 및 준거법으로 할 것을 합의한 것으로 인정할 수 있는데, 특히 우리나라에서 사용하는 영국의 보험증권상에는 손해의 보상책임(보험자의 보험금지급책임)과 관련한 사항에 대하여는 영국의 법률 및 관습을 적용한다는 취지의 조항, 즉 영법준거조항이 포함되어 있다(이은섭, 『해상보험론』, 신영사, 1996, p.103).

76) MIA 제1조에서 항해사업은 marine adventure(항해모험)라는 용어를 사용하고 있는데, 이는 과거 항해가 일종의 모험으로 인식되었기 때문이다.

MIA 제2조 제1항 해륙혼합위험－해상보험계약은 그 명시적 특약 또는 상관습에 의하여 해상항해에 부수되는 내수로 또는 육상 위험으로 인한 손해로부터 피보험자를 보호하기 위하여 담보구간을 확장할 수 있다(2. Mixed sea and land risks—(1) A contract of marine insurance may, by its express terms, or by usage of trade, be extended so as to protect the assured against losses on inland waters or on any land risk which may be incidental to any sea voyage).

즉 해상보험계약은 해상구간뿐만 아니라 매도인의 창고로부터 발항항까지와 도착항으로부터 매수인의 창고까지 확장담보가 가능하다(내륙운송연장담보조건(Inland Transit Extension; ITE)). 이 조건을 활용하게 되면 육상수송 도중 발생할 수 있는 위험까지도 해상보험으로 담보된다.[77)]

이와 같이 오늘날의 해상보험은 육상운송위험까지도 연장담보하도록 되어 있어, 해상 및 육상의 혼합보험 성격을 띠고 있다. 그러나 해상보험이 혼합보험이라 하더라도 항공수송에 따른 위험을 연장담보하는 경우는 드물다.[78)] 그 이유는 해상수송이 주로 대량의 화물을 수송하는 수단인데 비해 항공수송은 신속성을 요하는 소량화물을 수송하기 때문에 해상수송과 항공수송이 연계되어 수송하는 경우가 드물기 때문이다.[79)]

제2절 해상보험계약의 특성

1. 기업보험적 성격

해상보험은 기업보험에 속한다. 가계가 보험료를 부담할지, 아니면 기업이 부담할

77) 협회적하약관(Institute Cargo Clauses; ICC) (A), (B), (C) 각 제8조(운송조항(Transit Clause))에 동일한 취지가 규정되어 있다.

78) 항공화물과 우편물에 대해서는 별도의 항공보험이 있다. 그러나 항공화물에 대한 보험도 해상보험으로 드는 것이 관례이고 해상보험의 법률과 원칙이 적용된다(구종순, 『해상보험』 개정판, 박영사, 2000, p.40).

79) Mustill, M. J. & Gilman, J. C. B., *Arnould's Law of Marine Insurance and Average,* 2 Vols, 16th ed, Sweet & Maxwell, 1993, Vol.1, p.6.

지에 따라 가계보험과 기업보험으로 분류할 수 있다.

선주 개인이 자기의 선박에 선박보험을 들거나, 자가용 요트 및 모터보트의 소유자가 선박보험을 이용하는 예에서 알 수 있듯이 피보험자가 개인으로 선박보험을 체결하는 경우가 있다. 그러나 오늘날의 선박보험의 주요한 이용자는 선박회사 또는 해운업자이며 적하보험은 대부분의 경우 무역업자가 이용하고 있다. 이와 같이 해상보험이 선박회사, 무역업자 등에 의해 이용되고 있는 것에서 보아도 해상보험은 기업보험적 성격이 매우 강한 보험이라고 할 수 있다.

2. 국제적 성격

해상보험은 국제적 성격을 가지는 보험이다. 천연자원 및 원자재가 부족한 우리나라에서는 이들 물자를 외국으로부터 수입하여 이들을 가공하여 완제품으로 하여 외국에 수출하는 무역정책이 이루어지고 있는데, 실무상 무역화물에 대해서는 적하보험을 체결하는 것이 필수조건으로 되어 있다. 이 적하보험은 국제물류, 국제금융과 함께 국제무역을 배후에서 지원하는 3대 지주의 하나를 구성하는 것이다.

오늘날 무역조건 중에서는 후술하는 CIF 계약 및 FOB 계약이 주요한 조건으로 되고 있는데 화물의 수출입이 어떤 계약조건을 채택하는가에 따라 외화획득에 영향을 미친다. 화물을 수출할 때에 CIF 조건이 적용될 경우 만약 매도인이 자국보험자와 보험절차를 이행하면 최종적으로는 운임, 보험료를 포함한 가액을 매수인이 부담하는 것이 되므로 무사고인 경우 매도인은 적하보험료 상당액의 외화를 획득하게 된다. 이에 비해 CIF 조건으로 수입하는 경우에는 매수인은 보험료 상당액의 외화를 지급해야 한다.

한편 수출할 때 FOB 조건을 적용한 경우에는 매도인은 적하보험료 상당액의 외화획득 기회를 상실하지만 반대로 FOB 조건으로 수입하는 경우에는 매수인이 자국보험자와 보험계약을 체결하는 한 그 범위에서 매수인은 보험료 상당액의 외화를 절약할 수 있다.

3. 물류촉진 기능적 성격

해상보험은 국제적 물류를 촉진하고 동시에 신용거래를 원활히 하기 위한 기능을 가지고 있다. 해상보험이 국제간 화물의 수출입에 수반되는 사고에 대해 이것을 해상보험자에게 부담시킴으로써 무역당사자에게 신뢰와 안심을 제공한다는 것은 널리 알려져 있는데, 이것은 해상보험이 국제적 물류를 확보하기 위한 윤활유로서의 기능을 완수하고 있다는 것을 의미한다. 또한 해상보험은 신용거래를 원활히 하는 기능을 가진다. 예컨대 국제거래에서는 매도인이 매수인을 지급인으로 하여 환어음을 발행하는데 이때 은행이 환어음 취결에 응하는 것은 담보화물이 보험사고로 인해 손해를 입어도 손해가 보상되기 때문이다. 이와 같은 기능은 해상보험의 본질적 기능은 아니지만 해상보험의 부차적 기능으로서 그 성격을 명백히 하고 있다고 할 수 있다.

제3절 해상보험계약에 관한 법규

1. MIA

영국은 불문법 내지 판례법 국가이다. 즉, 따로 성문법규가 없고 법원에서 내려진 판결이나 관습이 곧 법이다. 영국의 판례법을 흔히 '보통법' 이라고 하고, 상인들 간의 관습법을 '상관습법' 이라고 한다. 그런데 해상보험에 관하여만은 예외적으로 영국은 '성문법규(MIA)' 를 가지고 있다. 이는 영국에서 근대 해상보험이 발달하기 시작한 17세기 말 이후부터 이 법의 초안이 마련된 시점인 19세기 말까지 형성되었던 약 2,000여 개의 해상보험사건 판례들과 상관습법을 정리하여 성문법화한 것이다.

영국뿐만 아니라 세계의 해상보험 거래는 영국해상보험법을 모법으로 하고 있다고 해도 과언이 아니며, 또한 이 법에 의한 판례와 런던보험업자협회(ILU)의 해상보험약관과 관습은 대부분의 국가에서 적용되고 있다. 우리나라에서 사용되고 있는 대부분의 해상보험약관에는 영국의 법률과 관습에 따른다는 준거법 약관이 삽입되어 있으며 우리나라 대법원은 "해상보험계약에서 영국의 법률과 관습을 적용한다는 약정은 선량한 풍속, 기타 사회질서에 위반되는 사항을 내용으로 하는 법률행위라고 보여지지 아니하므로 그 준거법 약정은 유효하다."(1997.1.11, 71다2116)고 하여 준거법의 효력을 인정하였다.

2. 우리나라의 해사법

우리나라의 해사에 관한 법으로서 상법의 '보험편' 및 '해상편'에 규정되어 있다. 보험편은 보험계약과 관련된 내용을 규정하고 있으며 해상편은 선박, 선박소유자, 선장, 운송, 공동해손, 선박충돌 및 해난구조, 선박채권 등에 대하여 규정하고 있다. 이외에도 선박법, 선박안전법, 선원법 등의 특수법이 있다.

우리나라의 연안해운에 있어서는 물론 우리의 해상보험법이 적용되어야 하지만, 외국무역에 있어서의 해상보험은 국제성을 띠고 있는 만큼 법역이 상이하므로 우리나라의 상법이 그대로 통용될 수 없다. 우리나라 및 대부분의 국가에서 사용하고 있는 해상보험증권에는 영국의 법과 관습을 따른다는 조항이 삽입되어 있으므로 사실상 해상보험에 관한 한 우리나라 해상보험법은 영국의 해상보험법을 준용하고 있다.

제4절 해상보험계약의 체결

보험계약은 낙성 · 불요식의 계약이므로 당사자 간 합의에 의하여 성립되며 그 청약 및 승낙에 있어 일정한 방식을 필요로 하지 않는다.

1. 보험계약 청약서

수출물품의 가격조건이 CIF인 경우에는 수출자가 수입자를 위하여 부보를 하게 되어 있다. 이때 수출자는 그 자신이 보험계약자가 되며 수입자를 피보험자로 하여 소정의 해상보험계약청약서(Marine Cargo Insurance Application)에 필요한 사항을 기재하고 소정의 보험료와 함께 보험자인 보험회사에 제출하면 보험회사는 계약이 성립한 증거로서 계약내용을 기재한 보험증권(Insurance Policy)을 교부해 준다.

보험계약청약서(Insurance Application)의 기재사항은 다음과 같다.

① 피보험자명(수출입상사명)
② 소요되는 보험증권의 부수
③ 선박명 및 출항예정일

④ 선적항 및 양륙항

⑤ 환적을 할 경우에는 환적항명

⑥ 피보험화물의 수량 · 품명 및 그의 명세, 화인

⑦ 송장금액 및 보험금액

⑧ 보험조건

⑨ 신용장번호

상기 기재사항 모두가 확정된 경우 확정보험(definite insurance)이 되므로 보험증권(insurance policy)이 발행된다. 그러나 계약체결시 특히 FOB, CFR 조건의 수하인 계약의 경우 수출자로부터 선적통지(shipping advice)가 오기 전에는 알 수 없으므로 예정보험(provisional insurance)에 들어 예정보험증권(provisional policy)을 입수해 둠이 안전하다. 물론 이것도 가계약이므로 추후 선적통지를 통하여 알게 되는 즉시 보험자에게 통지하고 확정보험증권으로 대치시켜야 한다. 대량의 화물을 계속하여 선적하는 경우 예정보험의 일종으로 장래 선적할 전량에 대하여 포괄적으로 계약하는 포괄예정보험이 있다. 이 포괄예정보험의 경우 계약의 증거로서 포괄보험증권(open policy)이 발행된다.

2. 보험료

보험료(insurance premium)의 산출근거가 되는 보험료율(premium rate)은 선박의 상태와 항로, 화물의 종류와 포장상태 그리고 보험조건 등을 근거로 하여 산정한다.

보험료율은 국제적으로 통일되어 있지 않다. 우리나라에서는 기본요율, 부가요율, 할증(할인)요율로 구성되어 있다. 즉, 일반화물의 기본요율(기본보험조건과 항해구간별), 특수조건의 요율(부가위험에 관한 부가요율), 특수화물의 요율(할증),[80)]

80) 예컨대 비동력선, 선령할증(overage additional premium(AP))(선령이 16년 이상 정기선 이외의 선박에 대해 부과), 무선급할증(unclassed vessel AP), 소형선할증(small vessel AP)(협회선급약관에는 최저 톤수가 1,000톤 미만인 선박을 소형선이라 규정하고 이들 선박은 소정의 선급을 취득하지 못했거나 선령이 16년 이상의 경우로서 할증보험료가 부과됨), 편의치적선 선적 · 선령할증 등이 있다. 또한 운송구간의 제반 상황도 요율산정상 매우 중요한 요소가 된다. 선적항, 양륙항의 시설의 양부, 하역방법, 항로상의 안개나 유빙의 유무, 환적일수 · 방법 및 조난시 구조의 난이도, 접속지의 육상 운송상황, 발착지 및 경유지의 정치, 사회정세와 도난위험의 정도 및 기후 · 풍토와 같은 여러 사정을 고려하여 요율을 산정한다. 예컨대 중동의 여러 나라에 있어서와 같이 항구의 선박혼잡 · 체화가 심한 항구로 향하는 화물에 대해서는 체화할증보험료를 부과한다.

특별(할인)요율(차관 등에 의한 도입물자)로 되어 있다.

또한 화물의 성질 · 상태 및 포장은 화물의 종류에 따라 여러 가지 종류가 있으며 이에 따라 위험도도 매우 다양하다. 그 밖에 포장이나 적부의 양부에 대해서도 그 실태를 평가하여 담보조건과 보험료율을 산정해야 한다. 예컨대, 화물의 성질 · 상태에 대한 구체적인 것을 보면, ① 발열, 발화의 위험도가 높은 것(석탄, 유류 등), ② 바닷물, 강물에 젖기 쉬운 것(설탕, 소금, 화학비료, 공업원료, 청과물, 육류 등), ③ 한증(汗蒸)이 생기기 쉬운 것(곡류, 원피 등), ④ 파손되기 쉬운 것(정밀기계, 유리제품, 도자기 등), ⑤ 부족손이 발생하기 쉬운 것(고철, 종자 등), ⑥ 도난 · 발하의 위험도가 높은 것(보석, 귀금속, 기타 고가제품) 등이 있다.

선박보험에 있어서 요율 결정요소로는 ① 선박의 선형, 선령, 성능, 종류, 용도, ② 선박의 국적(선적), ③ 선주의 선박관리, ④ 선원의 자질, ⑤ 계약량, ⑥ 취항구역, ⑦ 수리비 · 구조비의 가격변동, ⑧ 보험성적(손해율), ⑨ 예정손해율[81] 등이 있다.[82]

제5절 해상보험계약의 법률적 성격

1. 낙성계약

해상보험계약은 당사자 간 의사표시의 합치만으로 성립하고, 당사자 간 합의 외에 특정사실의 존재 또는 특정조건의 충족을 전제로 하지 않는 낙성계약이다. 보험계약과 같은 상업계약의 경우 당사자의 의사는 당사자 중 일방의 청약(offer)과 청약에 대한 동의의 의사표시를 구성하는 승낙(acceptance)의 형식으로 표시되고, 따라서 보험계약은 청약과 승낙의 의사표시가 합치됨으로써 성립한다.

일반적으로 보험자의 책임은 최초의 보험료가 납입된 시점부터 개시하나, 보험료의 납입이 보험계약의 성립 여부에 영향을 미치는 것은 아니고 단지 보험자의 책임개시 시점에 대한 기준만을 제시한다. 한편 보험증권의 발행은 보험계약의 성립

81) 예정손해율은 과거의 선박보험성적 및 향후의 경향, 해운업계의 선복구성, 경영동향, 보험업계의 결산수지와 장래의 예측, 해외시장의 동향 등을 종합적으로 고려하여 결정하게 된다.

82) 김병기, 『해상보험-이론 · 실무 · 약관해설』, 두남, 2001, pp.169~177.

에 대한 추정적인 증빙을 제공할 뿐 보험계약의 성립을 위한 전제요건은 아니다.

2. 불요식계약

보험계약의 성립을 위한 전제요건으로서 당사자 간 의사표시의 합치를 요하나, 당사자의 의사표시는 특정한 형식을 요하지 않는다는 의미에서 보험계약은 불요식계약이다. 그러나 보험계약을 체결할 때 보험자는 보험계약자에 대하여 청약의 의사표시로서 보험청약서상 필요한 사항의 기재 및 서명 · 날인을 요구한다. 소정의 보험계약절차에 의하지 않는 청약에 대해서는 보험자가 승낙을 하지 않기 때문에 오늘날 보험계약은 점차 요식화되고 있다고 할 수 있다.

3. 유상 · 쌍무계약

보험계약은 보험자가 보험계약자의 보험료 납부를 약인으로 보험사고가 발생할 경우 보험금의 지급의무를 부담하기 때문에 유상계약이라고 할 수 있다. 그러나 보험자의 보험금 지급은 보험사고의 발생을 전제로 하기 때문에 보험계약상 보험자의 채무는 불확정 채무로서 보험계약기간의 경과 후에 발생 여부를 확인할 수 있다는 특징을 갖는다.

한편 보험계약은 보험계약자가 보험료를 지급하는 데 대하여 보험자의 위험부담이 계약성립과 동시에 채무로서 발생하기 때문에 양 당사자의 채무는 서로 대립적인 관계를 갖는 쌍무계약이라고 할 수 있다.

4. 사행계약

사행계약(aleatory contract)은 도박과 같이 당사자에 대한 이익(보험계약에서는 보험금의 지급 여부)의 발생 여부가 우연성에 의하여 결정되는 계약이다. 보험자는 우연한 손해의 원인(즉 보험사고)에 의하여 발생하는 피보험자의 손해에 대하여 보험금을 지급하기 때문에 피보험자의 입장에서 사행계약으로서의 성격을 갖는다. 다만 보험의 경우 이미 존재하는 위험을 제거 · 경감하는 기능을 갖는 반면, 도박의 경우 당사자에 의하여 인위적으로 위험이 창출되는 기능을 갖는다는 점에서 양자는 근본적으로 구분된다.

5. 부합계약

부합계약(contract of adhesion)이란 계약내용이 당사자 일방에 의하여 정해지고 상대방은 이 내용을 포괄적으로 승인함으로써 효력이 발생하는 계약이다. 일반적으로 계약의 내용은 계약자유의 원칙에 따라 매 계약 시마다 당사자의 합의에 의하여 결정되는 것이 원칙이라고 할 수 있으나, 보험계약에서 보험자는 불특정 다수의 보험계약자를 대상으로 다량의 보험계약을 체결하는 것이 일반적이기 때문에 매 계약체결 시마다 계약내용을 일일이 합의하는 것이 불가능하다.

따라서 보험계약은 보험자가 일방적으로 사전에 작성해 둔 보험약관을 제시하고, 이에 대하여 보험계약자가 포괄적으로 승인함으로써 보험계약이 체결되는 부합계약으로서의 성격을 갖는다.

6. 최대선의계약

일체 계약은 계약체결 시뿐만 아니라 계약이행기간 동안에도 계약당사자의 선의를 요한다. 보험계약은 사행성을 갖는 계약이기 때문에 일반 계약에서 요하는 계약당사자의 선의보다 더 높은 수준의 선의를 요구한다. 보험계약은 특성상 계약의 내용에 관련되는 중요한 사항에 대한 지식이 계약의 일방당사자인 보험계약자에게 편재되어 있는 경우가 일반적이기 때문에 일반계약보다 더 높은 수준의 선의를 요하게 된다.

보험계약에서 최대선의는 일반계약과 동일하게 계약당사자 모두에게 요구되지만, 특히 보험계약자는 보험자의 의사결정, 예컨대 해당 보험의 인수 여부, 보험료 수준 및 담보범위 등에 관한 의사결정에 영향을 미치는 일체의 중요한 사항을 보험자에게 고지해야 하는 최대선의의무를 부담한다.

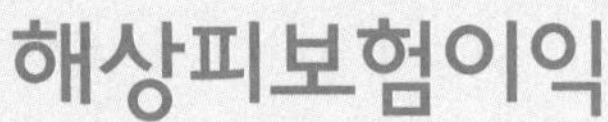

제6장

해상피보험이익

제1절 피보험이익의 개념

1. 영법상 피보험이익의 의의

선박과 화물은 보험계약의 대상물에 불과하고 보험계약이 존재하는 목적은 이러한 보험목적물에 대하여 특정인이 갖고 있는 이해관계이다(〈그림 6-1〉참조). 보험목적물과 이해관계가 있는 자는 보험목적물이 위험에 노출될 경우 손해를 입을 수 있기 때문에 이에 대비하여 보험계약을 체결한다.

피보험이익(insurable interest)이란 보험목적물과 이해관계가 있으므로 보험계약을 체결할 수 있고 이 계약에 의해서 불확실한 미래의 사고로부터 재산상의 손해를 보상받을 수 있는 이익을 말한다. 이해관계는 반드시 재산상의 이해관계 또는 금전적으로 계산이 가능한 이해관계를 의미하는 것이지 정신적인 이해관계를 의미하는 것은 아니다.

MIA 제5조는 선박과 화물이 안전하거나 무사히 목적지에 도착하면 그로부터 이익을 얻고 만약 선박과 화물에 손실이 발생하게 되면 그로 인해 손해를 보는 사람

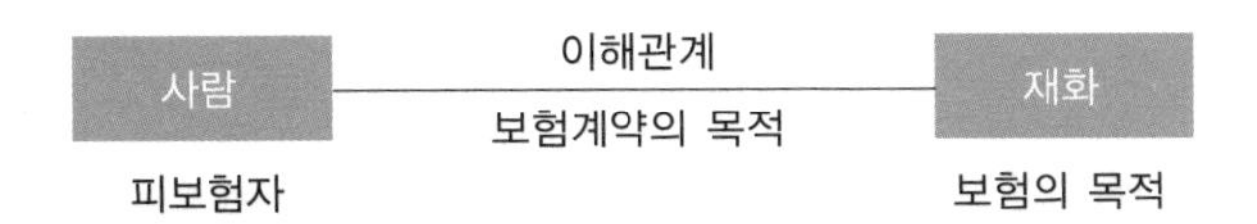

그림 6-1 피보험이익의 개념

은 해상사업에 이해관계를 가지는 피보험자가 될 수 있다고 규정하고 있다. 또한 선박 혹은 화물과 관련하여 법적 배상책임을 지는 사람도 해상사업에서 피보험이익을 가질 수 있다.[83] 한편, 해상보험에서의 피보험이익은 ① 소유이익, ② 수익이익, ③ 대상이익, ④ 채권이익, ⑤ 책임이익, ⑥ 비용이익 등으로 구별된다.

2. 우리나라 상법상의 피보험이익

우리 상법에서는 피보험이익에 대해 보험계약의 목적이라고 표현하고 금전적으로 산정할 수 있는 이익으로 한정하고 있으나(제668조), 피보험이익은 보험의 목적(상법 제666조 제1항)과 구별되어야 하는 개념이다. 왜냐하면 보험의 목적은 보험계약의 대상을 말하는 것이고, 피보험이익은 그 목적에 대해 피보험자가 가지고 있는 이해관계를 의미하기 때문이다. 따라서 손해보험의 경우에도 금전적으로 산정할 수 있는 이익을 가지고 있는 물건보험에서만 인정되고 책임보험과 같은 재산보험에서는 피보험이익이 인정되지 않는다.

우리나라에서 피보험이익의 개념은 주로 손해보험의 중심요소로 삼고 있는 것이 통설이라 할 수 있다. 상법 제731조 및 제739조(상해보험에 준용하는 규정)에서는 피보험자의 동의만 있으면 보험수익자와 피보험자 사이에 아무런 경제적 · 사회적 이해관계가 없다 하더라도 보험계약이 성립할 수 있도록 규정하고 있다. 이것은 인보험이 정액보험으로서 보험사고가 발생하면 손해발생 여부에 관계없이 무조건 피보험자에게 약정한 금액을 지급하는 것이라는 데 논거를 두고 있다.

따라서 인보험에서는 피보험이익의 문제가 발생하지 않는다. 그러나 이러한 규정은 도덕적 위태를 증대시킬 소지가 있다고 하겠다. 외국에서는 인보험계약 성립에 있어서 피보험자와 보험금수익자 혹은 보험계약자 간에 피보험이익이 존재할 것을 필수적인 요소로 요구하고 있다.

3. 피보험이익의 요건

1) 경제성

피보험이익은 금전적으로 평가할 수 있는 이익이어야 한다(상법 제668조). 만약 피

---

83) O' May, D. & Hill, J., *Marine Insurance: Law and Policy,* Sweet & Maxwell, 1993, p.47.

보험이익을 금전으로 평가할 수 없는 경우에는 손해액의 산정이 불가능하고, 보험의 도박화로 인하여 실제 손해액 이상의 손해보상을 받을 가능성이 있기 때문이다. 따라서 개인적인 특수한 가치밖에 가지고 있지 않은 감정적 · 신앙적 혹은 도덕적 이익은 피보험이익이 될 수 없다.

2) 확정성(확실성)

피보험이익은 계약성립시에 객관적으로 그 존재를 확인할 수 있는 것이어야 한다. 즉, 사고발생시까지 이익의 존재나 귀속이 확정되어야 한다. 예컨대 이익을 확정할 수 없다면 손해를 확정할 수 없고 또 보험자는 손해액이나 피해자를 정할 수 없기 때문이다.

한편 이익의 존재가 객관적으로 확정될 수만 있다면, 현재의 이익이건 장래 발생가능한 이익이건 상관하지 않는다. 예컨대 CIF 가격조건에서 수출업자는 CIF 금액의 110%를 보험에 가입해야 하는데 여기서 10%를 추가로 인정하는 것은 화물이 무사히 도착하면 그 정도의 이익이 발생할 것이라고 예측하기 때문이다. 이러한 희망이익은 보험계약을 체결할 때는 확정되어 있지 않지만 앞으로 확실해질 것이므로 피보험이익으로 인정하는 것이다. 또한 보험의 목적이 장래에 특정될 포괄보험의 경우라도 보험사고발생시에 피보험이익이 특정될 수 있다면 피보험이익은 확정된 것으로 본다.

3) 적법성(합법성)

보험계약은 적법한 이익이 보험사고로 인하여 손해를 입었을 때 그 보상을 목적으로 한다. 따라서 피보험이익은 법의 금지규정을 위반하거나 공공질서에 위배되는 이익이어서는 안 된다. 예컨대, 밀무역, 탈세, 도박, 절도 등과 관련된 이익은 피보험이익이 될 수 없다. 그러한 것을 대상으로 하는 경우 보험계약은 무효이고 보험료를 청구하지 못하나 일단 수령한 보험료는 반환할 필요가 없다.[84)]

---

84) 今村有, 『海上保險契約法論』(下卷), 損害保險事業總合硏究所, 1978, pp.329~337.

4. 피보험이익의 존재시기

1) 일반적 시기

① 일반적으로 보험계약을 체결할 때 피보험자는 피보험이익을 가지고 있어야 한다.

② FOB 조건과 CFR 조건의 경우에 수입업자는 수출업자로부터 선적완료의 통지를 받은 후 적하보험계약을 체결한다. 이 시점에서는 화물에 대한 소유이익이 아직까지 수입업자에게로 넘어오지 않기 때문에 수입업자는 사실상 피보험이익이 없는 상태에서 보험계약을 체결하고 있는 것이다. 국제무역에서는 수입업자가 화물의 소유이익을 취득할 전망이 확실하기 때문에(선적화물에 대한 소유권은 선하증권을 소지한 자에게 있는데 이 선하증권은 수출업자, 매입은행, 발행은행 등을 거쳐서 최종적으로 수입업자에게로 넘어감) 보험계약을 체결할 때 피보험이익이 없다 하더라도 계약체결이 허용된다.

③ MIA 제6조 제1항은 보험계약을 체결할 당시에는 반드시 피보험이익을 가질 필요가 없지만 보험사고가 발생한 시점에서 이해관계를 갖지 않으면 안된다고 규정하고 있다. 해상보험에서 피보험자가 피보험이익의 존재를 증명해야 할 시기는 보험사고가 발생한 때이다.[85]

2) 소급약관이 존재하는 경우의 시기

피보험자는 보험계약이 체결될 때 재산에 대한 피보험이익을 갖지 않을 수 있으나, 미래에 손해발생시 피보험이익을 가질 수 있다. 예컨대, 해상보험에서 선박출항 전에 체결된 계약에 의한 운송화물을 보험에 가입하는 것이 일반적이다. 그러나 보험회사는 화물이 피보험자의 재산으로서 선박에 적재될 때까지 화물을 담보하지 않을 수도 있다. 보험계약이 체결될 때 피보험이익이 존재하지 않지만 손해발생시에 화물에 대한 피보험이익을 가진다면, 피보험자는 보험금을 수령할 수 있다.

---

85) Bennett, H. N., *The Law of Marine Insurance*, Oxford University Press, 1996, pp.13~14.

5. 피보험이익의 효용

1) 보험자의 책임범위의 결정

보험자는 보험사고발생으로 인하여 피보험자에게 손해를 보상해 줄 책임을 지는데, 이 경우의 책임은 피보험자의 손해액을 한도로 한다. 바꾸어 말하면 보험자는 피보험자가 보험계약에서 가지는 피보험이익의 범위 내에서 입증 가능한 손실을 한도로 책임을 진다. 그러므로 피보험이익은 보험자의 책임범위를 정하는 표준이 된다.

2) 계약의 동일성을 구별하는 기준

보험계약의 동일성을 구별하는 표준은 보험목적물이 아니라 피보험이익이다. 예컨대 특정물건에 대하여 소유권자와 저당권자는 각각 별개의 피보험이익을 가지므로 독립하여 보험계약을 체결하는 것이 가능하다.

3) 도박보험 · 초과보험 등의 방지

보험은 피보험이익을 전제로 하고, 또한 이익을 추구하는 수단으로 이용되는 것이 아니기 때문에 도박성을 배제하고, 초과보험 등을 억제하여 보험제도의 투기성 · 사행성의 폐해를 방지하는 기준이 된다.

4) 도덕적 위태의 감소

피보험이익이 존재함으로써 피보험자가 손해발생을 미연에 방지하도록 노력하거나 최소한 후회하는 동기를 제공하게 된다. 이에 따라 도덕적 위태를 감소시키거나 방지할 수 있는 역할을 수행한다.

제2절 피보험이익의 당사자

1. 보험목적물의 소유자

선박, 적하, 운임 등과 같은 보험목적물을 소유하거나 취득하는 자는 그에 대한 피보험이익을 가진다. 보험목적물의 소유자는 소유이익의 주체자이다. 소유이익은 보험목적물의 소유자가 가지는 이익을 말하는데 통상 소유자가 보험목적물에 대하여 위험을 부담하고 이를 사용하거나 처분할 수 있는 소유권을 완전히 행사할 수 있어야 한다.

1) 선주(shipowner)

선박: 선주는 자신이 소유하는 선박에 대하여 피보험이익을 가진다. 영리를 목적으로 하는 항해에 사용되는 선박 이외의 특수한 목적을 지닌 선박도 해상보험의 대상이 될 수 있다. 선박에 대해 가지는 피보험이익은 선체에만 국한되는 것이 아니고 선박자재, 의장용구, 선원의 용품과 식료품 등도 포함한다.

운임: 운임착지급 조건으로 운송계약이 체결된 경우 선주는 운임에 대해 피보험이익을 갖는다(운임착지급인 경우 선주가 화물을 인도하지 못하면 운임을 받을 수 없기 때문에 운임에 대해 피보험이익을 가진다). 벌크화물인 경우에는 도착지에서 하역되는 양에 따라서 운임이 지급되는 경우가 있는데 만약 화물의 손상이 발생하게 되면 그만큼 운임을 받을 수 없기 때문에 선주는 운임손실에 대해 운임보험계약을 체결할 수 있다.

선박보험료: 선주는 1회 항해를 기준으로 하는 항해보험에 가입하는 경우도 있지만 통상 1년을 단위로 선박보험계약을 체결하는 기간보험에 가입한다. 항해보험의 경우 보험기간이 짧아 항해가 끝나면 보험계약을 다시 갱신하기 때문에 선박보험료가 많지 않다. 기간보험은 선박보험계약을 체결할 때 12개월에 해당되는 보험료를 지급하기 때문에 보험료가 거액인 경우가 많다.

보험기간 중에 선박이 손상을 입어 더 이상 운임을 벌지 못하면 선주는 자신이 지급한 선박보험료를 잃게 되므로 선주는 보험료에 대해서도 피보험이익을 가지게 된다. 선주는 선박보험료 중에서 미경과보험료(unearned premium)에 해당하는 부분만큼만 피보험이익을 가진다. 한편 보험료감소이익(premium reducing interest)은 보험기간이 경과할수록 선박보험료에 대한 피보험이익이 점차 감소한다는 것을 의미한다.

선비(disbursement): 선비는 선박을 운항하는 데 소요되는 의장비와 연료비 등 일체의 경비를 의미한다. 선박의 운항경비는 통상 항해 전에 또는 항해 도중에 지급되는 일이 많기 때문에 선박이 멸실되면 선주는 이미 지급한 선비까지 상실하게 된다. 따라서 선주는 선비에 대하여 피보험이익을 갖고 선비보험에 가입할 수 있다.

2) 화주

화주는 화물에 대해 소유이익을 가지는 당사자이다. 화주는 자신의 화물이 안전하게 도착하면 이익을 얻게 되고, 화물도착이 지연되거나 손상을 입으면 손해를 보기 때문에 화주는 자신이 화물을 소유하고 있는 한 화물에 대한 피보험이익을 갖는다.

화물의 순가액: 화주는 자신이 소유하고 있는 화물의 순가액만큼 피보험이익을 가진다(화물의 순가액은 운임, 보험료 등이 포함되지 않은 원가의 개념으로서 송장가액이라 할 수 있다).

적하보험료: 화주는 자신의 화물에 대해서 적하보험계약을 체결하고 보험료를 지급한 경우 보험료에 대해서도 피보험이익을 가진다. 운송 도중 화물이 멸실되면 화주는 화물만 잃게 되는 것이 아니라, 지급한 보험료도 상실한 결과를 초래하기 때문에 보험료에 대해서도 피보험이익을 가진다.

운임: 운임선지급 조건으로 운송계약이 체결된 경우 화주는 운임에 대해서도 피보험이익을 갖는다. 해상운송에서 선지급된 운임은 화물이 목적지에 도착하든 그렇지 아니하든 간에 반환되지 않는 것이 원칙이다. 운임이 선지급되었는데 화물의 전손이 발생하면 곧 운임을 상실한 결과를 초래하기 때문에 화주는 자신이 선지급한 운임에 대해서도 피보험이익을 갖는다.

희망이익(expected profit): 화주는 자신의 화물이 목적지에 무사히 도착할 경우 화물의 판매로 인하여 취득할 수 있는 기대이익에 대해서도 피보험이익을 갖는다. 기대이익은 실제로 화물이 목적지에 도착하여 판매되어야만 확정되는 이익이기 때문에 보험의 대상이 되는지 여부에 대해서는 논란이 되지만, 무역거래의 현실상 화물가액의 약 10% 정도의 이익은 기대할 수 있기 때문에 희망이익에 대해서도 피보험이익을 인정하고 있다.

계반비용(forwarding expenses): 운송인은 최종 목적지까지 화물을 안정하게 운송할 책임이 있다. 불가피한 사유로 인하여 화물을 최종목적지까지 운송할 수 없는 경우 운송인은 선하증권이나 운송약관에 따라서 목적항에 도착하기 전에 미리 하역하거나 또는 목적항을 경과하여 다른 항구에서 화물을 하역할 수 있다. 이에 대해서 운송인은 하등 책임을 지지 않고 화주가 이로 인한 모든 비용을 부담한다.

화물이 중간항에 하역되면 이를 계속해서 목적항까지 운송하는 비용도 화주가 부담해야 하며, 더욱이 최종목적항을 지나쳐 초과운송되더라도 추가 운송비용을 화주가 부담해야 한다. 이와 같은 내용의 운송약관은 선박회사에 일방적으로 유리한 느낌이 들지만 현실적으로 선박회사의 면책특권이 광범위하게 인정되기 때문에 화주들은 이러한 약관을 수용해야 한다. 화주는 화물을 운송하는 데 예상하지 못한 비용, 즉 계반비용이 발생하게 되면 이를 보상받을 수 있는 보험계약을 체결할 수 있다.

3) 용선자

일반용선: 용선계약에서 용선자는 단순히 임대한 선박을 이용하여 화물을 운반할 수 있는 권리만 갖고 선박을 소유하거나 통제할 수 있는 권리는 없다. 따라서 용선자는 선박에 대한 소유이익의 당사자로서 인정되지 않기 때문에 선박에 대한 피보험이익을 갖지 못하는 반면, 선주는 선박을 타인에게 임대하더라도 선박 관련 소유이익을 계속 보유하기 때문에 선박에 대한 소유자로서 피보험이익을 갖고서 선체보험계약을 체결할 수 있다.

선체용선(bareboat charter): 용선자가 선박 자체만을 용선하고 자신이 승무원들을 고용하여 배치하며 그리고 항해비용, 수리비용 등 운항에 관련되는 일체의 비용을 부담하는 용선을 말한다. 용선자가 선박을 소유하고 통제하며 선박의 손상에 대하여 책임이 있기 때문에 선박에 대한 피보험이익을 갖고서 선체보험계약을 체결할 수 있다. 그러나 용선자가 피보험이익을 갖고서 보험계약을 체결하더라도 선주는 자신의 선박에 대하여 여전히 피보험이익을 갖는다.

용선료(chartered freight): 용선료는 용선자가 선주에게 지급하는 운임인데 대개는 선적지 또는 용선계약의 효력이 발생하는 시간과 장소에서 선지급되며 반환되지 않는 것이 통상이다. 따라서 용선자는 임차한 선박이 멸실되거나 운항할 수 없게 되는 경우 선지급한 용선료에 대하여 손해를 보기 때문에 용선료에 대한 피보험이익을 갖고 운임보험에 들 수 있다.

선박의 운항이 불가능한 경우 특약[86]에 의하여 선주가 선지급된 용선료를 반환하기도 하는데 이러한 경우에는 선주가 피보험이익을 갖는다. 용선료가 일부만 반환되면 반환되는 용선료에 대해서는 선주가 피보험이익을 갖고 반환되지 않은 용선료에 대해서는 용선자가 피보험이익을 갖는다.

2. 보험목적물의 담보권자

해상사업을 수행하다 보면 선주는 때때로 선박을 담보로 은행으로부터 금융을 제공받거나, 항만당국에 부두사용료, 항만세 등을 체납하여 선박을 압류당하기도 한다. 이 경우 저당권자나 압류자는 채권을 확보할 목적으로 보험목적물에 대하여 담보권을 설정한다.

1) 저당권자

선주가 선박을 담보물로 설정하고 은행으로부터 융자를 받는 경우 선주는 저당권 설정자(mortgager)가 되고 은행은 선박에 대한 저당권자(mortgagee)가 된다. 저당권자인 은행은 선주가 만기일에 채무를 상환하지 않으면 담보물로 설정된 선박을 임의로 처분가능하다. 항해 도중 담보물로 설정한 선박이 해상위험으로 인하여 멸실되면 은행은 자신의 저당물을 잃어버린 결과가 된다. 이 경우 은행은 손해를 입기 때문에 저당권자와 저당물에 대한 이해관계를 인정하여 보험계약이 체결될 수 있다. 저당권자가 선박이나 화물 등 저당물에 대해서 갖는 피보험이익의 한도액은 저당금액에 한정된다.

2) 선취특권자

선취특권은 법률이 정하는 특수한 채권을 갖는 자가 채무자의 재산에 관해 일반채권자에 우선하여 채권을 변제받을 수 있는 것을 말한다.[87] 해상보험에서 해난에 직

86) 일정한 기간동안 선박을 빌리는 기간용선에는 용선정지(휴항)약관(off-hire clause)이 있다.(선주는 용선자가 선박을 언제든지 운항할 수 있는 상태를 갖추어야 할 의무가 있는데 선주의 부주의로 항해를 할 수 없는 경우에는 휴항약관에 따라 용선자는 휴항기간에 해당하는 용선료를 지급할 의무가 없다.)

87) 우리나라 민법에서는 인정하지 않지만 다만 상법에서는 해난구조자에게 우선특권을 인정하는 것과 몇 가지 경우에 한하여 선취득권이 인정되고 있다. 선취득권이 발효되면 담보물을 점유할 수 없지만 그것을 경매하여 먼저 변제받을 수 있다.

면한 선박을 구조하게 되면 구조자는 구조된 선박에 대하여 선취특권을 가진다. 이 때 구조된 선박의 선주가 구조비용을 지급하면 구조자의 선취특권은 소멸된다. 그러나 선주는 자신의 선박에 적재된 화물의 화주가 부담해야 할 구조비용까지 모두 지급했기 때문에 화물에 대하여 선취특권을 행사할 수 있다. 이 경우 선취특권은 구조 당시 선박에 적재되어 있던 화물의 분담비율에 해당되는 구조비의 금액만큼이 된다.

사고로 인하여 선취특권을 행사한 화물이 완전히 멸실되면 선취특권자는 이 권한을 행사할 수 있는 대상물이 없어져 버린 결과가 되어 그만큼 손해를 보게 된다. 따라서 선취특권자(lien holder)에게도 선취특권액만큼의 피보험이익을 인정해 주고 있다. 만약 선취특권이 발동되고 있는 화물을 해상사고로부터 보호하고자 한다면 선취특권자는 이에 대해 적하보험을 체결할 수 있다.

제3절 피보험이익의 평가

1. 보험가액

1) 보험가액의 의미

보험가액(insurable value)이라 함은 물보험에 있어서 피보험이익의 평가액, 즉 피보험이익을 금전적으로 평가한 가액을 말한다. 이러한 보험가액은 원칙적으로 보험의 목적인 물건의 가액으로서 일정한 것이 아니고, 경기 또는 시장상황의 변동에 따라 수시로 변동한다. 예컨대 건물에 대한 피보험이익의 경우 건물의 가치는 시간의 경과 및 부동산시장의 변동에 따라 증감하기 때문에 피보험이익의 경제적 가치인 보험가액도 자동적으로 변동하게 된다. 따라서 보험자가 보상해야 할 손해액은 손해가 발생한 시점과 장소에서 보험가액에 근거하여 결정되어야 한다.

그러나 보험의 목적물인 선박이나 적하의 해상보험에서는 이동의 범위가 광범위하기 때문에 손해발생의 시점과 장소에 있어서의 보험가액을 산정하는 것이 곤란한 경우가 있을 뿐만 아니라, 손해발생의 시점과 장소 그 자체가 불명확한 경우도 적지 않다. 따라서 우리 상법은 선박보험과 관련하여 보험자의 책임이 개시될 때의 선박가액을 보험가액으로 정하고 있으며(상법 제696조), 적하보험의 경우 화물이 선적된 시간과 장소에서 적하의 가액과 선적 및 보험에 관한 비용을 보험가액으로 정한다고 규정하고 있다(상법 제697조). 또한 일반적으로 계약체결 시 설정된 보험가액은 보험계약기간 중에는 불변인 것으로 간주한다.

2) 협정보험가액

보험가액불변의 원칙에 의해 보험기간 중의 보험가액의 변동에 대한 문제는 없어졌지만 보험가액이 얼마였는지에 대해서는 논쟁이 생길 수 있다. 따라서 실제거래에서는 보험계약체결 시 당사자 간 협정에 의하여 보험가액을 설정하고 있다. 보험계약체결 시 계약당사자의 협정에 의하여 설정된 보험가액을 '협정보험가액(agreed insured value)' 이라 하고, 보험가액이 협정된 보험을 '기평가보험(valued policy)' 이라 한다. 이에 비해 보험가액이 협정되지 않은 보험을 '미평가보험(unvalued policy)' 또는 '포괄예정보험(open policy)' 이라 한다.[88)]

손해보험은 보험사고로 인한 피보험이익상의 손해를 보상하는 것을 본질적인 내용으로 하고 적극적으로 피보험자에게 어떤 이득을 주려는 것은 아니므로 물건보험에 있어서도 피보험이익의 가액 이상으로 손해보상을 하는 것이 아니다. 따라서 보험가액은 보험자가 보상할 손해액의 최대한도를 이루어 보험자의 보상책임의 법률상의 최고한도를 나타내는 것이다. 그리하여 보험가액은 손해액 산정의 기초가 되는 동시에 보험자의 구체적인 보상액을 결정하는 기준을 제공한다.

3) 법정보험가액

보험기간이 장기간일 경우에는 보험계약의 체결 시 협정된 가액은 별 의미가 없게 된다. 시간이 지날수록 보험가액은 변하기 마련인데, 이를 장기간 고정시켜 둔다는 것은 보험가액을 제대로 평가한 것으로 볼 수 없기 때문이다. 또한 물가의 변동이 아주 심한 경우에도 협정보험가액을 사용하는 것이 불가능하다. 보험자나 보험계약자 모두 물가의 변동을 고려하여 자기에게 유리한 시점에서 보험계약을 체결하려 하기 때문이다.

한편 보험가액은 보험목적물의 가치에 대한 금전적 평가를 전제로 하기 때문에 보험가액이 당사자 간에 협정되지 않는 경우, 법에서 정한 방법에 의해서 보험가액을 결정하게 되는데, 이를 '법정보험가액' 이라 한다. 법정보험가액은 보험가액이

---

88) O' May, D. & Hill, J., op. cit., p.64.

협정되지 않을 경우 보험계약을 신속히 체결하고 사후의 분쟁을 예방하기 위하여 사용된다. 법정보험가액은 법에서 정한 가액이라고 하여 강제성을 지니고 있지는 않으며 보험계약의 본질을 방해하지 않는 범위 내에서 당사자 간 임의로 사용된다. MIA 제16조에서는 보험증권에 명시적 규정 또는 평가액이 없는 경우에 한하여 법정보험가액이 사용됨을 규정하고 있다.

2. 보험금액

보험금액(sum insured)이란 계약당사자의 합의에 의해 보험자가 부담하는 손해보상액의 최고한도액을 의미한다. 보험계약에서 보험가액과 별도로 보험금액을 정하는 이유는 보험계약체결 시 보험자 급부의무의 한도가 미확정인 상태에서는 보험료의 산출이 불가능하기 때문이다. 즉, 보험자 급부의 한도는 보험가액에 의해서 설정되지만, 앞에 설명한 바와 같이 보험가액은 시간과 장소에 따라 변동하고 그 평가도 상당히 곤란하다. 더욱이 보험계약은 대부분 손해의 발생 없이 종료된다는 점을 고려한다면 보험가액의 평가는 무용할 뿐만 아니라, 책임보험의 경우와 같이 보험가액의 평가 자체가 불가능한 것도 있다.

또 보험계약자가 보험료절약 등을 이유로 반드시 보험가액의 전액을 보험금액으로 하지 않는 경우도 있으므로 실제로는 보험가액의 평가를 생략하고 보험금액만을 정하고 이것을 보험료산출의 기초로 삼아 보험자가 지급하는 보상금액의 최고한도로 정하는 경우가 많다.

3. 보험금액과 보험가액의 관계

보험금액은 반드시 보험가액과 일치하는 것은 아니며, 보험가액보다 높거나 낮은 경우도 있다. 보험금액과 보험가액의 상대적인 크기와 관련하여 보험의 종류는 다음과 같이 분류할 수 있다.

1) 전부보험

전부보험(full insurance)이란 보험금액과 보험가액이 일치하는 경우를 말하며, 보험자는 전손과 분손을 불문하고 발생한 손해의 전부를 보상하여야 한다. 보험사고에 의해 전손이 발생한 경우에는 보험자는 보험금액에 상당하는 보상을 할 필요가 있다.

2) 초과보험

초과보험(over insurance)이란 보험금액이 보험가액을 초과하는 경우를 말한다. 우리 상법은 보험금액이 보험계약의 목적의 가액(보험가액)을 현저하게 초과한 때 또는 그 계약이 보험계약자의 사기로 인하여 체결된 때에는 그 계약을 무효로 한다고 규정하고 있다(제669조).

사기에 의한 초과보험: 보험계약자의 사기에 의하여 초과보험이 된 경우에는 그 보험계약은 초과부분뿐만 아니라 계약 전체가 무효로 되고, 보험사고가 발생하더라도 보험자는 전혀 보험계약상의 책임을 지지 않는다.

선의의 초과보험: 선의로 초과보험이 성립되면 피보험자는 보험금을 감액하여 청구하고 보험자는 초과부분에 해당하는 보험료를 환불해야 한다.

3) 일부보험

일부보험(under insurance)이란 보험금액이 보험가액에 미달한 경우를 말한다. 일부보험은 보험계약체결 당시부터 보험료를 절약하기 위해 의식적으로 하는 경우(의식적 일부보험)도 있고, 또 보험계약성립 후 물가가 인상되어 자연적으로 발생하는 경우(자연적 일부보험)도 있다.

일부보험의 경우에 보험자의 부담은 보험금액의 보험가액에 대한 비율에 의하여 정해진다(상법 제674조). 즉, 보험가액에 대한 보험금액의 비율에 손해액을 곱하여 얻은 금액(손해액×보험금액/보험가액 = 보상액)이 보험자가 부담하는 금액, 즉 보상액이 된다. 이와 같은 보험자의 책임결정방법을 '비례부담의 원칙' 이라 한다.

4) 중복보험

중복보험(double insurance)이란 물보험에 있어서 보험계약자가 복수의 보험자와 동일한 피보험이익에 대하여 보험계약을 체결하고 그 보험금액의 총액이 보험가액을 초과하는 경우의 보험을 말한다. 중복보험은 고가물에 대한 보험의 경우 보험계약자가 1인의 보험자와의 보험계약만으로는 보험자의 경제적 능력상 보상이 불가능하다고 판단함으로써 복수의 보험자와 보험계약을 체결하는 경우에 발생할 수 있다. 중복보험은 복수의 보험계약이 동일한 피보험이익을 대상으로 하기 때문에 전체로서 보험금액이 보험가액을 초과하지만, 개개의 보험계약 자체는 초과보험이 아니다.

제7장

고지의무와 담보

제1절 고지의무의 의의

1. 고지의무에 관한 영국 계약법의 입장

MIA에서 가장 중요하고 기본적인 원칙은 보험자와 보험계약자 사이에 체결되는 손해보상계약이 최대선의에 근거한 계약이라는 것이다.[89] 이 원칙은 1766년 Carter v. Boehm 사건[90]에서 Mansfield 판사에 의하여 주창된 이후 200여 년 동안 영국 해상보험법의 가장 기본적인 원칙으로 정립되었으나, 그 원칙으로부터 파생되는 의무의 종류, 기준, 범위 및 법리적 성격 등은 비교적 최근인 1990년대 말에야 영국 법원에 의하여 비로소 정립되었다.

대부분의 법계에서 계약체결 시는 물론이고 계약이행 시에도 일반적인 선의의무 또는 신의성실의무를 요구하는 반면, 영국 계약법에서는 계약당사자의 선의(good faith)의무를 일반적인 법원칙으로서 인정하지 않는다.[91] 영국 계약법에서 사실의 기망 또는 부실표시에 관한 일반적 또는 보편적인 엄격주의는 존재하지만,[92] 원칙적으로 계약당사자는 자기 이익을 스스로 보호하여야 한다.

---

89) MIA 제17조.

90) (1766) Burr. 1905.

91) 선의와 같은 계약법의 기본적인 요구사항에 대하여 법적 인식이 결여되어 있다는 점은 영국 계약법에 내재하는 형식주의의 일례이며, 주요 비판의 대상이 되고 있다(P.S. Atiyah, *An Introduction to the Law of Contract*, 5th ed., Clarendon Press · Oxford, 1995. p.213).

92) 영국 계약법에서 일반적인 고지의무는 존재하지 않지만, 영국 계약법에서는 이러한 법적 결함

영국 계약법에서 계약당사자가 자발적으로 서로 정보를 제공하는 것은 계약당사자의 계약상의 의무가 아니며, 법이 계약당사자에게 강요할 성격의 의무도 아니다. 당사자는 계약의 체결 여부를 결정할 때, 스스로 결정해야 하고 자신의 판단으로 결정해야 하며, 그가 인지하고 있는 중요한 정보를 상대방에게 자발적 · 적극적으로 고지해야 할 의무를 부담하지 않는다. 자유경쟁사회에서 상거래 및 사업영위의 핵심은 당사자들이 자기의 역량에 따라 경쟁하는 것이다. 각 당사자는 자기에게 가장 유리한 거래를 이끌어 내기 위하여 자기가 갖고 있는 정보를 이용할 권한이 있고, 각 당사자는 계약체결 시에 자발적인 고지의무를 부담함으로써 상대방을 도와야 할 아무런 의무도 부담하지 않는 것이 계약자유 및 자유경쟁원칙의 핵심이다.[93)]

상거래 관계에서 일반적인 고지의무가 존재할 수 없는 한 가지 분명한 이유는 기술 및 지식의 취득을 위한 경제적인 투자유인이 존재해야 하고, 그러한 유인은 계약교섭 시에 자신의 지식과 기술에 관한 그의 이용능력에 의하여 동기부여된다는 점이다. 예컨대 어떤 석유회사가 해저나 지하에 매장된 석유매장량의 탐사를 위하여 막대한 비용을 투자함으로써 알게 된 정보를 해저개발권자나 토지의 주인에게 자발적으로 고지하고 계약을 체결해야 한다고 요구하는 것은 그러한 정보를 얻기 위하여 전혀 경제적 투자를 하지 않은 당사자와 과실을 공유하도록 강요하는 것이다. 마찬가지로 고미술연구에 평생을 투자한 전문가는 물품구매나 경매입찰을 할 때, 자신의 이익을 위하여 지식을 이용할 권리가 있어야 한다. 더럽고 먼지가 수북이 쌓인 그림을 팔려고 찾아온 노파에게 그 그림은 램브란트의 숨겨진 그림일 가능성이 높다고 고지할 의무를 부담해야 하는 경우 어떤 사람도 고미술연구에 평생을 투자하지 않을 것이다.

한편 영국 계약법에서도 일부 계약의 경우 특별히 계약관계에 대한 의무로서 선의를 요구하는 경우가 있고, 최대선의계약으로 알려진 일부 계약에서 일체의 중대한 사실을 자발적 · 적극적으로 고지해야 한다는 완전한 의미의 고지의무가 존

을 상쇄하기 위하여 부실표시에 관한 엄격의무가 존재한다. 즉 "단순한 침묵은 부실표시를 구성하지 않지만, 한마디의 말(single word), 머리 끄덕임(nod), 눈 깜박임(wink), 머리를 가로젓는 것(shake of the head) 또는 미소(smile)"는 상대방에 의하여 계약의 취소나 다른 구제수단의 행사를 정당화하는 부실표시를 구성할 수 있다.

93) 신건훈, '영국 해상보험법에서 최대선의원칙의 문제점에 관한 고찰', 『무역상무연구』 제14권, 2000. 8, pp.105~106.

재하는데, 가장 대표적인 예가 보험계약이다. 고지의무란 보험계약체결 시에 보험계약자는 보험자에게 보험계약의 인수 여부 또는 담보조건이나 보험료를 산정하는 데 영향을 줄 수 있는 '일체의 중요한 사항(every material circumstances)' 을 자발적 · 적극적으로 알려야 할 의무를 부담하는데, 이를 '고지의무(duty of disclosure)' 라 한다.

보험계약에서 고지의무는 원래 보험계약의 도박화를 방지할 목적에서 도입된 것이지만, 고지의무의 요구는 보험계약당사자 간 위험과 관련한 정보의 불균형에 기인한다. 즉 보험계약의 기초가 되는 대부분의 중요한 정보는 일반적으로 보험계약자에게 편재되어 있고, 보험자가 보험계약자의 자발적인 정보제공 없이 자기에게 전가될 위험 또는 우연한 사고발생의 가능성을 적절하게 평가하는 데 필요한 정보를 취득하는 것은 불가능하다는 사실에 기인한다. 보험자는 보험계약자의 고지의무로 인하여 비로소 위험의 인수가능성 또는 담보조건에 관한 완전한 정보를 취득하게 되고, 또한 위험을 적절하게 평가하게 된다. 보험계약자가 알고 있는 중요한 사실을 숨긴 채 보험계약이 체결되는 경우, 사기적인 의도 없이 실수로 그러한 묵비가 행하여졌더라도 계약 체결 당시에 평가된 위험은 수반하는 위험과 실제로 상이하기 때문에 계약당사자가 애초에 의도한 계약내용과는 별개의 계약내용이 되고, 보험자는 기만당한 것이 되며, 따라서 당연히 보험계약은 무효이다.

2. 고지의무와 최대선의의무의 상관관계

MIA에서는 피보험자의 고지의무(제18조) 및 부실표시방지의무(제20조)에 관한 상세한 규정을 두고 있으나, 제18조 및 제20조가 최대선의의무와는 무관하게 독자적으로 피보험자의 고지의무 및 부실표시방지의무를 규율하는 것으로 해석되어서는 안 된다. 그보다는 제18조 및 제20조에 규정되어 있는 피보험자의 고지의무 및 부실표시방지의무는 제17조에 규정되어 있는 최대선의의무의 일례에 불과할 뿐만 아니라 제17조의 지배하에 있는 것으로 해석하는 것이 최근 영국 법원의 입장이다.

보험계약에서 최대선의의무가 고지의무를 지배 내지 우선한다는 영국 법원의 최근 입장이 정립된 결과, 고지의무에 관한 기존의 해석 또는 우리나라 상법과는 대립되는 몇 가지 법원칙이 도출된다. 즉, 첫째, MIA 제18조 제1항에서 피보험자가 고지의무를 부담한다고 명시하고 있기 때문에 우리 상법과 마찬가지로 MIA에서도 고지의무자는 보험계약자 또는 피보험자이고, 보험자는 단지 고지수령자로서 역할하는 것으로 잘못 해석될 여지가 있으나, MIA 제17조의 최대선의의무는 보험자에 대하여도 적용되는 것으로 해석되고 있기 때문에, 최대선의의무가 고지의무를 지배한다는 최근의 법원칙에 근거하여 보험자도 고지의무를 부담하는 것으로 해석되어야 한다. 즉 제17조에서 '당사자의 일방(either party)' 이 최대선의의무를 준수하지 않는 경우를 상정하고 있기 때문에 여기서 당사자의 일방이 반드시 보험계약자 또는 피보험자만을 의미하는 것으로 해석되어서는 안 되고, 계약의 쌍방이 동등하게 부담하는 호혜적 · 상호적 의무로서 해석되어야 한다.

둘째, MIA 제18조 제1항에서 고지의무의 적용범위는 우리 상법과 마찬가지로 중요성의 개념에 한정하고 있는 반면, 중요성의 개념이 제17조의 최대선의의무에 특정한 제한을 가하고 있지 않기 때문에 피보험자는 제18조하에서 자발적으로 고지할 필요가 없는 사항, 즉 중요하지 않은 정보라도 보험자의 서면에 의한 문의가 있는 경우에는 최대선의의무에 기하여 완전하고 상세한 정보를 제공할 의무를 부담한다. 마찬가지로 피보험자는 계약교섭과정에서 보험자의 심각한 실수나 계산상의 착오를 인식하였다면 최대선의의무에 근거하여 보험자의 실수나 착오를 주지할 의무를 부담한다.

셋째, 고지의무에 관한 MIA의 전통적인 견해는 우리나라 상법과 마찬가지로 계약의 성립과 동시에 의무의 효력이 소멸된다는 것이다. 즉, 보험자가 피보험자의 청약을 승낙하게 되면 보험계약은 성립하고, 고지의무 및 부실표시방지의무는 소멸한다는 취지가 제18조 및 제20조에 규정되어 있다. 그러나 제17조의 최대선의의무는 보험계약성립의 전후단계를 불문하고 유효하게 적용되도록 포괄적으로 규정되어 있기 때문에 최근 영국 판례에서 최대선의의무가 보험계약의 전 기간에 걸쳐 유효한 것으로 판결되고 있다.

한편 MIA에서 계약성립 전후의 고지의무를 구분하지 않는 반면, 우리나라 상법에서는 보험계약체결 전에 계약외적으로 발생하는 정보제공의무(고지의무)와 계약체결 후에 계약의 효과로서 발생하는 정보제공의무(통지의무)를 엄격히 구분하는 입장이어서 고지의무의 소멸시기와 관련하여 MIA와는 대립되는 입장을 취하고 있다.

제2절 고지의무의 적용범위

1. 중요한 사항의 고지

1) 중요한 사항의 판단기준

우리 상법과 MIA는 모두 고지의무의 적용범위를 중요한 사항에 한정하고 있으나(우리 상법 제651조 및 MIA 제18조 내지 제20조), 양국의 법은 공통적으로 중요한 사항이 누구를 기준으로 또는 어떠한 기준에서 판단 및 결정되어야 하는가에 대하여는 상세하게 규정하고 있지 않다.

MIA에서는 "신중한 보험자가 보험료를 산정하거나 보험인수 여부를 결정함에 있어서 그의 판단에 영향을 미치는 일체의 사항은 중요하다."(제18조 제2항)라고 규정함으로써 중요한 사항의 판단은 신중한 보험자의 판단에 따른다는 취지를 규정하고 있다. 여기서 신중한 보험자는 가상의 개념으로서, 보통 법원에서 전문가증언에 의하여 입증되는 시장의 합리적 · 객관적 보험관행을 구현한 개념이다. 즉, '자기의 업무에 정통하고, 예외적인 소심함이나 대담성 없이 자기의 업무를 신중하게 수행하는 보험자의 보편성'[94]을 의인화한 개념이다. 중요성의 판단기준과 관련하여 실제보험자 또는 피보험자의 주관적인 판단은 배제된다.

우리 상법에서는 중요한 사항이 누구를 기준으로 판단되어야 하는가에 관한 명시적인 규정이 없지만, 판례나 학설은 객관적인 보험자를 기준으로 하고 있으므로,[95] 신중한 보험자를 판단기준으로 하고 있는 MIA와 동일한 입장을 취하는 것으로 보인다.

2) 중요한 사항의 결정기준

MIA에서는 신중한 보험자의 판단에 영향을 미치는 사실이 중요하다는 고지의무의 일반원칙만을 규정할 뿐 어느 정도의 영향이 신중한 보험자의 판단에 영향을 미치는 중요한 사항인가에 관한 구체적인 기준을 설정해 두고 있지 않다(제18조 제2항

94) Pan Atlantic Insurance Co. Ltd. v. Pine Top Insurance Co. Ltd.. [1995] 1 A.C. 501, 531.
95) 서울고등법원 1974.7.11. 선고 74나194판결; 최종현, "영국법상의 고지의무(하)", 『보험법률』 통권 제2호, 1995. 4, p.11; 인형무, "고지의무의 법리에 관한 고찰", 『변호사』 제19호, 1989. 1, pp.77~78.

및 제20조 제2항 참조). 여기서 신중한 보험자가 불고지 또는 부실표시된 사실을 위험인수거절이나 담보조건변경의 요인으로 간주할 정도여야 중요한 사실이라고 할 수 있는가('결정적 영향' 기준), 아니면 신중한 보험자가 그 사실을 반드시 위험인수거절이나 담보조건변경의 요인으로 간주할 정도는 아니더라도 위험을 증가시키는 요인으로 간주할 정도여야 중요한 사실이라고 할 수 있는가('증가된 위험' 기준), 아니면 이들보다 훨씬 낮은 기준, 즉 신중한 보험자가 위험평가과정에서 단순히 고려하거나 알고자 하는 사실은 모두 중요하다고 보아야 하는가('단순한 영향' 기준) 하는 선택의 문제가 제기된다.

우리 상법에서도 중요한 사항의 결정기준에 관하여 명문규정은 두고 있지 않지만, 하급심판결에서 중요한 사항은 "객관적으로 보아 보험자가 그 사실을 안다면 그 계약을 체결하지 않든가 또는 적어도 그것과 동일한 조건으로 계약을 체결하지 않았으리라고 생각되는 사항을 말한다."[96]고 판시함으로써 앞의 '결정적 영향' 기준과 동일한 입장을 취하고 있다.

한편 영국의 경우, Pan Atlantic Insurance Co. Ltd. v. Pine Top Insurance Co. Ltd. 사건의 2심[97]에서 항소법원은 선례의 지나친 가혹함으로부터 후퇴하여 '증가된 위험' 기준을 채택함으로써 상기 판결에서 초래된 난점들을 상당히 개선하며, '공정하고 균형 잡힌' 법원의 입장을 정립하려고 노력하였다. 이 사건은 결국 상원에까지 항소되었으며, 상원의 판사들은 3:2의 다수결로 '단순한 영향' 기준을 채택함으로써 중요성의 결정기준에 관하여 10여 년에 걸친 영국 법원 내의 논쟁을 종식시켰다.

2. 사실의 고지

우리 상법에서 고지의무는 중요한 사항의 고지 및 부실의 고지를 아니할 의무를 따로 구분하지 않고 양자에 대하여 동일한 법원칙을 적용하는 반면, MIA에서는 중요한 사항의 고지의무와 부실의 표시를 아니할 의무를 엄격히 구분하고 있다.

MIA에서 고지의무는 해상보험계약에서 인정되는 특수한 의무로서 일반 계약법

96) 서울고등법원 1974.7.11,선고 74나194판결: 서돈각 · 정완용, 『상법강의(하권)』, 법문사, 1996, p.374.

97) [1993] 1 Lloyd's Rep.496(CA): Bennett, H.N., "The Duty to Disclose in Insurance Law", *Law Quarterly*, Vol. 109, 1993, pp.513~518: Clarke, M.A., "Insurance Contract and Non-Disclosure", *LMCLQ*, 1993, pp.297~300을 참조.

의 법원칙과는 무관하지만, 보험계약의 부실표시에 관한 법원칙은 일반 계약법과 동일하다. 영국 계약법에서 현재 또는 과거의 사실에 대한 허위진술 내지 허위표시를 한 경우에만 부실표시로 인정되고, 사실의 표시는 견해, 의도 또는 미래 사실에 대한 예측과는 구분된다. 즉, 견해가 부적절한 것으로 판명되거나, 표명된 의도가 실행되지 않았거나 또는 미래 사실의 예측이 잘못된 것으로 판명되더라도 부실의 표시를 구성하지 않는다. 다만 계약당사자가 특정 사실의 진술 당시에 특정의 견해나 의도 없이 진술하였다면 의사표시자는 견해나 의도의 존재사실을 허위 진술한 것으로 되어 의사표시자의 부실표시가 인정된다.

MIA에서 기대나 신념의 표시는 표시자가 선의로써 행한 경우에만 진실한 표시로 인정되며(제20조 제5항), 사실의 표시가 문면상 진실한 것이 아니더라도 실질적으로 정확하다면, 실제 표시와 진실 사이의 차이는 중요하지 않은 것으로 인정된다.

3. 고지할 필요가 없는 사항

MIA에서는 다음 사항의 경우 문의가 없는 한 고지할 필요가 없다고 규정하고 있다.[98]

1) 위험감소사항

보험자의 위험부담이 줄어든 사항은 고지할 필요가 없다. 물론 피보험자가 이를 고지하여 보험료율의 부담을 줄일 수 있으나, 이것이 의무가 될 수는 없다. 예컨대 3년의 기간보험계약에서 그 기간이 2년으로 단축될지도 모른다거나 이로자유조항으로 부보하면서 이로하지 않을 것이라는 사항 등이다.

2) 보험자가 알고 있거나 알고 있는 것으로 추정되는 사항

보험자는 피보험목적물에 관한 무역관습을 알고 이에 따라 계약을 체결한 것으로 본다. 따라서 피보험목적물의 성질이나 양상에 관하여 보험자가 마땅히 알아야 하거나 통상적으로 알고 있다고 여겨지는 사항은 고지할 필요가 없다. 예컨대 다음과 같은 사항들이다.

---

98) MIA 제18조 제3항.

- 보험증권상 명시된 항구에서의 적재방식
- 도착항에서의 양륙방식
- 갑판적부는 어떤 경우 무역관습에 따른다는 것
- 전쟁의 발발이 임박했으며, 지구상의 어느 곳에서 발발하고 있다는 사실이 국내신문에 보도된 경우
- 재보험자는 원보험증권에 계속조항(continuation clause)을 포함하고 있다는 것 등이다.

3) 보험자에 의하여 면제된 사항

피보험자가 고지의무를 성실하게 이행하여 계약요건을 충족한 경우, 또한 자신이 제공한 정보가 보험자로 하여금 그러한 사실이 존재하였음을 알 수 있을 정도로 충분한 고지였다면, 피보험자는 그 후 중요한 것으로 판명된 사실을 명시적으로 고지하지 않은 데 대하여 책임을 부담하지 않는다.

피보험자의 고지로 인하여 신중한 사람이 문의할 정도라면 계약요건은 달성된 것이다. 문의가 없었다고 하더라도 보험자가 문제의 고지사항에 대하여 구체적인 정보를 알 필요성을 면제한 것으로 추정한다.

4) 담보에 의하여 불필요한 고지

선박의 항해보험증권에서 항해개시 시에 선박이 부보된 항해구간을 항해하기 위하여 감항능력이 있어야 한다는 것은 묵시담보이다. 따라서 피보험자가 항해보험에서 부보된 선박이 감항능력이 없음을 알아도 이는 고지할 필요가 없다. 그러나 기간보험증권에서는 선박이 항해 중에 있지 않을 때에는 감항능력을 확보해야 할 필요가 없기 때문에 피보험자가 선박의 감항능력결여를 알았다면 반드시 고지해야 한다.

적하보험에서 피보험자가 본선이나 부선의 감항능력결여를 알고도 이를 고지하지 않았다면 화물손해에 관하여 보험자는 책임을 부담하지 아니한다. 한편 화물의 성질이 부당한 적부를 유발할 경우에는 비록 감항능력에 대한 묵시담보가 부당한 적부나 과적에 의하여 파기된다고 해도 이를 보험자에게 고지해야 한다.

제3절 고지의무위반의 요건과 입증책임

1. 고지의무위반의 요건

우리나라 상법에서 고지의무의 위반이 성립하려면 중요한 사항의 불고지 또는 부실표시 내지 허위진술이 있어야 하며(객관적 요건), 중요한 사항에 대한 불고지 또는 부실표시가 피보험자의 고의 또는 중대한 과실에 기한 것(주관적 요건)이어야 한다. 우리 상법에서는 고지의무위반의 요건으로서 객관적 요건과 주관적 요건을 혼용함으로써 고지의무자가 주관적으로 불고지 또는 부실표시된 사실의 중요성 및 고지의 필요성을 인식한 상태이거나, 고지의무자 측의 중대한 과실로 인하여 그러한 사실의 중요성 및 고지의 필요성을 인식하지 못한 경우에만 고지의무의 위반이 성립한다. 반면, MIA는 고지의무위반의 요건과 관련하여 엄격한 객관주의를 채택함으로써 고지의무자의 사실인지 여부 또는 중요성이나 고지필요성의 인식 여부를 불문하고 앞서 정의된 중요한 사항의 불고지가 존재한다면 고지의무의 위반이 성립한다는 점에서 우리나라 상법과는 상당한 차이를 보이고 있다. 즉, MIA에서 고지의무위반자의 위반사실에 관한 인지 여부 내지 과실의 정도는 고려의 대상이 되지 못하기 때문에 고지의무자는 중요한 사실에 관한 인식이나 중대한 과실의 개입 없이 단순한 과실, 전체적으로 선량한 과실이나 실수로 인하여 고지의무를 위반할 수 있다. 다시 말하면 고지의무의 위반요건과 관련하여 영국 법원의 유일한 관심사는 중요한 사항의 불고지가 있었느냐 하는 객관적인 사실의 존재 여부이다.

한편 MIA에서 고지의 대상이 되는 중요한 사항의 결정기준을 우리나라 상법보다 낮게 설정하고 있다는 점을 감안할 때 선량한 실수나 단순한 과실도 고지의무위반을 구성한다는 엄격한 객관주의에 입각한 영국 법원의 입장은 실제적으로 고지의무를 단독으로 부담하는 피보험자 측에서 볼 때 너무 가혹한 것이며, 보험계약당사자 사이의 계약관계에 있어서 불평등을 초래할 가능성이 높은, 즉 보험자에게 치우친 법의 적용이라고 생각된다.[99]

---

99) 今村有, 전게서, pp.148~150.

2. 고지의무위반의 입증책임

우리나라 상법에서 보험자는 고지의무위반의 전제인 중요한 사실의 불고지 또는 부실고지가 있는 경우에 그러한 사실이 보험계약자 등의 고의 또는 중대한 과실에 의한 것임을 입증하여야 한다. 즉, 고지의무의 위반을 이유로 하여 보험계약을 해지하고자 하는 보험자가 입증책임을 부담한다.

MIA에서도 입증책임은 고지의무자의 의무위반으로 인하여 보험계약의 취소를 주장하는 의무위반의 상대방이 입증책임을 부담한다는 점에서 우리 보험법과 일치하나, 입증내용 면에서는 다소 차이가 있다. 즉, MIA에서 고지의무자의 고지의무위반을 이유로 보험계약을 취소하려고 하는 당사자는 상대방이 중요한 사실을 불고지하였음을 입증해야 할 뿐만 아니라, 그러한 사실의 불고지가 자기의 계약체결에 관한 결정에 영향을 미쳤음을 입증해야 한다.

제4절 고지의무위반의 효과

1. 보험계약의 해지 · 취소

우리 상법에서 보험자는 보험계약자나 피보험자의 고지의무위반이 있으면 보험계약을 해지할 수 있다(제651조). 즉, 고지의무는 보험계약의 효과로서 생기는 진정한 의무가 아니기 때문에 고지의무위반의 효과로서 보험자에게 계약해지권을 허용할 뿐, 그 위반에 대한 손해배상청구권은 인정하지 않는다.

해지권의 행사는 다음 항의 제한사유가 없는 한 보험사고의 발생전후를 불문하고, 보험자의 일방적인 의사표시에 기하여 행사할 수 있다. 해지의 방법은 민법의 일반원칙에 따르고, 해지의 효력은 그 의사표시가 상대방에게 도달한 때에 발생한다(제543조, 제111조 참조).

보험자가 해지권을 행사하여 보험계약을 해지하면, 해지의 효력은 장래에 향하여 발생하기 때문에(민법 제550조) 보험자는 원칙적으로 해지 이전에 발생한 보험사고에 대하여 보험금지급책임을 면할 수 없으나, 우리나라 상법은 "보험사고가 발생한 후에도 보험자가 고지의무위반을 이유로 계약을 해지한 때에는 보험금을 지급할 책임이 없고 이미 지급한 보험금의 반환을 청구할 수 있다."(제655조)는 특칙을 두어 보험자의 보험금지급책임에 관하여는 해지의 효력을 소급시킨다.

앞서 언급한 바와 같이 MIA에서도 고지의무위반의 효과로서 보험계약의 취소권만을 인정하고 있을 뿐 손해배상청구권을 인정하고 있지 않으며, 그 효과 면에서는 해지의 소급효를 인정하고 있는 우리나라 상법과 유사하다. 다만 우리나라 상법에서 보험자가 보험계약자 등의 고지의무위반에 기하여 보험계약을 해지하는 경우에 보험계약자 등은 해당 보험계약하에서 이미 지급한 보험료의 반환청구권을 갖지 못하는 반면, MIA에서 의무위반의 상대방이 보험계약의 취소권을 행사하는 경우에 원칙적으로 보험계약의 당사자는 보험계약체결 전의 상태로 회복되어야 하기 때문에 보험자는 피보험자로부터 이미 수령한 보험료를 반환하여야 한다. 다만 고지의무의 위반이 피보험자의 사기에 기한 경우에 피보험자의 보험료반환청구권을 인정하지 않는다.

2. 해지 · 취소권의 제한

1) 제척기간의 경과

우리나라 상법에서는 보험자가 고지의무위반의 사실을 안 날로부터 1월, 계약체결일로부터 3년이 경과하면 보험자의 계약해지권은 소멸한다고 특정하고 있으나(상법 제651조), MIA에서는 고지의무위반의 상대방이 취소권을 행사할 수 있는 기간을 특정하여 두고 있지 않고 취소권을 행사하기 위한 합리적인 기간만을 허용하고 있다. 여기서 합리적인 기간이란 사실의 문제로서 개별 사건의 구체적인 상황을 고려하여 결정되어야 한다. 합리적인 기간이 경과되면 의무위반의 상대방은 법에 의하여 취소권을 상실하게 된다. 결국 MIA에서 의무위반의 상대방이 합리적인 기간 내에 취소권을 행사하지 못하면, 이는 행동에 의한 취소권의 포기 또는 계약효력추인의 의사표시로써 인정된다.

2) 해지 · 취소권 행사의 포기

우리나라 상법에서 보험자의 계약해지권은 보험자의 이익을 위한 것이므로 보험자는 계약을 해지하거나 아니하거나 자유이다. 보험자가 해지권을 포기하는 경우에 보험자는 서면이나 구두에 의하여 명시적 · 묵시적으로 할 수 있으며, 특히 묵시적인 포기는 보험자가 고지의무위반을 알면서 유보 없이 보험증권을 교부하거나 보험금을 지급한 경우이다.

MIA에서는 "피보험자가 고지의무를 위반하는 경우에 보험자는 계약을 취소할 수 있다(may avoid)."라고 규정함으로써(제17조, 제18조 제1항 및 제20조 제1항), 보험자에게 취소선택권을 부여하고 있다. 따라서 보험자는 보험계약효력의 추인을 통하여 취소권의 포기를 선택할 수 있는 선택권을 가지며, 그 의사표시는 피보험자에게 완전하고 분명하게 통지되어야 한다. 다만 고지의무위반의 상대방은 그 상황에서 자기가 법적으로 취소선택권을 행사할 수 있다는 사실을 인식하고 선택권행사의 효과에 관한 법률지식을 구비한 상태여야 한다.

MIA에서 취소권포기의 의사표시는 상대방에게 전달되기 전까지 아무런 법적 효력이 발생하지 않기 때문에 그러한 의사표시가 상대방에게 전달되기 전까지 철회가 가능하지만, 상대방에게 일단 전달되면 그 의사표시는 최종적 · 취소불능이고 그 의사표시에 대한 상대방의 약인이나 의존(reliance)을 요하지 않는다.

취소권포기의 의사표시에 관한 방법적인 제한은 없으나, 의사표시가 분명한 것이어야 한다. 취소권의 포기로 귀결되는 의사표시자의 묵시적인 의사표시는, 의사표시자가 의무위반사실 및 의무위반의 효과에 관한 법률지식을 구비한 상태에서 보험료를 수납하거나, 보험증권을 교부하거나, 부실표시를 정정하기 위한 조치를 승인하거나, 특정의 유보 없이 피담보선박의 수선을 위한 노력에 협조하는 것, 재난에 관계되는 추가정보를 요구하거나 손해에 대하여 침묵하거나 피보험자를 방문하여 손해와 관계되는 장기간의 검사를 진행하는 것 등이다.

3) 보험자가 알았거나 중과실로 알지 못한 때

우리나라 상법에서는 "보험자가 계약 당시에 그 사실을 알았거나 중대한 과실로 인하여 알지 못한 때"에는 보험계약을 해지할 수 없다."라고 규정하고 있다(제651조 단서). 이는 보험자의 위험선택이 고지의무위반으로 방해되지 않았음을 고려한 것이며, 영업상 중요한 주의를 게을리한 보험자를 피보험자의 일방적 희생 위에 보호함은 형평에 반하기 때문이다.

MIA에서도 "보험자가 알고 있거나 또는 알고 있는 것으로 추정되는 일체의 사항은 고지를 요하지 않는다."라고 규정함으로써(제18조 제3항 제(a)호), 우리나라 상법과 유사한 입장을 취하고 있다. 여기서 '보험자가 알고 있는 것으로 추정되는 사항' 이란 일반적으로 알려진 사실, 상식에 속하는 사실 또는 보험자가 통상의 업무상 당연히 알아야 할 사항이다.

4) 인과관계가 존재하지 않는 경우

우리나라 상법에서는 보험계약자 등의 고지의무위반 사실이 보험사고의 발생에 영향을 미치지 아니하였음이 증명된 때에는 보험자는 그 보험금 지급책임을 면하지 못한다고 규정함으로써(제655조 단서), 보험사고와 불고지 또는 부실고지된 사실 사이에 아무런 인과관계가 존재하지 않는 경우에 보험자는 보험계약자 등의 고지의무위반과 관련하여 법적으로 아무런 보호수단을 제공받지 못하기 때문에 이 경우에 고지의무의 규제적 성격은 약화된다.

이 규정은 보험사고가 고지사항과 인과관계가 없을 경우에는 보험자가 결과적으로 고지의무위반에 의하여 아무런 불이익을 받은 것이 없으므로 피보험자의 이익을 보호하려는 의도이나, 고지의무제도의 원래 취지와 관련하여 다음과 같은 문제점을 내포하고 있다. 첫째, 고지의무제도가 보험자로 하여금 위험에 대한 정확한 평가를 내리고 불량위험을 배제하기 위한 것이라면 보험사고발생의 원인을 사후적으로 문제삼는 것은 모순이다. 둘째, 피보험자가 사전에 정확하게 고지한 결과로 계약이 거부되는 경우와 균형이 맞지 아니하다. 셋째, 보험자가 보험계약의 체결 당시에 고지의무위반의 대상이 된 사항에 대하여 진실을 알았더라면 보험자는 적어도 동일한 계약내용으로는 보험계약을 체결하지 않았을 것이고, 여기에 보험자에게 계약해지권을 인정하는 기초가 있다고 할 것이므로 보험사고가 어떠한 원인에 의하여 발생하였는가 하는 사후적인 사정에 의하여 보험금 지급책임의 존부를 좌우하게 하는 것은 이론적으로 일관되지 않는다.

MIA에서는 고지의무위반의 상대방이 의무위반을 이유로 계약취소권을 취득하기 위하여 보험사고와 불고지된 중요한 사항 사이에 인과관계의 존재를 입증할 필요가 없다는 점에서 우리나라 상법과는 상반된다. 예컨대 Seaman v. Fonereau 사건[100]에서 피보험자는 보험계약체결 당시에 피담보선박이 강풍에 의하여 멸실 또는 손상의 가능성이 있다는 루머를 보험자에게 고지하지 않았으며, 그 선박은 보험계약의 체결 후에 나포되었다. 그 루머는 사실이 아니었음이 판명되었지만, 법원은 그러한 루머의 불고지를 이유로 보험자의 계약취소권을 인정하였다. 이 사건은 MIA에서 보험계약체결 당시의 고지의무위반과 보험사고 사이에 인과관계의 존부는 고려의 대상이 되지 않음을 예증한다.

100) (1743) 2 Str. 1183.

제5절 담보

1. 담보의 의의

담보(warranty)[101]란 피보험자에 의하여 반드시 지켜져야 할 약속으로서, 이것은 어떤 특정한 일이 행하여지거나 행하여지지 않을 것이라는 약속사항, 또는 어떠한 조건이 충족될 것이라는 약속사항, 특정한 사실상태의 존재를 긍정하거나 부정하는 약속사항이다(MIA 제33조 제1항). 따라서 담보는 피보험자에 의하여 반드시 준수되고 이행되어야 하며, 특정한 사실상태에 대한 담보사항은 반드시 사실과 일치되어야 한다. 담보의 위반이 있는 경우에는 보험자는 그 위반이 생긴 때부터 보험증권상의 책임을 면할 권리가 있다.

2. 담보의 종류

1) 명시담보

명시담보(express warranty)란 보험증권 내에 포함되어 있거나 증권에 의해 명시적으로 언급되는 내용의 담보를 말하며, 증권상의 상반된 내용보다 우선하여 적용된다. 명시담보는 담보의 의사가 추측될 수 있는 문구이면 무엇이든 가능하고, 반드시 보험증권에 삽입되거나 기재되어야 하며 인용으로 보험증권의 일부로 포함된 서류에 반드시 기재되어야 한다. 명시담보로는 항해일자, 항로, 포장, 선박의 종류, 항로정한, 중립성 담보(MIA 제36조 제2항), 선박 상태에 관한 담보 등 많은 사항들이 있다.[102]

2) 묵시담보

묵시담보(implied warranty)는 보험증권에 그 내용이 명시되지 아니하였어도 당연

101) warranty, cover, security 등은 모두 우리 말로는 '담보' 로 해석되지만 각각 그 사용법은 다르다. warranty는 여기서 설명하는 바와 같으며, cover는 보험을 들다(부보하다, 보험을 인수하다)는 의미로 사용되며 security는 권리의 향유 또는 실현을 확보하게 하는 것을 말한다. 양도저당, 동산질권, 유치권 등의 각종의 물적담보 외에 보증(guaranty) 등의 채권도 포함하는 광의의 개념이다.

102) Soyer, B., *Warranties in Marine Insurance,* Cavendish Publishing Ltd., 2001. p.15.

히 인정되는 담보를 말한다. 묵시담보에는 두 가지 종류가 있는데, 선박이 위험개시 때에 감항능력을 갖추고 있을 것과 항해가 적법한 것이어야 한다는 것이다. 즉, 감항능력 담보와 적법담보가 이에 해당된다.[103)]

감항능력 담보(warranty of seaworthiness): 특정 항해를 감당할 능력과 성능을 보유한 상태를 말한다. 따라서 감항능력 담보란 항해보험에 있어서 선박이 출항할 때에 해당 항해를 완수할 수 있을 정도의 감항상태여야 하며 선박이 항구 내에 있는 동안에 위험이 개시되는 경우에는 그 때에 그 항구의 통상적인 위험에 대항하는 데 합리적으로 적합하여야 하며, 항해가 단계적으로 이루어질 때에는 각 구간에 대한 항해를 개시할 때 해당 구간의 항해를 완수할 수 있을 정도의 상태여야 할 것을 묵시적으로 약속하는 것이다(MIA 제39조).

한편 명시의 특약이 없는 한 선박의 감항능력 담보는 모든 항해보험에 있어서 엄격히 지켜져야 한다. 그러나 화주는 선박의 상태나 의장을 지배관리할 위치에 놓여 있지 않기 때문에 적하보험의 항해보험에 대해서는 감항능력을 완화하기 위하여 "피보험자와 보험자 간에는 선박이 감항능력이 있는 것으로 승인한다."는 이른바 '감항성 승인조항(Seaworthiness Admitted Clause)' 을 두고 있다.

적법담보(warranty of legality): 모든 해상사업은 합법적이어야 하며, 피보험자가 지배할 수 없는 경우를 제외하고는 합법적인 방법으로 진행되어야 한다는 담보이다(MIA 제41조). 마찬가지로 조약에 위반되는 항해사업을 담보하는 보험증권은 무효이다. 왜냐하면 조약도 조약체결국의 법률의 일부이기 때문이다.[104)]

적법담보의 내용은 두 가지로 첫 번째로는 피보험 항해사업이 위법이 아닐 것, 즉 밀무역 또는 교전국에 대한 통상이 아니어야 한다. 두 번째로는 항해를 합법적으로 수행할 것을 요청하고 있는데, 예컨대 출항허가를 받고 출항할 것과 항해금지구역을 항해하지 않을 것 등이다.

3. 담보위반의 효과

담보는 그것이 위험에 대하여 중요한 것이든 아니든 불문하고 반드시 정확하게 충

---

103) Lambeth, R.J., op. cit., p.38.

104) Ivamy, E.R.H., *Marine Insurance*, 4th ed., Butterworths & Co. Ltd., 1985, p.309.

족되어야 할 조건이다. 담보가 정확하게 충족되지 않으면 보험증권에 명시규정이 있는 경우를 제외하고 보험자는 담보위반일로부터 책임을 지지 않는다. 그러나 보험자는 담보위반일 이전에 발생한 손해에 대하여는 보상책임이 있다. 담보위반이 있는 경우 피보험자는 손해발생일 이전에 그 위반이 교정되어 담보가 충족되었다는 항변을 할 수 없다.

제8장

해상보험증권과 약관

제1절 보험증권의 개념

1. 보험증권의 의의

보험증권(insurance policy)은 보험계약의 성립과 그 내용을 증명하기 위하여 보험자가 작성 · 서명하여 보험계약자에게 교부하는 증서이다. 보험자는 보험계약자의 청구에 따라 보험증권을 교부해야 한다(상법 제640조 제1항 본문). 보험증권에는 보험약관을 비롯해 보험의 목적, 보험자가 부담한 위험, 보험금액, 보험기간 등을 기재하고 보험자가 기명날인 또는 서명해야 한다(상법 제666조).[105]

보험계약은 요식계약이 아니라 불요식의 낙성계약이므로(상법 제638조) 보험증권의 발행은 계약성립을 위한 요건이 아니다. 또한 보험증권이 없다고 하여 보험금 청구를 할 수 없는 것이 아니므로 보험증권은 유가증권이 아니다. 따라서 보험증권을 대신하여 보험계약증서, 보험인수증, 보험증명서 등이 교부된다.

우리나라의 해상보험증권 양식은 일반적으로 영국의 ILU와 로이즈의 신해상보험증권(New Lloyd' s Marine Policy)을 약간 변경하여 사용하고 있다.

105) 보험증권은 보험자만이 기명날인 또는 서명하는 것이므로 계약서가 아니다.

2. 보험증권상 법정기재사항

① 보험증권의 법정요건: 보험증권의 작성형식에 관한 법정요건은 존재하지 않고 단지 해상보험증권의 법정기재사항이 존재할 뿐이다.

② 법정기재사항(MIA 제23조): 피보험자명 또는 피보험자를 위하여 보험계약을 체결한 자의 서명, 보험의 목적물 및 담보위험, 피보험항해, 보험기간 또는 이들 양자, 보험금, 보험자명

③ 보험자의 서명: 보험증권에는 보험자의 서명이 되어 있지만 해상보험증권을 제외하고 그것이 법률상으로 요구되지 않고 있다. MIA 제24조 제1항은 해상보험증권은 보험자에 의해 또는 보험자를 대신하여 서명되어야 한다고 규정하고 있다. 또한 MIA 제24조 제2항은 보험증권이 2명 이상의 보험자 또는 그 대리인에 의하여 서명되는 경우에는 반대의 명시가 없는 한 각 서명은 피보험자와의 개별적인 계약을 성립시킨다고 규정하고 있다.

3. 보험증권의 법적 성질

1) 요식증권성

보험증권의 기재사항은 보험의 목적, 보험사고의 성질, 보험금액, 보험료와 그 지급방법, 보험기간을 정한 때에는 시기와 종기, 무효와 실권의 사유, 보험계약자의 주소와 성명 또는 상호, 보험계약의 연월일, 보험증권의 작성지와 그 작성연월일 등이다. 이러한 기본적 기재사항 이외에도 상법은 화재보험(제685조), 운송보험(제690조), 해상보험(제695조), 자동차보험(제726조의 3), 인보험(제728조, 제738조) 등에 따라서 각각 별도의 기재사항을 정하고 있다.[106)]

2) 증거증권성

보험증권은 증거증권으로서 보험계약의 성립과 그 내용에 관하여 사실상의 추정력을 가진다. 그러므로 보험증권의 기재내용과 보험계약의 내용이 다른 때에는 그 사실을 입증하여 진실한 계약의 내용에 따라 당사자는 그 권리를 주장할 수 있다.

---

106) 김두철 외, 전게서, pp.96~99.

3) 면책증권성

보험자가 보험금 등을 지급함에 있어서 보험증권 제시자의 자격 유무를 조사할 권리는 있으나 의무가 없으므로 보험증권은 면책증권이다. 그 결과 보험자는 보험증권을 제시한 사람에 대하여 악의 또는 중대한 과실 없이 보험금 등을 지급한 때에는 그가 비록 권리자가 아니라 하더라도 그 책임을 면한다.

4) 상환증권성

보험사고의 발생으로 보험자가 보험금을 지급할 때에는 보험자는 보험증권과 상환하는 것이 일반적이고, 따라서 보험증권은 상환증권으로서의 성질을 가지고 있다. 그러나 이것은 보험증권과 상환하지 않으면 보험금을 지급할 수 없다는 강한 의미가 아니고 증권을 제출할 수 없을 때에는 다른 방법에 의하여 그 권리를 증명함으로써 보험금을 청구할 수 있다.

5) 유가증권성

법률상 보험증권은 기명식에 한정되어 있지 않고, 지시식 또는 무기명식으로 발행할 것을 금지하지 않고 있다. 실제로도 운송보험, 해상적하보험 등에서 지시식 보험증권 또는 무기명식 보험증권이 이용되고 있다. 특히 보험의 목적물이 운송물인 경우 보험증권이 유통증권과 함께 유통될 필요가 있으므로 이때에는 보험증권이 지시식으로 발행되는 것이 일반적이다.[107)]

제2절 보험약관

보험약관은 일반적으로 보험자에 의해 일방적으로 작성되고 보험계약자 · 피보험

107) 이와 같이 보험증권이 지시식 또는 무기명식으로 발행되는 경우 그것의 유가증권성이 문제가 된다. 그런데 그 성질상 손해보상청구권만을 분리하여 유통시킬 수 없는 보험(가령, 생명보험, 화재보험 등의 일반손해보험)에 있어서는 지시식 또는 무기명식 보험증권이 발행된 경우에 그 보험증권에 일률적으로 유가증권성을 인정할 실익이 없을 뿐만 아니라 이를 인정하면 오히려 도덕적 위험과 관련된 폐해가 발생할 수 있다. 그러나 보험의 목적인 물건에 대한 권리가 유통증권에 구체화되어 유통되는 경우의 보험(예, 운송보험, 해상적하보험)에 있어서는 보험증권의 유가증권성을 인정하고 있다.

자는 보험약관 내용을 그대로 승낙하느냐 또는 거절하느냐의 선택밖에 할 수 없기 때문에 보험계약은 부합계약(contract of adhesion)이라 한다. 그 계약내용이 특약에 의해 수정될 수도 있지만 특약도 보험자가 작성한다. 보험계약이 이러한 부합계약의 특성을 가지게 되는 이유는 한 보험자가 수많은 보험계약자를 상대하기 때문에 보험계약자가 개개인의 필요에 맞도록 보험약관을 다양하게 만든다는 것은 사실상 불가능하기 때문이다.

1. 보통보험약관의 의의

보험자가 동질적인 다수의 보험계약을 체결하기 위하여 미리 작성한 보험계약의 내용을 이루는 정형적인 계약조항을 말한다. 또한 특별보통보험약관(부가약관)은 특수한 보험의 경우 보통보험약관만으로 불충분하여 다시 상세한 약정을 하는 것을 말하는데, 당사자 사이에 다른 약정이 없는 한 계약당사자를 구속하는 보험계약상의 법원으로서 중요한 의미를 지닌다. 또한 특별보험약관은 개개의 보험계약체결시에 당사자가 보통보험약관에 의하지 않고 개별적인 사정에 따라 계약의 내용을 정하는 약관을 말하는데, 해상보험 등 기업보험에서 보험단체의 이익을 해치지 아니하는 범위 내에서 예외적으로 이용되고 있다. 예컨대 해상보험에 있어서 특별보험약관의 예로는 런던보험업자협회(ILU)가 제정한 후술하는 ICC(A), (B) 및 (C)를 들 수 있다.

2. 보험약관의 해석원칙

1) 기본원칙

당사자의 개별적인 해석보다는 법률의 일반해석원칙에 따라 보험계약의 단체성·기술성을 고려하여 그 각 규정의 뜻을 합리적으로 해석해야 한다. 보험약관은 보험계약의 성질과 관련하여 신의성실의 원칙에 따라 공정하게 해석되어야 하며 보험계약자에 따라 다르게 해석되어서는 안 된다(약관규제법 제5조 제1항).

특별보험약관에서 보험약관의 인쇄조항(printed)과 수기조항(hand written) 간에 충돌이 발생하는 경우에 수기조항이 우선한다. 당사자가 사용한 용어의 표현이 애매하지 아니한 평이하고 통상적이고 일반적인 뜻(plain, ordinary, popular; POP)

을 받아들이고 이해되는 용례에 따라 풀이해야 된다.[108]

2) 작성자 불이익의 원칙(contra proferentem rule)

보험약관의 내용이 애매한 경우 다시 말해서 하나의 규정이 객관적으로 여러 가지 뜻으로 풀이되는 경우나 해석상 의문이 있을 경우에는 보험자에게 엄격하고 불리하게, 보험계약자에게 유리하게 풀이해야 한다는 원칙을 말한다(약관규제법 제5조 제2항).

3) 동종제한의 원칙(principle of ejusdem generis)

약관 중의 일반문언은 그것에 선행하는 열거사항과 동종의 사항만을 가리키는 것으로 해석되어야 한다는 것을 말한다.

제3절 영문 해상보험증권

1. 로이즈 S.G. 보험증권

1) 로이즈 S.G. 보험증권의 내용

해상보험증권은 MIA에서 채택된 양식이 세계적으로 표준이 되어 있으므로 각국에서 사용하는 양식은 대개 비슷하다. 그런데 이 양식은 1523년에 처음으로 사용되었다고 하며 1779년 로이즈(Lloyd's) 보험조합에서 공식으로 채용하여 사용되던 것을 MIA가 제정될 때 표준양식으로 채택되었는데 이것을 'Llody's S. G.(ship, goods) Form' 이라고 부른다.

이 증권은 본문에 인쇄규정을 삭제하거나 약간의 규정을 삽입함으로써 화물과 선박보험에 공통적으로 사용되고 있는데 그 구성은 보통약관으로 본문(body)과 본문의 좌측에 인쇄된 난외약관(Marginal Clause), 특별약관(Special Clause)으로 뒷면에 본문 약관의 보상범위를 확장 혹은 제한하는 협회약관(Institute Clause)을 수록하고 있는데 그 적용의 우선원칙은 특별약관, 난외약관, 본문약관 순이고 수기문언이 있는 경우 다른 약관보다 최우선된다.

---

108) Mustill, M. J. & Gilman, J. C. B., op. cit., vol.1, p.58.

2) 로이즈 S.G. 보험증권의 구성

① 머리말. ② 피보험자 또는 보험계약을 체결한 자의 성명. ③ 양도조항(보험계약자 자신을 피보험자로 하는 보험, 특정한 제3자를 피보험자로 하는 보험, 피보험자의 귀속자를 위한 보험을 인정). ④ 소급조항(lost or not lost). ⑤ 피보험항해 또는 보험기간의 명세. ⑥ 피보험이익 및 선박명의 표시 및 선박의 감항능력의 담보에 관한 사항. ⑦ 선장명 및 선박명에 관한 조항. ⑧ 보험기간의 시기 및 종기에 관한 조항. ⑨ 기항 및 정박의 재량권조항. ⑩ 보험평가조항. ⑪ 보험금액의 표시. ⑫ 담보위험(담보사고)조항. ⑬ 손해방지 · 경감조항. ⑭ 포기조항. ⑮ 보험증권의 구속력에 관한 조항: 준거법이 영국법. ⑯ 이탤릭서체: ㉠ 포획 · 나포부담보조항(F.C. & S. Clause), ㉡ 항해중단부담보조항, ㉢ 스트라이크 · 폭동 · 소요부담보조항(F.S.R. & C.C. Clause). ⑰ 약인조항. ⑱ 소손해면책조항. ⑲ 준거법조항. ⑳ 선서조항.

3) 로이즈 S.G. 보험증권상의 담보위험

로이즈 S.G. 보험증권에서 담보위험은 아래와 같은데 이들 위험 중에는 국제조약(선언) 등에 의해 이미 자취를 감춘 위험도 있으며 전쟁 특약으로만 보상되는 위험도 있다.[109)]

해상고유의 위험: 해상고유의 위험(perils of the seas)은 바다의 우연적인 사고 또는 재해를 의미한다(MIA 부칙 보험증권의 해석원칙(Rules for Construction of Policy; RCP) 제7조, 이하 'RCP' 라 한다). 다시 말하면 바다의 작용이 원인이 되어 해상에서 발생하는 우연적인 사고로서 그 구체적인 내용에는 침몰(sinking), 좌초(stranding) 및 교사(grounding), 충돌(collision) 및 악천후(heavy weather) 등이 있다.[110)]

군함: 전시에 군함(men-of-war)으로 인한 손해는 전쟁위험을 의미한다. 그리고 전쟁상태가 아니라 하더라도 외국 또는 자국 군함에 의한 공격을 받는 수가 많았었기 때문에 외적과 함께 군함이 같이 취급되었다. 군함과 외적은 오늘날에도 전쟁위험으로 열거되고 있다.

---

109) Miller, M. D., *Marine War Risks*, 2nd ed., Lloyd' s of London Press, 1994, pp.1~9.
110) 오원석 · 박성철, 『국제운송 · 보험론』, 법문사, 2000, pp.301~302.

화재: 화재(fire)[111]는 빈번하게 발생하는 해상위험 중 하나로서 우연한 사고 · 낙뢰, 화물의 자연발화 · 폭발 등으로 발생한다.

그러나 화재가 보험목적물의 고유의 하자 또는 성질에 의하여 발생한 것은 보험자가 보상하지 않는다(MIA 제55조 제2항 제c호). 예컨대 석탄이나 어분 같은 것은 원칙적으로 담보하지 않으며 추가(할증)보험료를 받고 자연발화를 담보한다. 해상 고유의 위험 중 좌초, 침몰, 화재과 충돌은 해상에서 자주 발생하는 것이라고 하여 이들 위험을 특히 'SSBC'라 한다.

외적: 외적(enemies)이란 군주 또는 독립국의 권한으로 전쟁을 도발하거나 또는 전쟁에 응전하는 자이다. 이것은 피보험선박이 속하는 국가의 적이라고 선언한 자들에 의하여 야기되는 손해를 담보한다. 앞에 설명한 바와 같이 외적은 군함과 함께 전쟁위험으로 취급되고 있다.

해적: RCP 제8조에는 해적(pirates)에 대해 해적이라는 말은 폭동을 일으키는 여객 및 육상으로부터 선박을 공격하는 폭도를 포함한다고 규정하고 있다. 또한 국제법에서는 공해상에서 사적 목적을 위해 선박에 대하여 약탈과 폭행을 자행하여 해상 항행을 위협하게 하는 자를 해적이라 하고 그 약탈과 폭행을 해적행위(piracy)[112]로 규정하고 있으며 해적을 인류공동의 적으로 간주하고 있다.[113]

해적행위의 유형을 보면 ㉠ 아시아형, ㉡ 남아메리카 · 서아프리카형, ㉢ 선박만을 대상으로 하는 하이재킹형, ㉣ 테러리스트형 · 군대형, ㉤ 하이재킹형으로 구분할 수 있다.[114]

111) 화재를 가리키는 말로 fire와 burning(burnt)이 있는데 후자는 큰 화재 및 그에 의한 연소를 말한다. 그러나 화재는 단지 연소에 의한 손실만을 의미하는 것이 아니고 그을림(smoking)도 포함한다.

112) 해적행위는 다음의 요건을 충족해야 한다.
① 강도, 살인, 습격 또는 강탈과 같은 폭력적 범죄일 것.
② 어떤 국가의 관할권에도 포함되지 않는 공해상에서 행하여질 것.
③ 민간선박 또는 어떤 국가의 관할권에도 속하지 않는 공용선박에 의하여 발생할 것.
④ 사적 목적이 있을 것.
⑤ 어떤 선박이 다른 선박에 대해 이루어지므로 적어도 2척 이상의 선박이 관여할 것.

113) 山本草二, 『海洋法』, 三省堂, 2001, pp.228~232: Keyuan, Z., "Piracy at sea and China's response," *Lloyd's Maritime and Commercial Law Quarterly*, 2000.8, p.364.

114) 홍성화, "해적행위로 인한 피해보상에 관한 연구", 『2002년도 한국해사법학회 정기학술발표회지』, 2002, pp.71~74.

몰래 선박에 침입하여 가능한 한 폭력을 행사하지 않고 선내 물품을 훔쳐가는 아시아형은 이른바 은밀한 절도행위에 해당되기 때문에 해상보험에서 정의하는 해적행위에는 포함되지 않는다. 따라서 해적행위가 보험자의 담보위험으로 되어 있는 경우 아시아형의 해적행위로 인하여 발생한 손해는 보험자가 보상하지 않는다.

아프리카 소말리아 연안 등에서 연안국의 해적으로 인하여 소화기 등으로 무장한 단체가 상선을 습격하는 테러리스트형·군대형은 사익을 목적으로 행위하는 것이 아니라 군사적 또는 정치적 목적을 가지고 행위하기 때문에 해상보험에서 정의하는 해적행위에는 포함되지 않는다. 따라서 해적행위가 보험자의 담보위험으로 되어 있는 경우 테러리스트형(군사형)의 해적행위로 인하여 발생한 손해는 보험자가 보상하지 않는다.

부두 또는 항구 밖에서 정박 중인 선박에 대해 무력을 사용하여 습격하는 남아메리카형·서아프리카형은 해상보험에서 정의하는 해적행위의 전형적인 형태이다. 주로 무기를 가지고 승무원을 위협하면서 선내 물품을 강탈한다. 따라서 해적행위가 보험자의 담보위험으로 되어 있는 경우 남아메리카형·서아프리카형의 해적행위로 인하여 발생한 손해는 보험자가 보상한다.

선박 또는 선박 및 적하 전부를 강탈하는 하이재킹형은 해적이 항행 중인 선박을 습격하여 승무원에게 폭력을 행사하면서 선박과 적하를 강탈하기 때문에 해상보험에서 정의하는 해적행위의 전형적인 형태이다. 따라서 해적행위가 보험자의 담보위험으로 되어 있는 경우 하이재킹형의 해적행위로 인하여 발생한 손해는 보험자가 보상한다.[115)]

최근 해상물동량이 증가하면서 해적행위가 동남아시아를 중심으로 하여 세계 각지에서 자주 발생하고 있으며 또한 해마다 증가하고 있는 추세이다. 게다가 선용품 등을 몰래 훔쳐서 도망가는 상투적인 수법에서 벗어나 선박과 적하를 통째로 강탈하는 형태를 취하고 있어 해적행위 자체가 조직화·흉악화하고 있는 것이 최근의 특징이다.[116)]

표도: 표도(rovers)는 약탈물을 구하기 위하여 해상을 배회하는 자를 의미하는데 해적과 동의어로 볼 수 있다. 16세기부터 19세기에 걸쳐서 지중해에 면한 북아프리카의 바르바리(Barbary) 해안에 출몰하였던 무어인(Moors)의 해적을 표도라고 했다.

---

115) 홍성화, 전게논문, p.82.

강도: 강도(thieves)라는 말은 폭력으로 약탈하는 자로서 선원 이외의 자를 의미하고 이 말은 단순한 절도로 인한 손해는 포함하지 않고 강제적인 탈취만을 의미한다고 할 수 있다. RCP 제9조는 "강도는 비밀리에 행해지는 절도 또는 선원이든 여객이든 불문하고 승선자에 의한 절도는 포함하지 않는다."라고 규정하고 있다.

만일 피보험자가 은밀한 절도 또는 좀도둑의 위험을 보험에서 담보받으려면 보험계약체결 시에 보험자와 특약(TPND 특약)에 의하여 부보해야 한다.

투하: 투하(jettison)는 화물을 바다에 던지는 것을 의미한다. 주로 해난에 직면한 선박이 침몰 위기에 조우했을 때 선박을 가볍게 하기 위해 선장이 고의적이며 의도적으로 화물을 투하해야 한다.

포획면허장 및 보복포획면허장: 포획면허장(letters of mart)은 적의 상선을 습격하여 이를 포획하는 권리를 개인에게 부여하는 권리인증서이며 보복포획면허장(letters

116) 해적행위의 연도별 발생현황 및 그 연도별 · 지역별 발생현황은 다음과 같다.

해적행위의 연도별 발생현황

연도	1991	1992	1993	1994	1995	1996	1997	1998	1999	2000	합계
건수	107	106	103	90	188	228	247	202	300	469	2,040
비율(%)	5.2	5.2	5.0	4.4.	9.2	11.1	12.1	9.9	14.7	23.2	100

자료: http://jsanet.or.jp/e2-3/pil-1-1.html

해적행위의 연도별 · 지역별 발생현황

연도	1991	1992	1993	1994	1995	1996	1997	1998	1999	2000
동남아시아	88	63	16	38	71	124	92	89	161	242
극동	14	7	69	32	47	17	19	10	6	20
인도		5	3	3	24	26	40	22	45	93
아메리카			5	11	21	31	36	35	28	39
아프리카			7	6	21	25	46	41	55	68
기타	5	31	3		4	5	14	5	5	7
합계	107	106	103	90	188	228	247	202	300	469

자료: http://jsanet.or.jp/e2-3/pil-1-1.html

of countermart)도 또한 포획면허장과 마찬가지 성질의 것으로서 적의 상선에 대한 보복적 포획의 권리를 국가가 면허한 인증서이다.[117)]

이와 같은 포획면허장에 의한 포획행위는 1856년 파리선언(The Declaration of Paris)에 의하여 종결되어 이 문제는 그 의미를 상실하게 되었다.

습격 · 해상에서의 점유탈취: 습격(surprisals)은 해상에 있어서의 점유탈취(taking at sea)와 더불어 현재는 해상보험증권 이외의 상업증서에 사용되는 일이 거의 없다. 현대어로 말하면 습격은 포획(capture)에 해당하며, 해상에서의 점유탈취는 나포(seizures)에 해당된다.

강류, 억지, 억류: 강류는 포획과 다르다. 포획에서는 포획물을 자기의 소유로 두려는 목적이 있으나 강류에서는 재산을 유치한 후에 되돌려주거나 또는 대금을 지급할 것을 목적으로 하고 있다.

이들 위험의 정확한 표현은 국왕, 군주 및 국민의 강류, 억지, 억류(arrests, restraints and detainments)이다. 강류, 억지, 억류의 의미는 모두 비슷한 것으로 정치상 또는 행정상의 행위를 말하는 것으로 통상적으로 이루어지는 재판상의 소송절차로 인한 손해는 여기에 포함되지 않는다(RCP 제10조).

선장 및 해원의 악행: RCP 제11조는 악행이라는 용어는 선주 또는 용선자에게 손해를 입히는 선장 또는 해원[118)]이 고의로 한 모든 부정행위를 말한다고 규정하고 있다.

여기서 선장의 악행(barratry of the masters)에 대해서는 영법에 있어서의 악행은 선주를 희생시키고 선장 자신의 이익을 도모하는 의사로서 선장이 사기적으로 행한 모든 종류의 사기 및 부정행위를 포함할 뿐만 아니라 어떠한 동기에 의해서 유발되었는가를 불문하고 선주 또는 용선자가 사실상 손해를 입은 선장의 고의의 공연한 위법행위, 범죄적 태만을 포함한다고 볼 수 있다.[119)]

한편 해원의 악행(barratry of the mariners)에 대해서는 선박의 멸실 또는 파괴를 수반하든가 또는 이것을 유발시키는 범죄 또는 사기가 선주 · 선장 또는 그 대리인의 주의 또는 경계에 의하여 방지할 수 없었던 바와 같은 폭력 또는 반항상태

117) 한동호, 『해상보험요론』, 박영사, 1983, p.114.

118) 일반적으로 선원이라고 할 경우에는 고급선원과 일반선원을 모두 포함하지만, 해원은 선장을 제외한 모든 선원을 말한다.

119) Mustill, M. J. & Gilman, J. C. B., op. cit., p.682.

하에서 해원에 의하여 행해졌을 때에는 이것은 해원의 악행에 의한 손해라고 보고 있다.[120]

기타 모든 해상위험: 로이즈 S.G. 보험증권에 'All other perils…' 라는 문언은, 문자 그대로 '기타의 모든 위험' 을 가리키는 포괄적인 의미를 가지는 말이 아니고 동종 제한의 원칙(Principle of ejusdem generis; Principle of the like or same kind)에 의하여 앞에서 열거한 유사한 위험만을 의미한다. RCP 제12조는 'All other perils' 란 보험증권에 열거되어 있는 위험과 같은 동종의 위험만을 포함한다고 규정되어 있다.

즉 동종제한의 원칙에 따라 담보하는 위험은 앞에 열거되어 있는 위험과 동종의 것에 한정된다는 것이다.[121]

2. 1982년 신해상보험증권

1) 로이즈 S.G. 보험증권에 대한 비판

로이즈 S.G. 보험증권에 있어서 1867년에 영국조세법에 수록, 인정된 당시부터 본문약관은 불합리하고 난해한 중세영어를 그대로 사용하고 있다. 로이즈 S.G. 보험증권의 본문은 많은 판례에 의하여 그 해석이 확정되어 있기 때문에 고풍스럽고 난해한 문구에 집착하고 현실적인 보험계약의 내용은 그 난외에 각종의 약관을 첨부함으로써 계약의 정확한 이해를 위해서는 고도의 전문적인 지식이 필요하다.

2) UNCTAD 사무국 보고서의 비판

① MIA, 로이즈 S.G. 보험증권, ICC 및 ITC, 영국의 관습 등 일련의 영국류의 해상보험제도를 비판하고, ② 새로운 국제해상보험법 및 국제적으로 통일된 표준해상보험약관의 제정을 위한 국제전문가회의의 개최를 주장, ③ 영국 자신도 1982년에 로이즈 S.G. 보험증권 및 이것과 함께 사용하는 ICC를 대폭적으로 개정하는 결단을 내렸다.

120) Mustill, M. J. & Gilman, J. C. B., op. cit., vol. II, p.680.

121) 예컨대 Smoke는 Fire와 동종의 위험이고, 해수 및 바다 얼음과의 접촉은 바닷물(sea water), 즉 해상고유의 위험과 동종의 위험이므로 담보된다. 이에 반하여 담수(freshwater)는 바닷물과는 동종이 아니며 비에 젖은 경우도 마찬가지이다(김병기, 전게서, p.116).

3) 1982년 신해상보험증권의 특징

① 본문약관 중의 중세영어로 표현되고 있는 담보위험조항이 증권상에서 모두 자취를 감추었다.

② 현대의 보험계약에 있어서는 의미가 없어진 조항, 예컨대 선장명 기재조항, 기항 · 정박의 재량권조항 등도 삭제되었다.

③ 종래의 ICC(1963)를 보완한 본문약관 중의 소급조항, 손해방지 · 경감조항, 포기조항 등의 중요조항은 현대 영어로 바뀌었다.

④ 보험조건에 관한 조항은 모두 ICC로 옮기고 증권의 표면에는 약인조항, 타보험조항, 선서조항재판관할권조항만을 남겨 두었다.

- 1982년 신해상. 보험증권과 1982년 ICC의 관계: 1963년 ICC가 로이즈 S.G. 보험증권의 본문약관과 MIA의 쌍방을 토대로 하여 해석되어야 하는 3중 구조의 약관이었던 것에 비해 1982년 ICC는 MIA만을 토대로 하여 설정된 약관으로서 특히 MIA의 중요규정을 인용하여 규정하고 있다. 1963년 약관 ICC(FPA), ICC(WA), ICC(ALL RISKS)는 1982 ICC(A), (B), (C)로 대체되었다.

4) 우리나라의 신영문적하보험증권

① 증권면에 MARINE INSURANCE POLICY로 표기한다.

② MERCHANDISES의 명칭을 신약관에서는 SUBJECT-MATTER INSURED로 고쳤다.

③ 증권상의 조항: 준거법조항, 타보험조항, 약인조항, 선서조항

제9장

협회적하약관

제1절 구협회적하약관

해상손해는 보험조건에 따라 그 보상범위가 달라진다. 화물의 종류와 성질에 따라 변경될 수도 있지만 종래의 기본적인 보험조건은 다음과 같다(〈표 9-1〉참조).

① TLO(Total Loss Onluy; 전손담보조건)

② FPA(Free from Particular Average; 단독해손 부담보조건)

③ WA(With Average; 분손담보조건)

④ A/R(All Risks; 담보조건)

이상 4종의 보험조건이 담보하는 위험을 도시하면 다음과 같다.

〈표 9-1〉 구해상보험조건의 담보위험

No	손해	구해상보험조건	비고
1	현실전손		
2	추정전손		
3	공동해손	①-② TLO.	거의 사용 안 됨(선박보험에 사용)
4	비용손해		
5	특정분손	①-⑤ FPA.	Incoterms상의 최저부보조건
6	불특정분손(면책률)	①-⑥ WA.	
7	불특정분손(무면책률)	①-⑦ A/R	면책약관 이외 전위험담보

1. 전손담보조건(TLO)

앞에서 설명한 현실전손과 추정전손을 포함하는데 주로 선박보험에 채택되고 있고 적하보험에서는 이 조건보다 TLO by TLV 조건(caused by total loss of vessel)을 특수화물 또는 비무역화물(부선, 연안)에 적용하고 있다.

2. 단독해손부담조건(FPA)

보험자가 전손뿐만 아니라 공동해손의 손해, 즉 희생, 비용 분담액과 구조료, 특별비용, 손해방지비용, 부수비용 및 특정분손을 보상한다.[122]

특정분손은 주로 중대한 해상위험[123]인 SSBC, 즉 Sinking(침몰), Stranding(좌초), Burning(대화재), Collision(충돌)과 같은 주요위험사고(major casualties)를 말하는데 이것과 인과관계가 있는 단독해손의 경우에는 면책비율의 여하에 불구하고 보상한다.

따라서 특정분손은 다음의 경우를 포함한다.

① 선박 또는 부선의 좌초, 침몰, 대화재에 기인한 단독해손
② 선적, 하역, 환적 중에 개품 포장단위의 전손(양하기에서의 화물 추락의 손해(sling loss)
③ 선박, 기타 운송용구의 침몰, 좌초, 화재, 타물과의 충돌 또는 접촉, 탈선, 전복으로 인한 손해

3. 분손담보조건(WA)

특정한 사고, 즉 특정분손이 아닌 불특정분손(주로 풍랑에 의한 단독해손)까지도 담보하는 점이 FPA와 다르다. 그러나 불특정분손에 대해서 보험증권의 본문에 규정한 면책률 이하의 소손해는 보상하지 않는다.

---

122) 1982년 ICC(C)와 더불어 Incoterms가 규정한 최소한도의 보험조건이다.

123) ICC에서는 해상고유의 위험과 해상위험을 구분하고 있다. 해상고유의 위험(perils of the seas): ① S.S.C 위험－침몰(sinking), 좌초(stranding), 충돌(collision) ② 악천후(heavy weather), 해상위험(perils on the seas): ① 화재(fire · burning) ② 투하(jettison) ③ 선원의 악행(barratry) ④ 해적, 표도, 강도(pirates, rovers, thieves).

그러나 이 면책률(franchise)을 적용하지 않기 위하여 실제에 있어서는 대개 WA 2%에서 WA 5%까지로 협정하여 그 미만의 분손에 대해서는 보험자는 면책된다.

그리고 불특정분손의 경우 손해발생률이 높기 때문에 면책률을 적용하는 데 WAIOP(With Average Irrespective of Percentage; without franchise) 조건으로 부보하면 면책률이 없이 어떠한 분손도 보상된다. 또한 도자기의 파손, 액체화물의 누손, 곡물류의 부족 또는 감량 등에 대비하여 Excess franchise 3%의 경우가 있는데 이 경우 초과분에 대해서만 보상한다(공제면책비율; deductible franchise).

4. A/R 담보조건

WA 조건하에서 제외된 면책률 이하의 소손해까지도 담보하는 조건이다. 그러므로 AR 조건은 WAIOP 조건과 거의 같으나 TLO, FPA, WA는 열거책임주의나 A/R 조건은 포괄책임주의를 채택하여 다음과 같은 부가위험(extraneous risks)을 할증보험료의 지급과 더불어 특약에 의하여 담보하고 있는 것이다.

① JWOB(Jettison & Washing Overboard): 해난사고시에 화물을 투하하였거나 풍랑으로 유실되었을 때

② TPND(Theft, Pilferage, Non-Delivery): 부보품의 도난 또는 미도착 손해

③ RFWD(Rain, Fresh Water Damage): 우수, 담수에 의한 손해(FPA, WA에서는 해수에 한하고 있으므로)

④ COOC(Contact with Oil and / or Other Cargo): 부보품의 파손 또는 누손

⑤ Hook & Hole: 하역작업용 갈고리에 의한 손상

⑥ Breakage, Leakage, Shortage: 파손, 누손, 중량부족

그러나 다음과 같은 경우 통상 담보하지 않는다.

① 화물고유의 하자(inherent vice)와 성질(nature) 또는 지연(delay)에 근인[124] 된 손해

② 선박의 감항능력결여(unseaworthiness)로 인한 손해

③ 전쟁위험(War Risks): W/SRCC(War, Strikes, Riots & Civil Commotions): 타

---

124) 근인(proximate cause)이란 사고의 직접적 원인(immediate, near or direct cause)을 말한다.

국의 함선에 의한 습격, 억류, 억지, 나포, 수뢰와의 접촉 등의 전쟁위험과 폭동파업에 기인한 손해
④ 보험계약자의 불법행위(태만, 비행)
⑤ 소손해(보험증권상의 면책률 이하)

5. 공통약관

협회적하약관(Institute Cargo Clauses)은 런던보험업자협회(ILU), 로이즈보험업자협회(Lloyd' s Underwriters Association; LUA) 및 기술 · 약관위원회(Technical and Clause Committee)가 1912년에 제정하여 1963년 1월 1일에 개정한 것이다.

협회적하약관에는 단독해손 부담보약관(Free From Particular Average; FPA), 분손담보조건(With Average), All Risks(A/R) 담보약관 등이 있다. 위의 세 가지 협회적하약관은 각각 14개 조항과 하나의 주의규정으로 구성되어 있다. 14개 조항 가운데 제5조만 서로 다르고 나머지 13개 조항은 같다.

공통약관의 내용은 다음과 같다.

- **제1조: 운송조항(Transit Clause)**
  일명 창고간담보약관(Warehouse to Warehouse Clause)으로 본문약관에서 정한 보험기간을 연장하거나 이로(deviation) 등의 경우에 계속적인 담보를 약정한 조항이다.
- **제2조: 운송계약종료조항(Termination of Adventure Clause)**
  화물이 목적지에 도착하기 전에 항해가 종료되는 경우, 추가(할증)보험료를 지급함으로써 보험기간이 일정기간 존속한다는 것을 정한 조항이다.
- **제3조: 부선조항(Craft, etc. Clause)**
  부선 또는 이와 비슷한 운송용구로 운송하는 기간도 보험기간에 포함시킨다는 것을 정한 조항이다.
- **제4조: 항해변경조항(Change of Voyage Clause)**
  항해가 변경되었을 경우 추가(할증)보험료를 지급하는 경우 보험이 계속된다는 것을 정한 조항이다.
- **제5조: 단독해손 부담보조항(FPA Clause)**
  분손담보약관(WA Clauses) 및 All Risks 담보약관(A/R Clauses)으로 나누어

약관 내용을 달리하고 있다.

- **제6조: 추정전손조항**(Constructive Total Loss Clause)
  추정전손의 성립요건에 대한 규정으로 추정전손담보조항이다.
- **제7조: 공동해손조항**(General Average Clause)
  공동해손의 처리를 위한 준거법을 정한 약관이다. 대부분 York-Antwerp Rules에 따름을 규정하고 있다.
- **제8조: 감항성 승인조항**(Seaworthiness Admitted Clause)
  화주의 감항성보장책임을 면제해 주는 약관이다.
- **제9조: 수탁자조항**(Bailee Clause)
  피보험자가 먼저 보험자에게 보상을 받고 운송인에 대한 배상청구권은 보험자에게 위부한다는 계약이다.
- **제10조: 보험이익불공여조항**(Not to Inure Clause)
  보험계약이 체결되어 있다는 이유로 운송인에게 이익을 주어서는 안 된다는 조항이다.
- **제11조: 쌍방과실충돌조항**(Both to Blame Collision Clause)
  선하증권의 쌍방과실충돌약관에 의거한 피보험자의 부담액 중 보험증권에 의하여 보상받을 수 있는 손해부분을 피보험자에게 보상한다는 조항이다.
- **제12조: 포획 · 나포부담보조항**(Free from Capture and Seizure Clause)
  포획, 나포위험은 보험자가 담보하지 않는다는 조항이다.
- **제13조: 동맹파업 · 폭동 및 소요부담보조항**(Free from Strikes, Riots, and Civil Commotions Clause)
  동맹파업, 폭동 및 소요로 인한 손해는 보험자가 담보하지 않는다는 조항이다.
- **제14조: 신속조치조항**(Reasonable Despatch Clause)
  피보험자의 신속대응의무를 정한 조항이다.

6. 특약

1) 단독해손 부담보약관(Free from Particular Average Clauses)

FPA 조건은 단독해손부담보조건이지만 좌초, 침몰 및 화재에 의한 분손은 담보한다. FPA 약관의 손해보상 범위는 아래와 같다.

① 전손: 현실전손과 추정전손
② 해손: 선박 또는 부선의 침몰(sinking), 좌초(stranding), 화재(burning)로 인하여 발생한 단독해손과 공동해손
③ 확장담보(extention cover)
㉠ 선적, 환적 또는 투하작업 중의 포장당 전손
㉡ 화재, 폭발, 충돌(fire, explosion, collision), 운송용구와의 접촉(contact of the conveyance), 피난항에서의 화물의 양하
㉢ 손해방지비용, 구조비 및 기항항이나 피난항에서의 특별비용 및 부대비용

그러나 해수손해(seawater damage) 및 불가항력(force majeure)에 기인해서 발생한 분손은 보험자가 담보하지 않는다.

2) 분손담보조건(With Average)

WA 조건은 보험자가 단독해손을 담보하는 것을 원칙으로 하고 있다. 단, 이 경우 보험증권 본문의 면책률약관(Memorandum Clause)하의 면책비율이 적용되며(예, 'WA 3%', 'WAIOP(irrespective of percentage)') 일정비율 미만의 소손해에 대하여는 원칙적으로 담보하지 않는다.

WA 조건은 FPA 조건에서 담보하지 않는 단독해손, 즉 침몰, 좌초 또는 충돌에 의하지 않는 분손도 담보하고, 악천후, 즉 나쁜 기후나 파도에 의한 해수손까지 담보한다.

3) All Risks 담보약관

이 조건은 ICC 약관상 담보되지 않는 면책위험을 제외하고 일체의 위험을 담보하는 것을 원칙으로 하고 있다. A/R 조건에서도 전쟁위험과 동맹파업위험은 제외되므로 담보받기 위하여서는 특약을 첨부하여야 한다.

7. 보상되지 않는 손해

ICC 약관으로 부보 시 보상되지 않는 주요한 손해는 아래와 같다.

① 피보험자의 고의적인 불법행위로 인한 손해
② 화물고유의 하자 또는 성질에 의한 손해

③ 자연감량이나 통상의 손실
④ 항해지연 손해
⑤ 화물의 포장불량 손해

8. 협회특별약관

1) 협회전쟁약관(Institute War Clause; IWC)

다음의 위험은 협회전쟁약관을 첨부하여야만 담보되는 위험이다. 포획(capture), 나포(seizure), 강류, 억지 또는 억류(arrest, restraint or detainment), 적대행위, 군사적 행동(hostilities or warlike operation), 내란, 혁명, 모반, 반란 혹은 이로 인한 국내파업(civil war, revolution, rebellion, insurrection or civil strike arising therefrom), 해적행위(piracy), 기뢰, 어뢰, 폭탄 혹은 기타 군병기(mines, torpedoes, bombs or other engines of war) 등의 위험이다.

협회전쟁약관은 화물이 육상에 있는 동안에 원칙적으로 담보하지 않지만 예외로 본선에서 양하 후 15일간은 육상에 있어도 해당 위험은 담보한다.

2) 협회 동맹파업 · 폭동 및 소요약관(Institute Strikes, Riots, and Civil Commotions Clause; ISCC)

아래의 위험을 담보하기 위하여서는 본 약관을 첨부한다. 파업참가자, 직장이탈 노동자, 노동소요, 폭동, 민란 등에 의해서 발생한 화물의 멸실, 손상, 악의적인 의도, 악의적인 행동을 하려는 자에 의한 멸실 · 손상, 이 약관에서는 이러한 위험으로 생긴 물적 손해(physical loss or damage)만 보상한다.

3) 협회 도난 · 발화 및 불착약관(Institute Theft, Pilferage and Non-delivery Clause)

이 약관은 A/R 조건에서는 담보하지만 WA나 FPA 조건에서는 담보하지 않는다. 여기서 불착(non-delivery)은 부족(shortage)과는 다르다. WA, FPA에서 이러한 위험을 담보하기 위해서는 이 약관을 추가(예, ICC (W/A) including TPND)하여 부보하여야 한다.

9. 부가위험담보

FPA 또는 WA 조건으로 부보할 경우 운송되는 화물의 특징에 따라 부가위험(extraneous risks)에 대하여는 특약담보를 하게 된다. 다음의 위험을 담보하기 위하여는 A/R 조건으로 부보하거나 추가로 특약에 의해 담보(예, FPA RFWD)받아야 한다.

RFWD(Rain and/or Fresh Water Damage, WA 조건 보상됨), COOC(Contact with Oil and/or Other Cargo), Breakage, Denting & Bending, Leakage and/or Shortage, Sweat & Heating, JWOB(Jettison & Washing Overboard), Hook & Hole 등이다.

제2절 1982년 협회적하약관

1. 개정경위

신해상보험증권과 약관은 1983년 4월 1일부터 사용하고 있으며, 한국에서는 1984년부터 적용하고 있다.

종래 해상보험증권은 오랜 옛날부터 사용되어 오다가 1969년 1월에 로이즈 보험증권에서 정식양식으로 채택된 것이다. 그리고 MIA의 제1부칙에 Lloyd' s S. G. Policy로 규정하여 표준양식으로 법문화되어 사용되어 왔다. 그러나 그 증권은 고어체와 난해한 문장으로 되어 있고, 불합리성이 법조계에서 지적되어 오던 가운데 1978년 11월 UNCTAD(유엔무역개발회의)가 발표한 '해상보험에 관한 보고서' 에서 크게 비판을 받게 되어 런던보험업자협회(ILU)와 로이즈보험업자협회(LUA)가 공동으로 작업반을 구성하여 새로운 증권과 약관을 작성한 것이다.[125)]

2. 신해상보험증권의 양식

신증권은 구증권에 있던 본문약관의 일부를 적하보험특별약관(협회약관)에 통합시키고 이탤릭체 약관 전부와 본문약관의 나머지 대부분을 삭제함으로써 매우 간결

125) 加藤 修,『貿易貨物海上保險改革』, 白桃書房, 1998, pp.13~22

하게 수정되었다. 따라서 신양식도 특별약관을 중심으로 하고 있으므로 ICC 특별약관(ILU의 ICC: 협회적하약관)을 첨부해야 보험증권의 구실을 하게 된다.

신증권 양식에 의거한 보험계약의 기본조건(담보조건)은 다음과 같이 ICC(A), (B), (C)의 세 가지가 있다.

① Institute Cargo Clauses(A): (A) 약관(종래의 A/R)

② Institute Cargo Clauses(B): (B) 약관(종래의 WA)

③ Institute Cargo Clauses(C): (C) 약관(종래의 FPA)

A 약관은 A/R과 거의 동일하나 B 약관과 C 약관은 종래의 WA, FPA와 차이가 있다. 즉 종래의 FPA와 WA 조건에서는 단독해손에 대해 상당한 제한을 가하였지만 신약관에서는 어떠한 조건으로 부보하는 경우에도 담보위험에 의한 손해는 전손, 분손에 관계없이 보상되며, 더욱이 소손해에 대하여도 담보가 면책되지 않게 되어 있다. 따라서 B 약관과 C 약관은 담보위험에서 차이가 있을 뿐 모두 동일하다.

한편 신해상보험증권은 증권면의 서두에 'MAR POLICY FORM(MAR Form)'으로 특히 표시되고 있는 것은 보험승인장과의 구별을 명확히 하기 위한 것이다.

3. 1982년 협회적하약관

1) 협회적하약관의 개관

영문해상보험증권은 시대의 요구에 따라 근본적으로 개정되지 않고 대체로 17세기에 사용된 본문을 그대로 남겨두고 최소한의 개정을 통해 실질적인 변경 없이 오늘에 이르고 있다. 따라서 보통보험약관으로서의 제 규정은 매우 불완전하고 오늘날의 무역거래가 요구하는 해상보험수요에 도저히 적합하지 않은 실정이다. 그래서 보험증권에 이를 보충, 정정하는 각종 특별약관을 첨부하거나 기입하여 개개의 실제거래에 적합한 보험계약이 체결되었는데 이 경우에 사용되는 약관으로 런던보험업자협회(ILU)가 작성한 것이 협회약관이다.

협회약관에는 여러 종류가 있고 화물의 종류마다 특유한 약관이 있지만 다수 화물에 공통으로 이용되는 정형적이고 기본적인 것으로 다음의 세 종류가 있다.

① 협회적하약관(단독해손 부담보)-Institute Cargo Clauses(FPA)

② 협회적하약관(분손담보)-Institute Cargo Clauses(WA)

② 협회적하약관(All Risks 담보)-Institute Cargo Clauses(All Risks)

이것들은 모든 보험증권에 거의 예외 없이 첨부되는 기본적인 약관이므로 보통보험약관의 성격이 매우 강하다. 그리고 오늘날 영국뿐만 아니라 영문보험증권을 사용하는 여러 나라의 보험자에 의해 널리 채용되어 우리나라의 해상보험회사도 이를 그대로 사용했다. 이 세 종류의 협회약관의 생성과정을 살펴보면 우선 1912년에 단독해손 부담보약관(FPA Clauses)이, 1921년에 분손담보약관(WA Clauses)이, 1951년에 포괄적인 위험부담을 요구하는 보험수요자의 요청에 부응하기 위한 All Risks Clauses가 제정되기에 이르렀다. 그 후 이 세 종류의 약관은 1958년과 1963년에 대폭 개정되었으며 현행의 것은 1982년에 개정되었고 상기의 단독해손 부담보약관이 ICC(C)로, 분손담보약관이 ICC(B)로, A/R 담보약관이 ICC(A)로 명칭이 변경되었다.

2) 1982년 협회적하약관의 구성

1982년 협회적하약관에는 (A), (B) 및 (C) 약관의 세 종류가 있으며, 각 약관은 아래의 〈표 9-2〉와 같이 제1조부터 제19조까지의 조항 및 주의사항으로 구성되어 있다. 이는 제1조부터 제14조까지의 조항과 주의사항으로 이루어지는 1963년 협회적하약관의 구성을 대폭적으로 변경한 것이다.

(A), (B) 및 (C) 약관은 제1조 위험조항, 제4조 일반면책조항(4.7) 및 제6조 전쟁면책조항(6.2)만 다르고 나머지 조항은 동일하다.

〈표 9-2〉 협회적하약관[ICC(A), (B), (C)]의 구성

구분	조항명	비고
담보위험(Risks Covered)	1. 위험조항(Risks Clause)	신설 구조항 제5조
	2. 공동해손조항(General Average Clause)	구조항 제7조 일부 개정
	3. 쌍방과실충돌조항(Both to Blame Collision Clause)	구조항 제11조와 동일
면책조항(Exclusions)	4. 일반면책조항(General Exclusions Clause)	신설
	5. 감항능력결여 및 부적합면책조항 (Unseaworthiness and Unfitness Exclusion Clause)	신설 구조항 제8조와 관련

〈표 9-2〉 협회적하약관[ICC(A), (B), (C)]의 구성 (계속)

구분	조항명	비고
면책조항 (Exclusions)	6. 전쟁면책조항(War Exclusion Clause)	구조항 제12조 전면 개정
	7. 동맹파업면책조항(Strikes Exclusion Clause)	구조항 제13조 전면 개정
보험기간 (Duration)	8. 운송조항(Transit Clause)	구조항 제1조와 동일
	9. 운송계약종료조항 (Termination of Contract of Carriage Clause)	구조항 제2조 일부 개정
	10. 항해변경조항(Change of Voyage Clause)	구조항 제4조 일부 개정
보험금청구 (Claims)	11. 피보험이익조항(Insurable Interest Clause)	신설 구증권본문의 소급조항과 관련
	12. 계반비용조항(Forwarding Charges Clause)	신설
	13. 추정전손조항(Constructive Total Loss Clause)	구조항 제6조와 동일
	14. 증액조항(Increased Value Clause)	신설
보험이익(Benefit of Insurance)	15. 보험이익불공여조항(Not to Inure Clause)	구조항 제10조와 동일
손해경감 (Minimizing Losses)	16. 피보험자의 의무조항(Duty of Assured Clause)	신설 구증권본문의 손해방지조항을 규정, 구조항 제9조와 관련
	17. 포기조항(Waiver Clause)	신설 구증권본문의 포기조항의 내용을 규정
지연의 방지 (Avoidance of Delay)	18. 신속조치조항(Reasonable Dispatch Clause)	구조항 제14조와 동일
법률 및 관습 (Law and Practice)	19. 영국법률 및 관습조항(English Law and Practice Clause)	신설
	주의사항(Note)	구약관과 동일
	참조: 구약관 제3조 부선조항은 1982년 ICC에서는 삭제됨	

4. 1963년 ICC와 1982년 ICC의 비교

1963년 ICC(FPA, WA, All Risks)와 1982년 ICC((A), (B), (C))의 관계를 비교 · 정리하면 다음과 같다.

① 1982년 ICC(A)는 1963년 ICC All Risks의 규정과 같은 문언은 아니지만 그 내용에서는 완전히 동일한 취지로 양자가 모든 위험을 담보하는 포괄책임주의의 입장을 명시하고 있다.

② 1982년 ICC(B) 및 ICC(C)는 각각 1963년 ICC(WA) 및 ICC(FPA)에 대응되는 것으로, 보험자의 담보위험의 범위를 한정하는 방법으로 열거책임주의를 답습하고 있다는 점에서 1982년 ICC와 1963년 ICC는 차이가 없지만, 다음의 점에서 양 약관에 큰 차이가 인정된다.

㉠ 1963년 ICC(WA)와 ICC(FPA)의 큰 차이는 전자가 원칙으로 특정분손 이외의 분손을 담보하는 데 비해 후자를 이를 담보하지 않는 것이다. 이에 반하여 1982년 ICC에서는 보험증권본문의 면책비율(memorandum)조항이 폐지되었기 때문에 분손은 전부 소손해 면책비율 없이 보상되게 되었다. 따라서 (B) 및 (C)에서는 어느 것도 제1조에 열거된 담보위험과 인과관계를 가지는 손해이면 분손, 전손을 묻지 않고 보상되므로 (B) 및 (C)에 규정된 담보위험의 차이는 열거된 담보위험 그것의 차이라고 할 수 있다.

㉡ 1963년 ICC(WA) 및 ICC(FPA)에서는 구보험증권본문의 위험조항과 병행하여 사용되었으므로 동위험조항에 열거되어 있던 강도(thieves), 선원의 악행(barratry of the masters and mariners), 해상고유의 위험(perils of the seas), 기타 동종의 위험(all other perils)이 담보위험이었지만, 1982년 ICC(B) 및 ICC(C)에서는 담보위험으로 포함되지 않았다. 한편 1982년 ICC(B) 및 ICC(C)에서는 교사(grounded), 전복(capsized), 육상운송용구의 전복(overturning) 및 탈선(derailment)이 담보위험으로 추가되었다.

㉢ 1982년 ICC(B)에 한정하여 말하면, 1982년 ICC에서는 전술한 해상고유의 위험이 담보위험으로 되지 않았지만 그 대신에 운송용구 등에 해수 · 호수 · 강물의 유입, 지진 · 화산의 분화 · 낙뢰, 갑판유실이 담보위험으로 추가되었다.

㉣ 화물의 적재 · 양하 중 포장당 1개마다의 전손에 대하여 1963년 ICC(FPA)

에서는 담보하고 있었지만, 1982년 ICC(C)에서는 이를 보상범위에서 제외하고 있다.

제3절 2009년 협회적하약관

1. 개설

1) 1982년 협회적하약관에 대한 개괄적 평가

1982년 협회적하약관[126)]의 도입은 과거 '아주 기묘한(very strange)' 또는 '불합리하고 일관성이 결여된(absurd and incoherent)' 증서라고 비판받았던 로이즈 S.G 보험증권(Lloyd' s S.G. Policy)의 문제점을 극복하기 위한 급진적인 조치였다. 이러한 급진적인 변화는 ICC 1982의 도입 당시 법적 불확실성을 초래한다는 이유로 수년 동안 심각한 반대에 직면하기도 하였다. 왜냐하면 구증권상 문구의 의미는 이전 2백여 년 동안 수많은 판례에 의하여 검증되었고, 따라서 개별문언의 효과는 잘 정립된 것으로 인식되었기 때문이다.

Robert Grime 교수는 1982년 1월 1일부터 실무계에 도입된 ICC 1982에 대하여 "이후 한 세기동안 이보다 더 훌륭한 보험서류는 존재할 수 없다."라고 결론 내린 바 있고,[127)] 또한 ICC 1982는 이전에 사용되던 협회적하약관에 비하여 약관해석상

---

126) ICC 2009는 ICC(A) CL 382, ICC(B) CL 383, ICC(C) CL 384, Institute War Clauses(Cargo) CL 385, Institute Strikes Clauses(Cargo) CL 386, 기타 항공화물운송을 커버하는 유사 약관들 및 우편송부와 관련하여 전쟁위험을 담보하는 약관 등 일련의 약관들로 구성되어 있다.

127) Robert Grime 교수는 "단기간의 사용경험만으로 판단할 수밖에 없다는 한계가 존재하지만, 1982년 ICC는 10여 년 동안 별다른 문제 없이 잘 작동되었다는 점에서 성공작이라고 평가할 수 있다. 1982년 ICC는 무엇보다도 보험계약의 투명성을 제고하는 데 기여하였으며, 구체적으로는 다음과 같은 3가지 중요한 변화를 초래하였다. 첫째, 연옥 같은(purgatorial) 구보험증권의 복잡성이 제거되고, 이해하기 쉬운 3가지 표준위험약관으로 단순명료화되었다. 둘째, 이해하기 어려운 해상고유의 위험(perils of the seas)이라는 개념이 삭제되고, 해수의 유입(entry of sea water) 등과 같이 구체적이고 명확한 개념으로 대체되었다. 셋째, 보험자가 활용할 수 있는 거의 모든 면책 및 항변수단이 표준약관에 포함되어 있다. 이러한 의미에서 이후 한 세기동안 1982년 ICC보다 더 훌륭한 보험서류는 존재할 수 없다."라고 주장하였다(Robert Grime, "Insuring Cargoes in the 1990' s", *The Modern Law of Marine Insurance*(ed. by D. Rhidian Thomas), LLP, 1996, p.124).

특별한 난점을 초래하지 않은 것으로 평가된다.

한편 1982년 ICC는 1912년에 최초로 도입된 협회적하약관(즉, ICC(FPA))과 마찬가지로 런던 해상보험업계의 경영악화에 대한 반응으로써 도입되었다.[128] 1982년 ICC는 형식적인 측면에서 보험계약의 투명성을 제고하였기 때문에 상당한 성과를 거두었다고 평가될 수 있으나, 보험계약의 내용 측면에서는 그다지 성공적이었다고 평가할 수 없다.[129] 왜냐하면 1982년 ICC는 1970년대 두 차례의 오일쇼크로 인한 해운업계의 극심한 경기침체, 이에 기인하여 선주의 파산 속출, 선주의 파산에 기인하여 운항 중 선박이 빈번하게 운항이 중단됨으로써 발생하는 화주의 손해 증대 및 이에 기인하는 보험금지출 증대에 대한 반응으로써 도입되었고, 결과적으로 런던 해상보험업계는 협회적하약관의 개정을 통하여 보험자의 면책범위를 확대함으로써 위기를 타개하려고 하였기 때문이다. 따라서 첫째, 1982년 ICC상 파산면책조항(제4조 6항)이 신설되고, 이 조항하에서 해운회사의 파산에 기인한 화주의 손해가 보험자의 면책범위에 포함됨으로써, 보험자의 담보범위가 축소되는 결과를 초래하였다.

둘째, 1982년 ICC에서 포장의 불충분에 기인한 화물손해가 보험자의 면책범주에 추가됨으로써, 화물 자체의 결함과 관련하여 이전의 약관상 설정된 면책보다 더 광범위한 보험자면책이 설정되었다.

마지막으로 선박의 감항능력결여 · 부적합에 기인하는 손해의 경우, 이전의 협회적하약관상 감항성승인조항(Seaworthiness Admitted Clause)에 의거하여 MIA상 엄격한 담보법원칙의 적용을 무조건적으로 배제하는 것이 적하보험업계의 오랜 전통이었으나, 1982년 ICC에서는 감항성 · 부적합 묵시담보와 관련하여 무조건적인 면책이 아니라 제한적인 면책을 설정함으로써, 보험자의 면책범위를 확대하는 결과를 초래하였다.

1982년 ICC의 도입으로 인하여 보험자의 면책범위가 확대되는 결과를 초래하였

---

128) 1912년 약관(즉, ICC(FPA))의 도입 전, 오랜 기간 동안 도입에 대한 찬반논쟁이 계속되었으나, 결론에 도달하지 못한 상황에서 1912년 4월 타이타닉호 사고가 발생하였다. 런던 보험업계는 이러한 대형 사고에 기인한 보험금지급문제로 위기에 봉착하였으며, 이러한 위기타개의 일환으로 타이타닉호 사고발생 이후 3개월도 채 경과하지 않은 시점에서 최초의 표준협회적하약관을 도입하였다.

129) John Dunt and William Melbourne, "Insuring cargoes in the new millenium: The Institute Cargo Clauses 2009", *The Modern Law of Marine Insurance*(Vol. 3)(ed. by D. Rhidian Thomas), Informa, 2009, pp.101~102.

기 때문에 이에 대한 시장의 반응은 호의적일 수 없었다. 시장의 반발에도 불구하고, 런던 보험업계는 1983년 3월 31일부터 일방적으로 1963년 ICC의 사용을 금지하였고, 이러한 일방적인 조치는 런던 보험실무계에서 1982년 ICC상 표준적하약관을 수정한 보험중개인 약관(broker' s clause)의 사용을 증대시키는 결과를 초래하였다.

보험중개인 약관은 1982년 ICC에 의하여 제공되는 표준담보를 특정한 피보험자에게 유리하도록 수정하는 데 중요한 역할을 수행하였다. 1982년 ICC상 보험자면책을 유보하는 '표준' 보험중개인약관('standard' brokers' clause)의 사용증가는 1982년 ICC에 대한 시장의 반응이 호의적이지 않으며, 1982년 ICC의 상업적인 취약성에 대한 반증이었다. 예컨대 일부 선진보험시장, 특히 일본 보험시장은 1982년 ICC의 채택을 거부하였다.[130] 왜냐하면 일본의 주요 무역기업들은 낮은 담보 수준에 대하여 동일한 보험료를 지출해야 할 이유를 발견할 수 없었기 때문이다.

2) 개정과정

런던 보험업계를 대표하는 합동적하약관위원회(Joint Cargo Committee; JCC)[131]는 1982년 ICC가 사용된 지 25년이 경과하였고, 이 기간 동안 무역 및 물류환경의 변화, 해상보험시장의 상황 변화, 해상적하보험 관련 위험의 양태 변화 및 1982년 ICC에 대한 시장의 불만 등을 고려한 결과, 1982년 ICC에 대한 개정이 필요하다고 결론 내렸다. 2006년 2월, JCC는 약관 개정에 대한 필요성을 확인하는 차원에서 이해관계당사자들에 대하여 1982년 ICC의 사용경험에 관한 질의서를 배포하였고, 이후 질의서에 대한 응답 분석 및 ICC 1982년 ICC의 검토작업을 수행하기 위하여

130) 예컨대 한국, 중국, 인도 및 태국을 포함한 주요 해상보험시장에서는 런던보험시장에서 1982년 ICC를 채택한 이후에도 로이즈 S.G. 보험증권 및/또는 1963년 협회적하약관(특히, ICC(All Risks) 1/1/63)을 주로 사용하였다. 또한 네덜란드의 경우 로이즈 S.G. 보험증권양식을 모방한 표준 PC24 Policy Form이 사용되었으며, 미국의 경우 여전히 로이즈 S.G. 보험증권에 기초하여 보험계약이 체결되고, 'All Risks' 조건으로 담보를 확대하는 방식이 채택되었다.

131) 합동적하약관위원회(Joint Cargo Committee)는 로이즈시장협회(Lloyd' s Market Association; LMA) 및 런던 국제보험인수협회(International Underwriting Association of London; IUA)의 대표자들로 구성되며, 이러한 의미에서 '합동(Joint)' 이라는 명칭이 사용된다. IUA는 런던 기업보험자의 이익을 대변하기 위하여 1884년에 설립된 런던보험업자협회(ILU) 및 1991년에 설립된 런던국제보험 · 재보험시장협회(Lonson International Insurance and Reinsurance Market Association; LIRMA)의 합병에 의하여 1999년 1월에 출범하였으며, 로이즈 시장을 제외하고서, 런던에서 사업을 영위하는 국제보험 및 재보험 회사의 이익을 대변하는 조직이다.

Nicholas Gooding을 의장으로 하는 적하약관개정작업부(Cargo Clauses Working Party)를 구성하였다.

동 작업부의 검토 및 권고 결과로서, JCC는 2008년 5월에 ICC(A), (B) 및 (C)에 대한 개정초안과 더불어 JCC의 『개정권고지침서』를 발행하였고,[132] 이에 대한 관계당사자의 피드백을 요청하였다. 피드백에 대한 검토 이후, JCC는 2008년 10월에 최종 검토의 결과로서 개정안을 발표하였다. JCC는 2009년 11월, 최종 개정안으로서 2009년 ICC를 공표하고, 2009년 1월 1일부터 실무계에서 사용하도록 권고하였으나, 2009년 ICC 및 1982년 ICC가 일정기간 동안 잠정적으로 병행하여 사용될 수 있다는 입장을 표명하였다.[133]

3) 개정의 기본방침

개정작업부는 전술한 질의서에 대한 관계당사자의 응답 및 영국 판례법에 근거하여 판단해 볼 때, 1982년 ICC가 지난 25년 동안 약관내용의 해석과 관련하여 특별한 난점을 초래하지 않았다는 사실을 전제로 약관 개정에 접근하였다. 따라서 개정작업부는 다음과 같은 사실에 의하여 개정이 불가피한 경우가 아닌 한, 변화를 지양한다는 기본방침을 전제로 개정의 범위를 설정하였다. 즉, 첫째, (특히, 테러행위에 대한 정의 규정의 신설 문제와 같이) JCC가 질의서에서 제기한 쟁점으로서, JCC 내부에서 이미 개정의 필요성을 인식한 경우, 둘째, (특히, 국제운송과 관련하여 컨테이너의 사용 급증과 같이) 육상 또는 해상운송의 발전양상에 부응하기 위하여 약관의 개정이 요구되는 경우, 셋째, 담보범위와 관련하여, 특히 보험목적물에 대한 포장의 불충분에 기인하는 손해 및 운송기간과 관련하여 시장관행의 변화에 기인하여 약관의 개정이 요구되는 경우, 또는 넷째, 학술 서적이나 보고서 등 발간된 출

---

132) Joint Cargo Committee, *Guide to the ICC's proposals for the Revision of the Institute Cargo Clauses*, 2008. 5.

133) JCC Circular No. JC 2008/021(2008년 11월 24일 발표). JCC는 이 Circular에서 "2009년 ICC는 순수하게 예시를 위한 것이며, 상이한 보험계약조건이 합의될 수 있다"라고 언급함으로써, 과거 1963년 ICC의 사용을 일방적으로 금지하던 태도와는 달리, 런던 보험시장에서 1982년 ICC의 사용을 일방적으로 배제하지 않는 것이 JCC의 입장이라는 점을 강조하였다. 한편 2009년 이후, 런던 보험시장에서 2009년 ICC의 사용이 보편화되었고, 일본 해상보험시장에서도 과거 1982년 ICC에 대한 비판적인 태도와는 달리, 2009년 ICC를 적극적으로 수용한 것으로 인식된다(John Dunt and William Melbourne, op. cit., p.103). 예컨대, 일본 홍아손해보험주식회사의 경우, 종래 1963년 ICC를 표준약관으로 사용하고, 신용장상 지정된 경우에만 1982년 ICC를 사용하였으나, 2009년 이후 2009년 ICC를 표준약관으로 채택하고 있다.

판물상 1982년 ICC에 대한 비판을 수용하기 위하여 약관의 개정이 요구되는 경우가 아닌 한, 개정작업부는 지난 25년간 특별한 난점을 초래하지 않은 약관의 개정을 지양한다는 방침을 설정하였다.

2. 주요 개정내용

1) 약관상 사용되는 용어의 재정리

개정작업부는 약관의 내용에 대한 개정과 더불어 1982년 ICC 약관에서 사용된 특정 용어의 의미를 명확히 규정함과 동시에 용어의 업데이트 및 일관성 유지를 위하여 용어를 재정리하는 작업이 필요하다고 인식하였고, 그 결과는 다음과 같다.

(1) 용어의 의미 명확화

① 1982년 ICC상 개별조항의 우측 여백에 표기되어 있던 부제를 삭제하고, 개별조항에 부여된 소제목의 의미를 명확하게 전달하기 위하여 필요한 경우 개별조항의 번호 상단에 부제를 표기함. 예컨대 면책조항에 해당하는 제4조~제7조의 경우, 1982년 ICC에서는 모든 개별조항에 대하여 부제(예컨대 제4조(General Exclusions Clauses), 제5조(Unseaworthiness and Unfitness Exclusion Clause) 등)를 표기하였으나, 2009년 ICC에서는 면책조항이 시작되는 제4조 상단에 면책을 의미하는 'EXCLUSIONS' 라는 소제목만을 표기하고, 개별조항에 대해서는 부제를 표기하지 않음.

② (특히, 보험계약의 양수인을 포함시키기 위하여) '피보험자(assured)' 의 범위를 설정하는 규정을 도입함.[134)]

③ 보험자에 해당하는 용어로 'Underwriter' 를 'Insurer' 로 대체함.[135)]

---

134) 2009년 ICC 제15조 제1항 참조.

135) 개정작업부는 개정과정에서 영국법상 'Insurer' 및 'Underwriter' 는 사실상 동의어로 사용되고 있으나, 여타 국가에서는 그렇지 않으며, 또한 MIA상 'Insurer' 라는 용어가 사용되고 있기 때문에 1982년 ICC에서 사용된 'Underwriter' 를 'Insurer' 로 대체하는 것이 적절하다고 인식하였다. 한편 보험자를 의미하는 'Underwriter' 라는 용어는 로이즈 커피하우스 시대의 보험인수관행을 대변하는 용어이다. 이 용어는 당시 보험자가 커피하우스에서 상인이나 보험중개인을 직접 대면하여 보험을 인수한 후, 보험증권의 하단(under)에 자신의 이름을 서명(writing)하던 관행으로부터 유래하였으며, 오늘날에도 로이즈 내의 보험인수회원은 Lloyd' s Underwriter 라고 불리고 있다.

④ 제8조(운송조항)에서 수하인(consignee)이라는 용어를 삭제함.[136)]

⑤ ICC 1982 제4조 3항상 컨테이너와 더불어 포장의 개념에 포함되는 것으로 규정된 'liftvan' 이란 용어는 법률적 · 상업적인 측면에서 그 의미가 불명확하다는 이유로 삭제됨.[137)]

⑥ 제4조 3항상 포장이나 준비의 적합성 또는 충분성에 대한 판단기준을 최초로 도입함.[138)]

⑦ '피고용인(employee)' 이란 개념은 '독립 수급인(또는 하도급자)(independent contractor)' 을 포함하지 않는다는 사실을 명시적으로 규정함으로써 피고용인의 범위를 명확히 설정함.[139)]

⑧ 제4조 5항의 지연면책(delay exclusion)과 관련하여 'proximately' 라는 용어

---

136) 수하인(consignee)이라는 용어는 1982년 ICC에서 단 한 차례 사용되고 있으나(1982년 ICC 제8.1.1조 참조), 개정작업부는 개정과정에서 이러한 용어의 사용이 아무런 실익도 없으면서, 자칫하면 잠재적인 혼선의 원인이 될 수 있다고 인식하였다.

137) 개정작업부가 수행한 연구결과는 'liftvan' 이란 용어가 영 · 미 양국에서 막연한 의미로 사용되지만, 정확한 의미는 불명확하다는 사실을 제시한다. 또한 개정작업부는 특히, 화물운송업계에서 liftvan의 구성요건과 관련하여 명확하게 일치된 견해가 존재하지 않는다는 사실을 근거로 해당 용어의 사용이 정당화될 수 없다고 인식하였다. 한편 개정작업부는 제4조 제3항의 개정과 관련하여 'liftvan' 이란 용어 대신, 예컨대 "… 또는 이와 유사한 운송단위(or similar freight unit)"라는 문구의 삽입을 고려하기도 하였으나, 이러한 표현 또한 불확실성을 초래한다는 이유로 삽입하지 않았다.

138) 2009년 ICC 제4조 3항에 "… to withstand the ordinary incidents of the insured transit(피보험운송에서 발생가능한 통상적인 사고를 감당할 정도)"라는 문구를 추가함.

139) 2009년 ICC 제4조 3항 참조. 우리 민법상 '피고용인' (employee, 노무자)은 고용계약하에서 고용주(사용자 employer)의 보수 지급을 대가로 노무를 제공하기로 약정한 자를 의미한다. 한편 「특정한 일의 완성」을 목적으로 하는 계약인 도급계약에서 상대방의 보수 지급을 대가로 특정한 일의 완성을 약속하는 당사자 일방을 수급인(contractor, 하도급자)이라 한다. 수급인은 해당 일의 결과를 제외하고서, 일의 진행과 관련하여 도급인의 감독 또는 지시에 따르지 않으며, 따라서 도급인과 수급인 사이에는 고용관계 또는 대리관계가 성립하지 않는다(김준호, 『민법강의』, 법문사, 1996, p.815 참조). 한편 영국 고용법상 'independent contractor' 는 'employee' (또는 servant)의 범주에 포함되지 않는다는 것이 일반적인 입장이고, 양자의 차이는 통제의 개념으로 구분된다. 즉, 고용주(employer)는 피고용인(employee)이 제공하는 용역의 수행방식과 관련하여 보통 일체의 통제권을 행사하는 반면, 독립 수급인(independent contractor)은 도급인(employer)의 일을 완성하는 과정에서 도급인의 통제를 받지 않는다. JCC는 약관개정을 위한 질의서에 대한 응답을 분석하던 중 일부 사법권에서 양자의 차이점이 명확하게 구분되어 있지 않다는 사실을 인식함으로써, 개정약관상 'independent contractor' 가 'employee' 의 범주에 포함되지 않는다는 점을 명시적으로 규정할 필요성이 있다고 판단하였고, 그 결과 제4조 3항에 관련 사항을 명시하였다.

를 삭제함.

⑨ 비영어권 국가의 피보험자로서는 이해하기 어려우며, 그 자체로써 불명확한 표현법인 'hereby' (제8.1.4조) 및 'hereunder' (제8.2조)라는 용어가 삭제되고, 제8조 1항상 'herein' 이란 표현은 그 의미에 부합하여 'in the contract of insurance' (제8조 1항 ; 제9조 2항) 또는 'under this insurance' (제14조 2항)라는 표현으로 대체됨.[140)]

(2) 용어의 업데이트

① 제15조 보험이익불공여조항(Not to Inure Clause)에서 우측 여백의 부제(Not to Inure Clause)가 삭제되었고, 내용상 사용된 'inure' 라는 구시대적인 용어가 조항의 의미와 일치하는 용어인 'extend' 로 대체됨.[141)]

② 고용계약상 피고용인을 의미하는 용어인 'servant' 가 'employee' 로 대체됨.[142)]

③ 보험계약을 의미하는 용어로 'policy' 라는 용어의 사용을 배제하고, 'contract of insurance' 라는 용어를 사용함.[143)]

---

140) 특히 1982년 ICC 제8조 및 제9조 등에서 '보험계약상' 이란 의미로 사용된 'herein' 이란 용어는 주로 장소를 나타내는 부사이지만, 협회적하약관상 이 단어가 지리적인 장소를 지칭하지 않을 뿐만 아니라, 자칫 인쇄된 협회적하약관을 지칭하는 용어로 오해될 소지가 높기 때문에 잠재적으로 혼란을 초래하는 용어로 인식되었다. 따라서 개정약관에서는 문맥상 의미를 반영하여 'in the contract of insurance' 또는 'under this insurance' 란 용어로 대체되었다.

141) 'Inure' (또는 'enure' 라고 쓰기도 함)는 제15조에서 '효과(효력)를 갖다(to take effect)' 라는 의미로 사용된 고어이지만, 현대 영어에서는 통상적으로 '(불쾌한 것에) 익숙하게 되다(to become used to (something unpleasant))' 라는 의미로 사용된다. 한편 비전문가적인 입장에서 볼 때, 제15조상 'inure' 라는 단어는 단순히 'insure' 를 잘못 인쇄한 것으로 오해될 수도 있기 때문에 개정 조항에서는 이러한 구시대적인 용어가 삭제되고, 문맥상 의미에 부합되는 'extend' 라는 표현으로 대체되었다(Ibid, p.137).

142) 개정작업부는 개정과정에서 과거 영국 고용법상 사용되었던 'master' 및 'servant' 라는 용어가 오늘날에는 'employer' 및 'employee' 로 대체되었을 뿐만 아니라, 피고용인을 지칭하는 용어로서 'employee' 가 보다 현대적인 용어이며, 따라서 'employee' 라는 용어의 사용이 2009년 ICC의 범세계적인 사용을 위하여 보다 적합한 용어라고 인식하였다.

143) 1963년 ICC에서는 '보험계약' 을 의미하는 용어로 'policy' 라는 용어를 사용하였으나, 현재 런던 적하보험시장에서 policy라는 용어를 거의 사용하지 않기 때문에 개정과정에서 이러한 용어의 사용이 더 이상 적절하지 않은 것으로 판단되었다.

(3) 용어의 일관성 유지

① ICC 1982에서는 운송화물 또는 보험목적물을 의미하는 용어로서, 'goods', 'goods hereby', 'subject-matter insured' 또는 'subject-matter' 란 용어가 혼용되어 사용되었으나, 개정 약관에서는 'subject-matter insured' 란 표현으로 통일됨.[144)]

② ICC 1982에서는 운송계약과 관련하여 '해상운송계약(contract of affreightment)' 및 '운송계약(contract of carriage)' 이란 용어가 혼용되어 사용되었으나, 개정 약관에서는 'contract of carriage' 로 통일됨.

2) 약관 내용상 주요 개정내용

2009년 ICC의 주요 특징은 제4조~제7조에서 규정하고 있는 보험자의 면책범위가 대폭 축소되고, 제8조에서 규정하고 있는 보험기간이 다소 확대되었다는 점이다. 개괄적인 관점에서 볼 때, 주요 개정내용은 다음과 같다.

첫째, 보험기간의 시기와 종기가 확대되었다. 즉, 이 보험은 운송개시를 위해 운송차량 또는 기타 운송용구에 보험의 목적을 즉시 적재할 목적으로 창고 또는 보관장소에서 보험의 목적이 최초로 움직인 때에 개시되고 목적지에서 양하될 때까지 계속된다고 하여 종전보다 담보범위가 확대되어 피보험자에게 유리해졌다.

둘째, 불충분하거나 부적절한 포장 또는 준비(preparation)에 관한 면책규정이 변경되었다. 즉, 불충분하거나 불완전한 포장 또는 준비가 피보험자 또는 그 사용인에 의하여 행하여지는 경우, 또는 불완전한 포장 또는 준비가 위험의 개시 전에 행하여지는 경우에 한정하여, 위험개시 후에 피보험자 또는 그 사용인 이외의 자가 행한 불완전한 포장 또는 준비는 면책의 적용에서 제외되어 피보험자에게 유리해졌다.

셋째, 1982년 ICC의 제4조 제5항에서는 지연면책과 관련하여 '지연에 근인하여 발생한 손해' 만을 보험자의 면책범주에 포함시켰으나, 개정 조항에서는 'proximately' 라는 용어를 삭제함으로써, 보험자는 '지연에 기인하여 발생한 일체의 손해' 에 대하여 책임을 부담하지 않는 것으로 되었다. 개정 약관상 보험자 면책과 관

144) 손해보험의 경우, subject-matter insured는 보험사고의 대상 또는 객체가 되는 물건 또는 재산을 의미하며, 해상보험계약 상 보험사고의 대상은 선박, 적하, 운임 및 이윤 등이며, 이는 물건에 한정되지 않는 개념이다. 한편 'subject-matter insured' 는 일반적으로 '보험의 목적' 이라고 번역되나, 이 책에서는 국문표현의 편의를 고려하여 '보험목적물' 이라는 표현을 사용한다.

련하여 여타 조항에서는 보험자의 면책범위를 축소하였으나, 유일하게 지연면책의 경우에는 보험자의 면책범위를 다소 확대하였다.

넷째, 선사 도산 면책규정이 피보험자에게 유리하게 완화되었다. 즉, 이 규정은 피보험자가 선주 등의 지급불능 또는 재정상의 채무불이행이, 그 항해의 통상의 수행을 방해할 수 있다는 것을 알고 있든가 또는 통상의 업무상 당연히 알고 있어야 할 경우에 한하여 면책이 적용되는 것으로 하였고, 또 선의의 매수인과 보험증권의 양수인에게는 본 면책이 적용되지 않는 취지가 명시되었다.

다섯째, 컨테이너 또는 운송용구의 부적합 면책규정이 피보험자에게 유리하게 완화되었다. 즉, 이러한 면책은 컨테이너 또는 운송용구에의 적재가 이 보험의 위험개시 전에 행해진 경우, 또는 피보험자나 그 사용인에 의해 행해지고 또한 이들이 적재시에 부적합한 것을 알고 있는 경우로 한정하여 그 범위를 제한하고 있다.

여섯째, 항해의 변경과 관련하여 소위 '유령선 조항'이 신설되고(제10조 제2항), 선의의 피보험자 및 그들의 사용인에게 담보를 제공하도록 변경되었다. 즉, 보험의 목적이 이 보험에 의해 예상된 운송을 개시했지만, 피보험자 또는 그들의 사용인이 알지 못하고 선박이 다른 목적지로 향해 출항하는 경우에도, 이 보험은 그러한 운송의 개시 시에 개시한 것으로 간주되는 것으로 하였다.

3. 2009년 협회적하약관조항의 해설

2009년 ICC 조항은 1982년 ICC 조항과 마찬가지로 제1조부터 제19조까지의 조항 및 주의사항으로 구성되어 있다는 점에서는 같지만, 개별 조항의 우측 여백에 표기되어 있던 부제를 삭제하는 등 그 형식과 내용 면에서 약간의 차이가 있다.

1) 제1조

INSTITUTE CARGO CLAUSES (A)

RISKS COVERED

Risks

1. This insurance covers all risks of loss of or damage to th subject-matter insured except as excluded by the provisions of Clauses 4, 5 6 and 7 below.

ICC(A)

담보위험

위험

제1조 이 보험은 아래의 제4조, 제5조, 제6조 및 제7조에 규정된 것을 제외하고 보험의 목적의 멸실 또는 손상의 일체의 위험을 담보한다.

해설

본 조항은 1982년 ICC와 같이 1963년 ICC(A/R 담보)를 계승하여 All Risks(A/R) 담보조건을 규정하는 것으로, 제4조부터 제7조까지의 면책사유에 해당되지 않는 한, 일체의 위험을 담보한다. 따라서 포괄책임주의를 채용하여 보험자는 일체의 해상위험(maritime perils)을 담보하는 취지이다. 다만 제4조, 제5조, 제6조 및 제7조의 면책사유에 의해 생긴 손해에 대해서는 보상책임이 면제된다

INSTITUTE CARGO CLAUSES (B)

RISKS COVERED

Risks

1. This insurance covers, except as excluded by the provisions of Clauses 4, 5, 6 and 7 below,
   1.1 loss of or damage to the subject-matter insured reasonably attributable to
      1.1.1 fire or explosion
      1.1.2 vessel or craft being stranded grounded sunk or capsized
      1.1.3 overturning or derailment of land conveyance
      1.1.4 collision or contact of vessel craft or conveyance with any external object other than water
      1.1.5 discharge of cargo at a port of distress
      1.1.6 earthquake volcanic eruption or lightning,
   1.2 loss of or damage to the subject-matter insured caused by
      1.2.1 general average sacrifice
      1.2.2 jettison or washing overboard
      1.2.3 entry of sea lake or river water into vessel craft hold conveyance container or place of storage,
   1.3 total loss of any package lost overboard or dropped whilst loading on to, or unloading from, vessel or craft.

ICC(B)

담보위험

위험

제1조 이 보험은 아래의 제4조, 제5조, 제6조 및 제7조에 규정된 것을 제외하고 다음의 것을 담보한다.

1.1 아래의 사유에 합리적으로 기인하고 있는 보험의 목적의 멸실 또는 손상

1.1.1 화재 또는 폭발

1.1.2 선박 또는 부선의 좌초, 교사, 침몰 또는 전복

1.1.3 육상운송용구의 전복 또는 탈선

1.1.4 선박, 부선 또는 운송용구의 물이외의 일체의 다른 물체와의 충돌 또는 접촉

1.1.5 피난항에서의 화물의 양하

1.1.6 지진, 분화 또는 낙뢰

1.2 아래의 사유로 인한 보험의 목적의 멸실 또는 손상

1.2.1 공동해손희생손해

1.2.2 투하 또는 갑판유실

1.2.3 선박, 부선, 선창, 운송용구, 컨테이너, 리프트 밴[145] 또는 보관장소에의 해수, 호수, 강물의 유입

1.3 선박 또는 부선에의 적재 또는 그들로부터의 양하 중 바다에 떨어지거나 낙하에 의한 포장당 1개마다의 전손

* 밑줄 친 부분은 아래의 (C)약관에서는 담보되지 않는다.

해설

(B)약관의 위험조항은 열거책임주의(named perils)를 채용하여 제4조 내지 제7조의 면책사유에 발생한 것이 아닌 한 열거된 각종 위험을 담보한다. (B)약관의 위험조항은 세 부분으로 나누어 담보위험을 열거하고 있다.

첫 번째 범주는 제1조 제1항의 화재, 폭발, 좌초 등 6가지 사유에 '합리적으로

145) ISO에서 정한 정형적인 컨테이너 종류로는 예컨대 20피트(TEU), 40피트(FEU)의 컨테이너가 있는데, 여기서 말하는 리프트 밴이란 이와 같이 ISO에서 규정한 크기 이외의 모든 컨테이너를 총칭하여 부르는 말이다.

기인하는(reasonably attributable)' 손해이며, 부연하면 근인의 인과관계의 검증이 불필요한 위험으로 손해의 원인이 보험계약에 의해 담보되는 위험에 합리적으로 기인할 수 있으면 된다.

두 번째 범주는 제1조 제2항의 공동해손희생손해, 투하 등 3가지 사유로 '인해 발생된(caused by)' 손해이며, 근인의 인과관계의 검증이 적용되어야 할 위험이 열거되어 있다. 여기서는 피보험자가 손해가 발생한 사실뿐 아니라 손해의 원인도 명백히 할 것이 요구된다.

세 번째 범주는 제1조 제3항의 sling loss에 의한 손해인데, 피보험자는 낙하한 포장이 실제로 선박에서 떨어져 전손으로 된 것을 증명할 필요가 있다.

한편 (B)약관은 (C)약관과 담보위험을 열거하고 있는 점에서 공통적인 면이 있지만 열거위험의 종류와 수량에 차이가 있고 (B)가 (C)보다 약간 많다. 즉, (B)약관의 담보위험 중에는 (C)약관에서 담보되지 않는 여러 위험이 있고, 종전의 WA와 FPA의 보상범위의 차이보다도 크게 되어 있다. WA와 FPA의 보상범위의 주요한 차이점은 '악천후(heavy weather)에 의한 해수손의 분손' 을 WA에서는 담보하지만, FPA에서는 이를 담보하지 않는 것으로 그 차이는 비교적 근소하였다.

2009년 ICC의 (B)조건은 1982년 ICC의 (B)조건의 담보위험을 그대로 계승하고 있다.

INSTITUTE CARGO CLAUSES (C)

RISKS COVERED

Risks

1. This insurance covers, except as excluded by the provisions of Clauses 4, 5, 6 and 7 below,
   1.1 loss of or damage to the subject-matter insured reasonably a attributable to
      1.1.1 fire or explosion
      1.1.2 vessel or craft being stranded grounded sunk or capsized
      1.1.3 overturning or derailment of land conveyance
      1.1.4 collision or contact of vessel craft or conveyance with any external object other than water
      1.1.5 discharge of cargo at a port of distress,
   1.2 loss of or damage to the subject-matter insured caused by
      1.2.1 general average sacrifice
      1.2.2 jettison

ICC(C)

담보위험

위험

제1조 이 보험은 아래의 제4조, 제5조, 제6조 및 제7조에 규정된 것을 제외하고 다음의 것을 담보한다.

1.1 아래의 사유에 합리적으로 기인하고 있는 보험의 목적의 멸실 또는 손상

1.1.1 화재 또는 폭발

1.1.2 선박 또는 부선의 좌초, 교사, 침몰 또는 전복

1.1.3 육상운송용구의 전복 또는 탈선

1.1.4 선박, 부선 또는 운송용구의 물 이외의 일체의 다른 물체와의 충돌 또는 접촉

1.1.5 피난항에서의 화물의 양하

1.2 아래의 사유로 인한 보험의 목적의 멸실 또는 손상

1.2.1 공동해손희생손해

1.2.2 투하

해설

(C)약관의 위험조항은 열거책임주의를 채택하고 있는 점은 (B)약관과 동일하지만, 담보조건을 두 부분으로 나누어 규정하고 있다.

첫 번째 범주의 담보위험에는 (B)약관의 담보위험 중 지진, 분화 또는 낙뢰가 열거되어 있지 않다.

두 번째 범주의 담보위험에는 (B)약관의 담보위험 중 ① 갑판유실과 ② 선박, 부선, 선창, 운송용구, 컨테이너, 리프트 밴 또는 보관장소에의 해수, 호수, 강물의 침입이 열거되어 있지 않다.

(C)약관에서는 (B)약관의 세 번째 범주의 위험이 열거되지 않아, 선박 또는 부선에의 적재 또는 그들로부터의 양하 중 바다에 떨어지거나 낙하에 의한 포장당 1개마다의 전손은 담보되지 않는다.

2009년 ICC (C)약관은 1982년 ICC (C)약관의 담보위험을 그대로 계승하고 있다.

참고로 (A)·(B)·(C) 각 약관의 담보위험을 정리하면 다음의 〈표 9-3〉과 같다.

〈표 9-3〉 (A) · (B) · (C) 각 약관의 담보위험 일람표 (○는 담보, ●는 면책)

담보위험	A	B	C
◎ 아래의 사유에 상당인과관계가 있는 보험 목적물의 멸실 · 손상			
- 화재 또는 폭발	○	○	○
- 본선 또는 부선의 좌초 · 교사 · 침몰 · 전복	○	○	○
- 육상운송용구의 전복 · 탈선	○	○	○
- 본선 · 부선 · 운송용구의 충돌 · 접촉	○	○	○
- 피난항에서의 화물의 하역	○	○	○
- 지진 · 화산의 분화 · 낙뢰	○	○	●
◎ 아래의 사유로 생긴 보험 목적물의 멸실 · 손상			
- 공동해손희생손해	○	○	○
- 투하	○	○	○
- 갑판유실	○	○	●
- 선박 · 부선 · 선창 · 운송용구 · 컨테이너 · 리프트 밴 · 보관장소에 해수, 호수, 강물의 침입	○	○	●
- 선박 · 부선으로의 선적 또는 하역작업 중 바다에 떨어지거나 갑판에 추락한 포장당 1개마다의 전손	○	○	●
◎ 상기 이외의 보험 목적물에 발생한 멸실 · 손상 일체의 위험	○	●	●
◎ 공동해손 · 구조료(면책위험에 관련된 것은 제외됨)	○	○	○
◎ 쌍방과실충돌	○	○	○

2) 제2조

General Average

2. This insurance covers general average and salvage charges, adjusted or determined according to the contract of carriage and/or the governing law and practice, incurred to avoid or in connection with the avoidance of loss from any cause except those excluded in Clauses 4, 5, 6 and 7 below.

공동해손

제2조 이 보험은 제4조, 제5조, 제6조 및 제7조 혹은 이 보험의 다른 조항에서 제외된 원인을 제외한 일체의 원인에 의한 손해를 피하기 위해 또는 피하는 것과 관련하여 발생되고, 해상운송계약 및/또는 준거법 및 관습에 따라 정산되거나 결정된 공동해손 및 구조비를 보상한다.

해설

본 조항은 공동해손에 관한 조항이다. 공동해손은 해상보험과는 별개의 제도이고, 선박의 좌초, 충돌, 화재 등의 사고에 의해 선박과 화물이 공동의 위험에 처한 때, 이 공동의 위험을 면하기 위해 선장의 판단으로 임의로 선박 또는 화물의 일부를 희생하는 경우와 구조비 등의 비용을 지출한 경우에 공동해손행위가 성립한다. 그 결과 화물이 입은 희생(공동해손희생손해) 및 화물이 분담하게 되는 비용(공동해손비용)은 본 조항에 의해 지급된다. 한편 희생에 대하여는 공동해손의 정산을 기다리지 않고 보상된다.

3) 제3조

Both to Blame Collision Clause

3. This insurance indemnifies the Assured, in respect of any risk insured herein, against liability incurred under any Both to Blame Collision Clause in the contract of carriage. In the event of any claim by carriers under the said Clause, the Assured agree to notify the Insurers who shall have the right, at their own cost and expense, to defend the Assured against such claim.

쌍방과실충돌조항

제3조 이 보험은, 이 보험의 일체의 담보위험에 관하여, 운송계약의 쌍방과실충돌조항에 의해 피보험자가 부담하는 책임액을 보상한다. 상기 조항에 의해 운송인으로부터 청구를 받았을 경우에 피보험자는 그 취지를 보험자에게 통지할 것을 약속한다. 보험자는 자기의 비용으로 운송인의 청구에 대하여 피보험자를 보호할 권리를 가진다.

해설

본 조항은 선하증권상 같은 명칭의 쌍방과실충돌조항이 삽입되어 있는 경우 발생되는 피보험자의 불이익을 보호하기 위하여 제정된 조항이다. 즉, 화주는 선박의 충돌로 인해 발생된 적하의 손해에 대하여 선하증권의 조항에 의해 자기 선박의 선주에게 손해 배상청구를 할 수 없으나 충돌사고의 정산과정에서 자기 선박의 선주가 결과적으로 상대 선주를 통하여 화주에게 간접적으로 배상하는 효과를 갖게 된다.

따라서 선주는 선하증권의 쌍방과실충돌조항에 의해 결국 자기 선박의 적하에 대하여 부담한 손해를 자기 선박의 화주에게 청구할 수 있게 된다. 따라서 선하증권의 쌍방과실충돌조항에 의해 피보험자인 화주가 자기 선박의 선주에게 지급해야 할 금액을 보험자가 보상하도록 규정한 것이 본 조항의 목적이다. 2009년 약관에서는 평이화(平易化)의 관점에서 문구의 개정이 행해졌지만 1982년 약관과 내용적으로는 변경된 것이 없다.

4) 제4조

Exclusions

4. In no case shall this insurance cover

4.1 loss damage or expense attributable to wilful misconduct of the Assured

4.2 ordinary leakage, ordinary loss in weight or volume, or ordinary wear and tear of the subject-matter insured

4.3 loss damage or expense caused by insufficiency or unsuitability of packing or preparation of the subject-matter insured to withstand to withstand the ordinary incidents of the insured transit where such packing or preparation is carried out by the Assured or their employees or prior to the attachment of this insurance (for the purpose of these Clauses "packing" shall be deemed to include stowage in a container and "employees" shall not include independent contractors)

4.4 loss damage or expense caused by inherent vice or nature of the subject-matter insured

4.5 loss damage or expense caused by delay, even though the delay be caused by a risk insured against (except expenses payable under Clause 2 above)

4.6 loss damage or expense caused by insolvency or financial default of the owners managers charterers or operators of the vessel where, at the time of loading of the subject-matter insured on board the vessel, the Assured are aware, or in the ordinary course of business should be aware, that such insolvency or financial default could prevent the normal prosecution of the voyage

This exclusion shall not apply where the contract of insurance has been assigned to the party claiming hereunder who has b bought or agreed to buy the subject-matter insured in good faith under a binding contract

4.7 deliberate damage to or deliberate destruction of the subject-matter insured or any part thereof by the wrongful act of any person or persons

4.8 loss damage or expense directly or indirectly caused by or arising from the use of any weapon or device employing atomic or nuclear fission and/or fusion or other like reaction or radioactive force or matter.

일반면책조항

제4조 이 보험은 어떠한 경우에도 다음의 손해를 보상하지 않는다.

4.1 피보험자의 고의의 비행에 기인한 멸실, 훼손 또는 비용

4.2 보험의 목적의 통상의 누손, 중량 또는 용적의 통상의 감소 및 자연소모

4.3 이 보험의 대상으로 되는 운송에 통상 발생하는 사건에 견딜 수 있는 보험의 목적의 포장 또는 준비가 불충분하거나 부적합하여 생기는 멸실, 훼손 또는 비용. 다만 그러한 포장 또는 준비가 피보험자 또는 그 사용인에 의해 행해진 경우 또는 이 보험의 개시 전에 행해진 경우에 한한다(이 조항에서 '포장' 에는 컨테이너에 적부하는 것을 포함하고, '사용인' 에는 독립계약자를 포함하지 아니한다).

4.4 보험의 목적의 고유의 하자 및 성질에 의해 발생하는 멸실, 훼손 또는 비용

4.5 지연이 피보험위험에 의하여 생긴 경우라도 지연에 의해 발생하는 멸실, 훼손 또는 비용(상기 제2조에 의하여 지급되는 비용은 제외함)

4.6 선박의 소유자, 관리자, 용선자 또는 운항자의 지급불능 또는 재정상의 채무불이행으로 발생하는 멸실, 훼손 또는 비용. 다만, 보험의 목적을 선박에 적재할 때 피보험자가 그러한 지급불능 또는 재정상의 채무불이행이, 그 항해의 통상의 수행을 방해할 수 있다는 것을 알고 있든가 또는 통상의 업무상 당연히 알고 있어야 할 경우에 한한다.

이 면책규정은 구속력 있는 계약에 따라 선의로 보험의 목적을 구입한 자 또는 구입하는 것에 동의한 자에게 보험계약이 양도되어, 그 자가 보험에 의해 보험금을 청구하는 경우에는 적용되지 아니한다.

4.7 보험의 목적 또는 그 일부에 대한 어떤 자의 불법행위에 의한 의도적인 손상 또는 파괴(이 항은 (B), (C)약관에서는 적용되지만 (A)약관에서는 적용되지 않는다)

4.8 원자력 또는 핵 분열 및/또는 융합 또는 기타 이와 유사한 반응 또는 방사능이나 방사성물질을 이용한 무기 또는 장치의 사용에 의해 발생하는, 또는 그것들의 사용에서 생기는 멸실, 훼손 또는 비용

해설

본 조항은 ICC(A), (B) 및 (C)의 공통조항인 일반면책조항(General Exclusions Clause)이다. 다만, (A)약관의 경우는 (B), (C)약관의 경우와 비교하면 약간 다르다. 즉, (A)약관의 면책사유는 7항목인데, (B), (C)약관의 경우는 불법행위에 의한 손해(악의적 손해)의 면책이 추가되어 8항목((A)약관의 일반면책조항의 제4조 제6항의 선박회사 도산 면책규정 다음에 악의적 손해면책규정이 제4조 제7항으로, 제4조 제7항의 원자력 위험 면책규정이 제4.8로서 규정됨)이다.

면책사항의 대부분은 MIA 중의 중요사항을 다시 기술하여 피보험자에게 주의를 환기하고 있는 것에 불과하고, 새로운 규정은 4.6항, 4.7항 및 4.8항이다.

4.1항은 MIA 제55조 제2항 제(a)호에 같은 취지의 규정이 있다.

4.2항은 MIA 제55조 제2항 제(c)호에 규정되어 있는 면책사유를 도입한 것이다. 이 조항에서 MIA에 규정되어 있는 통상의 파손 및 쥐 또는 벌레에 근인하여 생긴 손해에 대해서 규정하지 않고, 반대로 MIA에 없는 통상의 중량 또는 용적의 부족을 규정한 것은 현재의 무역화물에 대하여 발생하기 쉬운 사항을 반영한 것으로 볼 수 있겠다.

4.3항은 포장 또는 준비(preparation)의 불충분 또는 부적절을 면책으로 하고 있다. 이는 불완전한 포장 또는 준비가 피보험자 또는 그 사용인에 의하여 행하여지는 경우, 또는 불완전한 포장 또는 준비가 위험의 개시 전에 행하여지는 경우에 한정되며, 위험개시 후에 피보험자 또는 그 사용인 이외의 자가 행한 불완전한 포장 또는 준비는 면책범주에서 제외된다. 따라서 위험개시 후의 다른 사람에 의한 컨테이너에의 적재작업의 불충분 또는 부적절은 면책으로 되지 않는다.

4.4항은 MIA 제55조 제2항 제(c)호에 규정되어 있는 면책사유를 도입한 것이다.

4.5항은 MIA 제55조 제2항 제(b)호에 규정되어 있는 면책사유를 도입한 것으로, 지연이 피보험위험에 의하여 생긴 경우라도 해당지연으로 생긴 손해를 면책한다는 규정이다. 1982년 약관에서는 '지연에 근인하여 생긴(proximately caused by)' 으로 되어 있었는데, 2009년 약관에서는 proximately가 삭제되어 '지연에 의해 생긴(caused by)' 으로 변경되었지만, 보험자의 면책범위를 다소 확대하였다.

4.6항은 협회적하약관에 새로 도입된 것으로 선박회사의 도산위험에 대한 면책을 규정하고 있다. 선박회사도산면책은 1982년 ICC에 도입되어, 선주 등의 지급불능 등에서 생기는 손해, 비용을 일체면책으로 한 규정이었는데, 2009년 약관에서는

내용이 완화되어, 피보험자가 선주 등의 지급불능 또는 재정상의 채무불이행이, 그 항해의 통상의 수행을 방해할 수 있다는 것을 알고 있든가 또는 통상의 업무상 당연히 알고 있어야 할 경우에 한하여 면책이 적용되는 것으로 하였고, 또 보험증권의 배서양도를 받은 자는 운송인을 선택하는 입장에 있지 않으므로 증권양수인에게는 본 면책이 적용되지 않는 취지가 명시되었다.

4.7항은 협회적하약관에 신설된 것으로 악의적 손해면책규정이다. 이는 (B), (C) 약관에만 적용되며 (A)약관에는 적용되지 않는다. 가해자가 누구든지 그 불법행위에 의해 의도적으로 화물을 손상 또는 파괴한 경우(악의적 손해)를 면책한 것이다. 그러나 악의적 손해의 담보를 요구하는 피보험자를 위해 협회 악의적 손상조항(Institute Malicious Damage Clause)이 제정되어 있다.

4.8항은 원자력 병기의 사용에 의한 손해를 면책하는 취지로, 전쟁목적의 원자핵 병기 사용은 협회전쟁약관에서 종래부터 면책되어 있어 이 조항의 면책은 그것 이외의 원인 내지 목적, 예컨대 범죄목적, 실험목적의 원자력 병기사용이나 관리 잘못으로 인한 우발적인 폭발도 면책으로 하는 취지이다.

한편 제4조의 보험자 면책과 관련하여 의미 있는 개정이 이루어진 조항은 포장 · 준비불충분면책(제4조 제3항), 지연면책(제4조 제5항), 파산 · 채무불이행면책(제4조 제6항) 및 핵무기 · 핵장치위험면책(제4조 제7항)이고, 이들 조항과 관련하여 주요 개정내용을 살펴볼 필요가 있다.

① 포장 · 준비불충분면책(제4조 제3항)

포장 · 준비불충분면책과 관련하여 개정 조항의 주요 특징은 다음과 같다. 첫째, 개정조항에서는 (1) 포장 · 준비가 수행된 시점에 상관없이, 피보험자 또는 그의 피고용인이 포장이나 준비에 대한 책임을 부담한 경우, 또는 (2) 위험의 개시 전에 포장이나 준비가 행하여진 경우에 한정하여 포장 · 준비의 불충분에 기인한 손해에 대하여 보험자가 면책된다. 1982년 ICC의 입장과는 달리, 개정조항하에서는 포장이나 준비가 보험이 개시된 후, 제3자(예컨대 포장업자)에 의하여 행하여진 경우, 불량한 포장이나 준비에 기인하여 발생한 손해는 보험자의 책임범주에 포함된다. 다만, 불량한 포장이 해당 보험의 개시 전에 수행된 경우라면, 포장이 제3자에 의하여 수행되었더라도, 불량한 포장이나 준비에 기인하여 발생한 손해는 보험자의 책임범주에서 제외된다.

둘째, 개정조항에서는 컨테이너에 대한 화물적부와 전통적인 포장이 동일하게 취급된다. ICC 1982 제4조 제3항에서는 포장불충분과 관련하여 전통적인 포장과 컨테이너에 대한 화물적부를 구분하는 면책요건을 설정한 반면, 개정조항에서는 '포장(packing)' 이 컨테이너에 대한 화물의 적부를 포함하는 개념으로 간주하고, 포장불충분과 관련하여 전통적인 포장과 컨테이너에 대한 적부에 대하여 동일한 면책기준을 적용한다. 따라서 과거 컨테이너에 대해서만 제한적으로 적용되었던 협소한 의미의 보험자면책요건, 즉 포장이 피보험자 또는 그의 사용인에 의하여 행하여지거나, 또는 위험의 개시 전에 행하여진 경우에 한하여 보험자 면책이 적용된다는 제한요건이 개정조항에서는 일체의 포장에 적용됨으로써, 상대적으로 보험자의 면책범위가 축소되었다. 한편 이러한 개정으로 인하여 개정 전 포장불충분면책조항과 관련하여 '면책에 대하여 예외를 설정하는 접근법(exception to an exclusion approach)' 이 채택됨으로써, 지나치게 복잡하고 난해하다는 비판을 해소하게 되었다.

마지막으로 개정조항에서는 '피보험항해에서 통상적으로 발생하는 사고를 감당할 정도' 라는 문언이 추가됨으로써, 포장 또는 준비의 불충분 · 부적합에 대한 판단기준을 제시하고 있다. 개정조항에서 '포장' 이나 '준비' 는 피보험운송 중 보험목적물의 안전한 운송과 결합된 상태로서 평가되어야 한다. 이 조항에서 설정하고 있는 기준에 의하면, 포장이나 준비가 '피보험운송에서 통상적으로 발생가능한 사고를 감당할 정도' 로 충분하거나 적합하다고 판명되는 경우, 보험자의 면책이 적용되지 않는다.

② 지연면책(제4조 제5항)

개정조항에서는 'proximate' 라는 단어가 삭제됨으로써,[146] 지연면책과 관련하여 영국 보험법상 근인의 결정원칙에 대한 불확실성을 제거하고, 또한 보험자에게 보다 광범위한 면책기회를 제공하고자 의도한다. 현대기업은 '적시(just-in-time)' 물류관리전략에 의하여 최소한의 재고만을 유지하려고 노력하지만, 적절한 재고가 유지되지 않는 경우에는 기업이 심각한 위험에 노출될 수 있다. 이러한 현대기업의 물류관리 형태를 반영하여 항해지연과 관련한 보험자의 면책범위가 과거보다 광범위하게 설정되었으나, 이러한 의도의 성공 여부는 의문으로 남는다.

---

146) 약관의 개정과정에서 보험자 측은 'attributable to' 라는 용어의 사용을 제안하였다(JCC Circular No. JC 2008/08). 이 문언은 특히, 고의적인 불법행위와 관련하여 MIA 1906 제55조 (2)항 (a)호에서 사용되고 있고, 또한 근인에 관한 결정원칙을 변경시키는 효과를 갖는다. 그러나 전 세계 보험시장 및 런던 보험중개인협회와의 협의 결과, 'attributable to' 라는 표현이 불확실성을 초래한다는 이유로 개정작업부는 최종적으로 사용하지 않기로 결정하였다.

③ 파산 · 채무불이행면책(제4조 제6항)

ICC 2009의 파산면책조항은 1983년 협회동업자약관(Institute Commodity Trades Clauses; ICTC) 제4조 제6항을 원용하여 대폭 개정되었으며, 개정조항을 구체적으로 분석하자면 다음과 같다. 첫째, ICC 개정 전 면책조항과 마찬가지로 개정조항에서 보험자면책은 "화물운송선박의 소유자, 관리자, 용선자 또는 운항자" 로 한정되는 해상운송인의 파산 또는 금전채무불이행에 기인하는 손해에 한정하여 적용된다. 최근 해상보험의 담보범위가 육상운송 및 창고의 보관기간 동안 발생하는 위험으로 확장되는 추세를 보이고 있으나, 육상의 창고관리자, 기타 수탁인 또는 육상운송인의 파산에 기인하는 손해는 제4조 제6항의 면책범주에 포함되지 않는다.

둘째, 화물적재 시 피보험자가 선주 등의 파산 또는 금전채무불이행으로 인하여 정상적인 항해의 수행이 저해될 수 있다는 사실을 인지하였거나, 또는 통상적인 업무과정상 인지했어야만 하는 경우에만 보험자면책이 적용된다. 전술한 JC 93하에서 보험자가 면책을 주장하기 위하여 선주 등의 파산이 손해의 원인이라는 사실을 입증해야 하는 반면, 피보험자는 보험자의 면책적용을 배제하기 위해서는 일체의 합리적 · 실행가능한 · 신중한 조치를 취하였다는 사실을 입증해야만 한다. 개정조항하에서 보험자는 면책을 주장하기 위하여 해당 파산 또는 채무불이행이 손해의 원인이라는 사실 및 피보험자의 인지 사실을 모두 입증해야 하는 부담을 안게 된다. 보험자의 입장에서 볼 때, 이러한 입증책임은 상당한 부담으로 작용한다. 이 조항에서 피보험자가 해상운송인의 재정적 상태 또는 신뢰도가 의심스럽다는 사실을 인지한 상태에서 해당 해상운송인과 운송계약을 체결한 경우에 한정하여 보험자면책이 적용되기 때문에 개정조항상 보험자면책은 상당히 협소한 범위 내에서만 적용가능한 면책으로 변경되었다.

셋째, 파산면책과 관련하여 협소한 의미의 보험자면책은 보험금청구자가 구속력 있는 계약에 의거하여 선의로써 보험목적물을 매입한 보험계약의 양수인인 경우,[147] 보험자의 면책이 인정되지 않기 때문에 이 조항상 보험자면책은 더욱 제한된 의미의 면책으로서 작용한다.[148]

---

147) 계약이 양도되는 경우(assignment of contract), 일반적인 법원칙으로서 계약상 권리(right) 또는 편익(benefit)은 양도가능하지만, 계약상 책임(의무)은 양도될 수 없다. 한편 제3자인 양수인의 동의하에서 계약당사자가 명시적 또는 묵시적으로 양도가능한 것으로 합의하는 경우, 계약상 책임도 양도 가능하다.

148) '구속력 있는 계약(binding contract)' 이란 용어는 매매계약상 매도인이 손해의 발생 후에 보

넷째, 이 조항에서는 파산에 근인하여 초래된 손해만이 면책된다는 근인주의를 더욱 명확히 하기 위하여 1982년 ICC 파산면책조항상 사용된 'arising from' 이라는 표현이 'caused by' 라는 표현으로 변경되었다. 1982년 ICC상 파산면책조항에서 사용된 'arising from' 이란 표현은 파산에 직접적으로 기인하는(directly caused) 손해뿐만 아니라, 간접적으로 기인하는(indirectly arising from) 손해를 보험자의 면책범주에 포함시키려는 의도로 사용된 것이라는 주장이 제기되기도 한다. O' May[149] 및 Arnould[150]는 두 가지 표현 모두 '근인으로써 초래된(proximately caused)' 과 동일한 의미를 갖는다는 일치된 견해를 취하는 반면, Goodacre는 'arising from' 이 'caused by' 보다 더욱 광범위한 의미로 사용된다는 견해를 취하고 있다.[151] Goodacre의 견해가 비록 판례에 의하여 지지된 사례는 없으나, 보험시장 및 보험실무계에서 이해되고 있는 의미와 일치되는 것으로 생각된다. 따라서 동업자약관상 파산면책조항에서는 보험자면책과 관련하여 근인주의가 적용된다는 입장, 즉 파산을 근인으로 하여 초래된 손해만이 보험자의 면책범주에 포함된다는 입장을 명확히 하기 위하여 1982년 ICC에서 사용된 'arising from' 이란 표현이 'caused by' 란 표현으로 대체되었고, 이와 일관된 입장을 취한다는 점에서 'caused by' 란 표현이 개정조항에 채택되었다.

④ 핵무기 · 핵장치위험면책(제4조 제7항)

이 면책조항은 핵무기의 사용을 전쟁용으로 한정하지 않고, 핵무기의 사용에 기인한 손해가 보험자의 보상범주에서 배제된다는 점을 명확히 하려는 의도로 1982년 약관에 신설되었다. 왜냐하면 전쟁위험과 관련되는 핵무기의 사용은 전쟁위험면책조항(1982년 ICC 제6조 제1항)에 의거하여 면책되고, 따라서 보험자의 입장에서는 전쟁용 이외의 목적으로 사용된 핵무기에 기인한 손해도 면책범주에 포함시킬 필요가 있었기 때문이다.

험계약을 양도하려는 시도를 방지하기 위한 의도로써 사용된 것이며, 또한 매도인이 부적합한 선박을 제공하였다는 이유로 인하여 계약의 이행이 거절될 수 있는 것으로 취급될 수 있는 매매계약에 대해서도 적용될 수 있다(D. O' May and J. Hill, *Marine Insurance: Law and Policy*, Sweet & Maxwell, 1993, p.230).

149) D. O' May and J. Hill, *Marine Insurance: Law and Policy*, Sweet & Maxwell, 1993, p.120.

150) J. Gilman, R. Merkin, C. Blanchard, J. Cooke, P. Hopkins and M. Templeman, *Arnould' s Law of Marine Insurance and Average(17th edn.)*, Sweet & Maxwell, 2008, para.22~20; Panamanian Oriental Steamship v. Wright(The "Anita") [1970] 2 Lloyd' s Rep. 365 ; [1971] 1 Lloyd' s Rep. 487(CA).

151) J. K. Goodacre, *Marine Insurance Claims*(3rd edn.), LLP, 1995, pp.293~294.

개정조항상 2가지 변화가 주목된다. 첫째, 위험과 손해 간 인과관계가 'indirectly' 라는 용어의 사용으로 인하여 확대되었다.[152] 이러한 용어의 추가는 핵무기 또는 핵장치의 사용이 손해의 일개 원인으로 작용하였지만 근인이라고 판명될 수 없는 경우에도 보상범주에서 해당 손해를 배제하는 효과를 갖는다. 둘째, 과거 조항상 '일체의 전쟁무기(any weapon of war)' 란 표현이 '일체의 무기 또는 장치(any weapons or device)' 라는 표현으로 변경됨으로써, 엄밀히 말해서 전쟁용으로 사용되지 않은 무기(예컨대 테러주의자에 의하여 사용되는 '방사능산포탄(dirty bomb: 변종 핵무기의 일종)' 과 같은 무기) 또는 기타 장치의 사용에 기인한 손해를 보험자책임에서 배제하는 효과를 갖는다.

한편 실무적인 관점에서 볼 때, 이러한 면책조항의 개정이 중요한 의미를 갖는다고 할 수는 없다. 왜냐하면 핵무기면책조항은 런던 재보험시장의 강요에 의하여 전세계 적하보험자가 사용하는 지상면책조항[153]에 의하여 무용화되었기 때문이다.

참고로 (A) · (B) · (C) 각 약관의 면책위험을 정리하면 다음의 〈표 9-4〉와 같다.

〈표 9-4〉 (A) · (B) · (C) 각 약관의 면책위험 일람표 (○는 담보, ●는 면책)

면책위험	A	B	C
○ 피보험자의 고의의 위법행위	●	●	●
○ 통상의 누손, 통상의 중량과 용적의 부족 또는 자연소모	●	●	●
○ 포장 또는 준비의 불충분 또는 부적절(다만 그것이 피보험자 또는 그 사용인에 의해 행해진 경우 또는 이 보험의 개시 전에 행해진 경우에 한한다. 여기서 '포장' 에는 컨테이너에 적부하는 것을 포함하고, '사용인' 에는 독립계약자를 포함하지 아니한다)	●	●	●
○ 보험의 목적물 고유의 하자 또는 성질	●	●	●
○ 지연이 담보위험에 의해 생긴 경우라도 지연으로 생긴 멸실 · 훼손 · 비용	●	●	●
○ 선주, 관리자, 용선자, 운항자의 파산 또는 재정상의 채무불이행	●	●	●
○ 보험의 목적 또는 그 일부에 대한 어떤 자의 불법행위에 의한 의도적인 손상 또는 파괴	○	●	●
○ 원자핵분열 및 원자핵융합, 핵반응 또는 방사능과 방사성물질을 이용한 병기사용에 의해 발생한 멸실 · 훼손 · 비용(핵무기사용)	●	●	●
○ 본선 · 부선의 감항능력결여 · 부적합(피보험자 또는 그 사용인이 알고 있는 경우에 한함)	●	●	●
○ 전쟁위험	●	●	●
○ 동맹파업위험	●	●	●

152) 사실상 이 조항에서 사용된 'arising from' 이란 표현은 'indirectly' 라는 문구의 추가로 인하여 불필요하게 되었지만, 개정과정에서 보험자들이 해당 문구의 삭제에 대하여 거부감을 표명함으로써 그대로 남게 되었다.

153) 1990년 런던 해상보험시장은 Radioactive Contamination Exclusion Clause(1/10/90)라고 알려

5) 제5조

5. 5.1 In no case shall this insurance cover loss damage or expense arising from
   5.1.1 unseaworthiness of vessel or craft or unfitness of vessel or craft for the safe carriage of the subject-matter insured, where the Assured are privy to such unseaworthiness or unfitness, at the time the subject-matter insured is loaded therein.
   5.1.2 unfitness of container or conveyance for the safe carriage of the subject-matter insured, where loading therein or thereon is carried out prior to attachment of this insurance or by the Assured or their employees and they are privy to such unfitness at the time of loading.
   5.2 Exclusion 5.1.1 above shall not apply where the contract of insurance has been assigned to the party claiming hereunder who has bought or agreed to buy the subject-matter insured in good faith under a binding contract.
   5.3 The Insurers waive any breach of the implied warranties of seaworthiness of the ship and fitness of the ship to carry the subject-matter insured to destination.

제5조

5.1 이 보험은 어떠한 경우에도 다음 사유로 인해 발생하는 멸실, 손상 또는 비용을 보상하지 않는다.

5.1.1 선박 또는 부선의 감항능력결여, 또는 보험의 목적의 안전한 운송에 부적합한 경우. 다만, 보험의 목적이 이러한 운송용구에 적재된 때에 피보험자가 그 감항능력결여 또는 부적합을 알고 있을 경우에 한한다.

5.1.2 컨테이너 또는 운송용구가 보험의 목적의 안전한 운송에 부적합한 경우. 다만, 이들 운송용구에의 적재가 이 보험의 위험개시 전에 행해진 경우, 또는 피보험자 또는 그 사용인에 의해 행해지고 또한 이들이 적재 시에 부적합한 것을 알고 있는 경우에 한한다.

진 핵 관련 위험에 대한 지상면책조항을 도입하였고, 2002년 Extended Radioactive Contamination Exclusion Clause(1/11/02)로 개정됨으로써 보험자의 면책범위는 약관의 명칭 그대로 확대되었다. 이 조항은 2003년 보험자의 면책을 보다 광범위하게 설정한 Radioactive Contamination, Chemical, Biological, Bio-Chemical and Electromagnet Weapons Exclusion Clause(10/11/03; CL 370)로 대체되어 현재까지 사용되고 있다. 이 약관은 테러리스트의 공격과 관련하여 적하위험이 보다 악화되는 것을 우려한 재보험자의 압력 결과, 현재 전 세계 적하보험자에 의하여 일반적으로 사용되고 있다.

5.2 상기 5.1.1의 면책규정은 구속력 있는 계약에 따라 선의로 보험의 목적을 구입한 자 또는 구입하는 것에 동의한 자에게 이 보험계약이 양도되고, 그 자가 이 보험에 의해 보험금을 청구하는 경우에는 적용되지 않는다.

5.3 보험자는 선박의 감항성 및 보험의 목적을 목적지로 운송하기 위한 선박의 적합성에 대한 묵시담보의 위반에 대하여 보험자의 권리를 포기한다. 다만, 피보험자 또는 그 사용인이 그러한 감항능력결여 또는 부적합을 알지 못한 경우에 한한다.

해설

① 제5조 제1항

제5조 제1항상 'arising from' 이란 문구는 이 조항상 보험자면책이 적용되기 위해서는 감항능력결여 · 부적합 사실과 손해 간 인과관계가 존재해야 한다는 점을 강조하기 위하여 사용되었다. 이 문구는 아마도 인과관계에 관한 일반원칙(즉, 근인주의)이 적용된다는 의미로 사용되는 'caused by' 와 동일한 의미로 사용된 것으로 생각되나, 작성자의 의도가 충분히 명확한 것은 아니다.

제5조 제1항 제1호에서는 화물의 안전한 운송을 위한 요건으로서 선박의 감항성 및 적합성을 규정함으로써, MIA 제39조 제(1)항 및 제40조 제(2)항에서 규정하고 있는 묵시담보를 반영한다. 다만 이 조항에서의 보험자면책은 MIA상 묵시담보와는 달리, 적재 시 피보험자가 선박의 감항능력결여 또는 부적합을 '인지한(privy)'[154] 경우에 한정하여 적용된다.

제5조 제1항 제2호는 1983년 ICTC상 동 조항을 원용하여 작성되었다. 이 조항에서는 화물운송을 위하여 사용되는 컨테이너 또는 운송용구의 부적합에 기인하여

154) 이 책에서는 '못 본 체하기(turning a blind eye)' 에 해당하는 'privity' 를 '인지' 라고 번역해도 무방하리라 생각된다. 왜냐하면 영국 판례법상 최초로 'privity' 에 대한 해석기준을 제공하고 있는 *Compania Maritima San Basilio SA v. Oceanus Mutual Underwriting Association (Bermuda) Ltd. (The Eurythenes)*([1977] 1 Q.B. 49 ; [1976] 2 Lloyd' s Rep. 171(CA)) 사건에서 'privity' 라는 용어는 '인지(knowledge)' 의 범주에 포함된다고 판결되었기 때문이다. 이 사건에서 항소법원은 '인지(knowledge)' 라는 개념이 적극적인 인지(positive knowledge)뿐만 아니라, '못 본 체하기(turning a blind eye)' 와 같은 추정적인 인지(constructive knowledge)를 포함하는 개념이라고 판결하였다. 따라서 어렴풋이 진실을 인지한 자가 그러한 사실을 못 본 체하고, 더 이상의 확인절차를 진행하지 않음으로써, 결국에는 진실을 명확하게 인지하지 못하였다면, 그러한 자는 진실을 인지한 것으로 간주되어야 한다. 다른 한편으로 태만(negligence)으로 인하여 진실을 알지 못한 경우는 진실을 인지하지 못한 것으로 간주된다.

발생하는 손해는 보험자의 면책범주에 포함된다는 사실을 규정하고 있고, 이 조항의 면책은 포장불충분면책(제4조 제3항)과 병행하여 적용된다. 이 조항에서 규정하고 있는 보험자면책은 컨테이너 또는 운송용구에 대한 화물의 적재가 (1) 보험의 개시 전에 수행되거나, 또는 (2) 피보험자 또는 그의 피고용인에 의하여 수행되고, 또한 적재 시에 해당 부적합 사실을 '인지한(privy)' 경우에 한정하여 적용된다.

이 조항의 의미를 보다 구체적으로 분석하자면 다음과 같다. 첫째, 이 조항에서는 과거 조항에서 존재하지 않았던 규정으로서, 부적합한 컨테이너 또는 운송용구에 대한 화물의 적재가 보험의 개시 전에 수행된 경우, 보험자는 면책된다고 규정하고 있다. 한편 컨테이너에 대한 적재가 포장불충분면책조항(제4조 제3항)상 '포장'에 해당하는 경우, 개정 조항과 과거 조항 사이에 차이점은 거의 존재하지 않는다. 왜냐하면 결함 있는 컨테이너에 대한 적재는 포장의 불충분으로 간주될 것이고, 이는 보험자의 면책사유를 구성하기 때문이다.

둘째, 이 조항상 보험자면책은 '인지(privity)' 요구에 의하여 제한되며, 이러한 규정은 MIA 제39조 제5항의 규정을 반영한 것이다.[155) 보험자는 이 조항에 의거하여 보험금지급을 거절하기 위해서는 피보험자 또는 그의 피고용인이 화물적재 시 선박의 감항능력결여 · 부적합을 인지하였다는 사실을 입증해야 할 의무를 부담한다.

셋째, 제5.1.1조상 선박의 감항능력결여와 관련하여 인지의 주체는 피보험자로 한정되는 반면, 제5.1.2조상 컨테이너 또는 운송용구의 부적합과 관련하여 피고용인이 인지의 주체에 추가됨으로써 제5.1.1조에 비하여 보험자의 면책요건은 확대되었다. 제5.1.1조 및 제5.1.2조상 인지의 주체를 달리 규정하는 것은 운송과 관련한 무역실무계의 현실을 반영한 것이다. 왜냐하면 선급 및 선령과 같이 선박의 감항능력결여에 관련되는 정보는 선박에 관계되는 공식정보로서, 피보험자로 대표되는 기업의 상위경영층에 의하여 인지될 수 있는 정보인 반면, 컨테이너 또는 운송용구의 상태에 대한 적합성 여부는 화물이 트럭이나 컨테이너에 적재될 당시에 적재현장(예컨대 공장, 창고 또는 기타 보관장소 등)에서 적재업무를 담당하는 기업의 하위관리층에 의하여 인지 또는 확인될 수 있는 정보이기 때문이다. 이 조항과 관련하여 피보험자의 '피고용인'은 피보험자와의 고용계약에 의하여 고용관계에 있는 일체의 종업원을 포함하는 개념이지만, 단지 피보험자와의 도급계약에 의하여 수

155) MIA 제39조 제(5)항: … 그러나 피보험자가 인지하고서 선박을 감항능력결여 상태로 취항케 하였을 경우, 보험자는 감항능력결여에 기인하는 일체의 손해에 대하여 책임을 부담하지 않는다.

급자(또는 하도급자)로서의 지위를 갖는 용선대리인(chartering agent) 또는 운송주선업자(freight forwarder)는 피고용인의 범주에 포함되지 않는다.

② 제5조 제2항

제5조 제2항에서는 구속력 있는 계약에 의거하여 선의로써 보험목적물을 매입하거나 매입하기로 약정한 보험계약의 양수인에 대해서는 제5조 제1항상 보험자면책이 적용되지 않는다고 규정한다. 개정조항은 ICTC 제5조 제2항을 원용하여 개정되었고, 이는 전술하였듯이 CIF 계약상 매수인이 현실적으로 인지할 수 없는 감항능력결여 또는 부적합에 기인하여 부당한 손해를 입어서는 안 된다는 상품협회의 입장을 반영한 결과이다. 개정조항은 ICTC와 동일하게 '구속력 있는 계약(binding contract)' 을 전제로 보험자면책을 배제하고 있으며, 이는 무역매매계약의 매도인이 손해발생 후 제3자에게 보험계약을 양도함으로써, 제5조상 면책의 적용을 회피하려는 일체 시도의 가능성을 방지하기 위한 의도로써 도입되었다.

한편 매매계약의 매도인이 감항성을 구비하지 못한 선박에 화물을 적재함으로써 해당 매매계약을 위반하고, 매수인이 이러한 계약위반에 근거하여 매매계약의 취소권을 갖게 됨으로써 매매계약의 구속력이 상실되는 경우, 해당 매수인은 제5조 제2항상 보험자면책의 배제범주에서 제외되어야 할 것이다.

③ 제5조 제3항

제5조 제3항은 보험자가 MIA상 감항능력결여 · 부적합 묵시담보의 위반에 근거한 보험자의 권리를 무조건적으로 포기한다고 선언하는 것이다. MIA상 엄격한 묵시담보가 그대로 적용되는 경우, 제5조 제1항 및 제5조 제2항에 의거하여 보험자의 면책범위를 광범위하게 제한하려는 목적이 좌절될 수 있기 때문에 관련 권리의 포기가 필요한 것으로 인식된다. 한편 개정조항상 보험자의 권리포기는 1982년 ICC와 같이 불인지를 전제로 하는 것이 아니기 때문에 무조건적인 권리포기로서의 성격을 갖는다.

감항능력결여 · 부적합 묵시담보의 위반과 관련하여 협회적하약관에 무조건적인 성격의 권리포기가 도입된 논리적 근거는 영국 보험법상 담보의 엄격성에 기인한다. 영국 보험법상 담보(warranty)는 정확하게(엄격하게) 충족되어야 하며, 담보위반의 경우 해당 담보가 위험과 관련하여 중요한 것인지 여부를 불문하고, 위반일로부터 보험자를 면책시키는 효과를 갖는다. 1982년 ICC 제5조하에서는 선적 전후를 불문하고, 피보험자 또는 그의 사용인이 선박의 감항능력결여 또는 부적합 사실을 인지한(privy) 경우, 영국 보험법상 엄격한 담보법원칙이 적용되었고, 따라서 담보가 위반되는 경우, 담보의 중요성 여부 및 담보위반과 손해 간 인과관계의 존부를 불문하고, 보험자는 담보위반에 기인하여 면책될 수 있었다. 예컨대 피보험자가 인지한 상태에서 법정 승선인원의 미충족으로 인하여 선박이 감항능력결여 상태로 되었으나, 화물양하 시 하역업자의 과실에 의한 화물손상과 같이 선박의 감항능력결여와 완전히 무관한 손해가 발생하더라도, 보험자는 피보험자의 담보위반에 기인하여 면책권을 행사할 수 있다. 이와 같이 엄격한 담보법원칙의 적용은 보험자의 보호를 위하여 합리적으로 요구되는 정도를 초과하는 보호를 보험자에게 제공하는 것이라는 인식이 존재하였고, 따라서 담보위반에 대한 보험자의 권리를 무조건적으로 포기하는 것이 과거의 실무관행이었다.

개정조항에서는 1982년 ICC의 입장과는 달리, 보험자가 영국 보험법상 엄격한 담보법원칙을 포기한다고 선언함으로써, 손해와 담보위반(즉, 선박의 감항능력결여) 사이에 인과관계가 존재하지 않는 경우, 보험자는 손해와 무관한 선박의 감항능력결여를 면책을 위한 기술적인 항변수단으로 활용하는 것이 불가능하게 되었다. 더욱이 화물손해의 원인으로 작용한 감항능력결여 또는 부적합 사실을 인지한 피보험자에 대해서만 면책을 주장할 수 있기 때문에 개정조항은 피보험자에 대하여 상당히 유리하게 개정된 조항이다.

6) 제6조

6. In no case shall this insurance cover loss damage or expense caused by
   6.1 war civil war revolution rebellion insurrection, or civil strife arising therefrom, or any hostile act by or against a belligerent power
   6.2 capture seizure arrest restraint or detainment (piracy excepted), and the consequences thereof any attempt threat
   6.3 derelict mines torpedoes bombs or other derelict weapons of war.

제6조 이 보험은 어떠한 경우에도 다음 사유로 인해 발생한 멸실, 손상 혹은 비용을 보상하지 않는다.

6.1. 전쟁, 내란, 혁명, 반역, 반란 또는 이로 인하여 발생한 국내투쟁, 교전국에 의하여 또는 교전국에 대하여 행해진 일체의 적대행위

6.2. 포획, 나포, 강류, 억지 또는 억류(해적행위를 제외함) 및 이들 행위의 결과

또는 그러한 행위의 기도

6.3. 유기된 기뢰, 어뢰, 폭탄 또는 기타 유기된 전쟁무기

해설

본 조항은 1982년 ICC의 규정을 그대로 계승하고 있고, 전쟁, 적대행위, 나포, 유기된 병기 등을 면책하고 있다. 동조 제2항에서는 (A)약관의 경우 해적위험은 면책에서 제외되어 전쟁위험이 아니라 해상위험으로 취급하여 담보하고 있는 점도 1982년 약관과 같다. 이에 반하여 (B) 및 (C)약관에서는 제1조 위험조항에 piracy는 열거되어 있지 않고 또한 제6조 제2항에서 "해적행위를 제외한다(piracy excepted)"는 문구가 삽입되어 있지 않으므로 '해적행위에 의한 포획, 나포, 강류, 억지 또는 억류' 에 의한 멸실, 손상 또는 비용은 (B) 및 (C)약관에서는 부담보이다.

7) 제7조

7. In no case shall this insurance cover loss damage or expense

7.1 caused by strikers, locked-out workmen, or persons taking part in labour disturbances, riots or civil commotions

7.2 resulting from strikes, lock-outs, labor disturbances, riots or civil commotions

7.3 caused by any act of terrorism being an act of any person acting on behalf of, or in connection with, any organisation which carries out activities directed towards the overthrowing or influencing, by force or violence, of any government whether or not legally constituted

7.4 caused by any person acting from a political, ideological or religious motive.

제7조 이 보험은 어떠한 경우에도 다음의 멸실, 손상 또는 비용을 보상하지 않는다.

7.1 동맹파업자, 직장폐쇄를 당한 노동자 또는 노동분쟁, 소요 또는 폭동에 가담한 자에 의해 발생한 것

7.2 동맹파업, 직장폐쇄, 노동분쟁, 소요 또는 폭동의 결과로 생긴 것

7.3 일체의 테러행위, 즉 합법적 또는 불법적으로 설립된 일체의 정부를, 무력 또는 폭력으로, 전복시키거나 영향을 미치기 위해 행동하는 조직을 위해 또

는 조직과 연대하여 행동하는 자의 행위에 의해 생긴 것

7.4 정치적, 사상적 또는 종교적 동기에서 행동하는 일체의 자에 의하여 발생한 것

해설

개정 약관에서 동맹파업면책에 관계되는 제7조 제1항 및 제2항과 관련하여 개정된 내용은 없으며, 제3항은 일부 개정되어 제4항에 배치되고, 제3항은 신설되었다. 따라서 제7조 제3항 및 제4항의 개정내용을 중점적으로 검토할 필요가 있다.

개정 제7조는 2개 부분으로 구성되며, 테러행위에 기인한 손해가 보험자의 면책범주에 포함된다는 사실을 천명하고 있다. 보험자는 제3항에 의거하여 이 조항상 정의된 테러행위에 기인한 손해에 대하여 책임을 부담하지 않으며, 제4항에 의거하여 정치적, 사상적 또는 종교적 동기로써 행동하는 개인에 의하여 발생하는 손해가 면책범주에 포함된다는 사실을 명확히 천명하고 있다.

① 테러행위에 대한 개념 정의

제7조 3항은 ICC 1982 제7조 제3항에서 초점을 두었던 '테러리스트' 보다는 '테러행위(act of terrorism)' 에 초점을 두고 있다. ICC 1982의 작성자가 제7조 제3항에서 테러리스트만을 언급함으로써, 테러리스트와 테러행위를 동일하게 취급하려고 의도한 이유는 불명확하다. 일개 테러리스트가 개인적인 목적으로 무력이나 폭력을 사용하는 경우, 예컨대 테러단체의 특정구성인이 단순히 개인적인 부를 축적할 의도로 은행강도 행위를 하는 경우, 해당 테러리스트의 행위에 기인하는 손해가 원칙적으로 테러리스트에 의한 손해라고 간주하기 어렵다.

개정 제7조 제3항상 테러행위에 관한 정의에 의하면, 첫째, 손해의 원인을 제공하는 화재 또는 폭발 사고가 무력이나 폭력의 사용에 기인하여야 한다는 것을 전제요건으로 한다. 둘째, 행동(acting)의 개념과 관련하여 해당 활동(activities)이 "일체 정부에 영향력을 행사할…" 목적으로 행하여져야 한다고 요구하고 있기 때문에 "대중을 위협하거나 대중에게 공포감을 조성할" 목적으로 행하는 무력 또는 폭력은 개정조항상 테러의 범주에서 제외된다. 셋째, 제정법상 정의에서는 테러의 동기에 대한 제한을 설정하고 있지 않기 때문에 테러행위의 개념이 특정한 동기로 한정되지 않으나, 개정 제7조 제4항에서는 테러의 동기를 정치적, 이념적 또는 종교적인 동기에 의하여 행하여진 무력이나 폭력의 사용으로 제한하고 있기 때문에 기타

동기에 의한 무력이나 폭력의 사용은 테러의 범주에서 제외된다. 마지막으로 제7조 제3항에서는 제정법과 마찬가지로 테러행위의 개념을 특정한 테러단체를 "대신하거나 연대하여" 행동하는 것으로 한정하고 있기 때문에 개인의 단독 테러행위는 제7조 제3항상 테러행위의 범주에서 제외된다.

② 정치적, 사상적 또는 종교적 동기의 개념

개정 제7조 제3항에서는 "일체 단체를 대신하거나, 단체와 연대하여" 행동하는 경우에만 테러의 범주에 포함된다고 규정하고 있다. 따라서 개인이 정치적인 목적을 갖고서 단독으로 행동하는 단독 극단주의자는 제7조 제3항에서 규정하는 테러리스트의 범주에 포함되지 않지만, 제4항에서 규정하는 "정치적, 사상적 또는 종교적 동기로써 행동하는 자"에 포함될 수 있다.

제7조 제4항의 '사상적' 또는 '종교적' 이라는 용어는 1982년 약관 제7조 제3항의 '정치적 동기' 에 추가된 것이다. O' May는 이 조항의 " '또는 정치적 동기로써 행동하는 일체의 자(or any person acting from a political motive)' 라는 표현과 관련하여 바로 앞에서 규정하고 있는 '일체의 테러리스트(any terrorist)' 와 분리되는 개념이며, 테러리스트를 한정하는 역할을 하지 않는다. '정치적인 동기' 라는 문구는 광범위한 적용을 의도한 문언이다. 이 문구는 의도적이든 비의도적이든 상관없이, 자신의 정치적 목적에 대한 관심을 환기하기 위하여 보험목적물에 대하여 물리적인 손해를 초래한 시위참가자를 포함하는 개념" 이라는 견해를 표명하였다.[156)]

O' May는 계속해서 " '사상적' 이라는 문언은 1982년 협회동맹파업약관상 삽입여부가 검토되었으나, '너무 광범위하고 불명확한 개념' 이라는 이유로 취소되었다" 고 언급하였다. JCC는 O' May의 지적과 마찬가지로 '사상적' 이란 용어가 잠재적인 개념정의의 어려움을 내포하고 있다는 사실을 인식하였음에도 불구하고, 최근 진화하고 있는 테러의 발전양상을 반영한다는 점에서 개정조항에 광범위하게 적용될 수 있는 테러의 개념을 선택하였다. 또한 개정 약관에서는 일부 현대적인 테러의 이면에 내재되어 있는 종교적인 동기를 반영하기 위하여 '종교적 동기' 도 포함하는 광범위한 테러행위의 개념을 채택하였다.

---

156) D. O' May and J. Hill, *Marine Insurance: Law and Policy*, Sweet & Maxwell, 1993, p.312.

8) 제8조 운송조항

Duration

Transit Clause

8.1 Subject to Clause 11 below, this insurance attaches from the time the subject-matter insured is first moved in the warehouse or at the place of storage (at the place named in the contract of insurance) for the purpose of the immediate loading into or onto the carrying vehicle or other conveyance for the commencement of transit, continues during the ordinary course of transit and terminates either

8.1.1 on completion of unloading from the carrying vehicle or other conveyance in or at the final warehouse or place of storage at the destination named in the contract of insurance,

8.1.2 on completion of unloading from the carrying vehicle or other conveyance in or at any other warehouse or place of storage, whether prior to or at the destination named in the contract of insurance, which the Assured or their employees elect to use either for storage other than in the ordinary course of transit or for allocation or distribution, or

8.1.3 when the Assured or their employees elect to use any carrying vehicle or other conveyance or any container for storage other than in the ordinary course of transit or

8.1.4 on the expiry of 60 days after completion of discharge overside of the subject-matter insured hereby insured from the oversea vessel at the final port of discharge, whichever shall first occur.

8.2 If, after discharge overside from the oversea vessel at the final port of discharge, but prior to termination of this insurance, the subject-matter insured is to be forwarded to a destination other than that to which it is insured, this insurance, whilst remaining subject to termination as provided for in Clauses 8.1.1 to 8.1.4, shall not extend beyond the time the subject-matter insured is first moved for the purpose of the commencement of transit to such other destination.

8.3 This insurance shall remain in force (subject to termination as provided for in Clauses 8.1.1 to 8.1.4 above and to the provisions of Clause 9 below) during delay beyond the control of the Assured, any deviation, forced discharge, reshipment or transhipment and during any variation of the adventure arising from the exercise of a liberty granted to carriers under the contracts of carriage.

보험기간

제8조 운송조항

8.1 하기 제11조에 따를 것을 조건으로, 이 보험은 운송개시를 위해 운송차량 또는 기타 운송용구에 보험의 목적을 즉시 적재할 목적으로 (이 보험계약에서 지정된 장소의) 창고 또는 보관장소에서 보험의 목적이 최초로 움직인 때에 개시되고, 통상의 운송과정 중에 계속되며,

8.1.1 이 보험계약에서 지정된 목적지의 최종창고 또는 보관창고에서, 운송차량 또는 기타 운송용구로부터 양하가 완료된 때,

8.1.2 이 보험계약에서 지정된 목적지에 도착하기 이전이든 또는 목적지든 불문하고, 피보험자 또는 그 사용인이 통상의 운송과정 이외의 보관을 위해, 또는 할당 또는 분배를 위해 사용하고자 선택한 기타의 창고 또는 보관장소에서, 운송차량 또는 기타 운송용구로부터 양하가 완료된 때, 또는

8.1.3 피보험자 또는 그 사용인이 통상의 운송과정이 아닌 보관을 위해, 운송차량 또는 기타 운송용구 또는 컨테이너를 사용하기를 선택한 때, 또는

8.1.4 최종양하항에서 외항선으로부터 보험의 목적의 양하완료 후 60일이 경과한 때,

중 어느 것이든 먼저 발생한 때에 종료된다.

8.2 최종양하항에서 외항선으로부터 양하 후 이 보험이 종료되기 전에, 보험의 목적이 보험에 부보된 목적지 이외의 장소로 운송되는 경우에는, 이 보험의 제8조 제1항 제1호에서 제8조 제1항 제4호의 보험종료의 규정에 따라 계속되지만, 변경된 목적지로의 운송의 개시를 위해 보험의 목적이 최초로 움직인 때 이후에는 연장되지 않는다.

8.3 이 보험은 (상기 제8조 제1항 제1호에서 제8조 제1항 제4호에 규정된 보험종료의 규정 및 하기 제9조의 규정에 따를 것을 조건으로) 피보험자가 좌우할 수 없는 지연, 일체의 이로, 부득이한 양하, 재선적 또는 환적기간 중 및 운송계약에 의해 운송인에게 부여된 자유재량권의 행사로부터 생기는 일체의 위험의 변경기간 중에도 유효하게 계속된다.

해설

본 조항은 이른바 창고간조항을 포함하고, 이 보험은 운송개시를 위해 운송용구에 보험의 목적을 즉시 적재할 목적으로 이 보험계약에서 지정된 장소의 창고 또는 보관장소에서 보험의 목적이 최초로 움직인 때(first moved)부터, 통상의 운송과정을 거쳐, 증권기재의 목적지에 있는 최종창고, 기타 보관장소에서 운송용구로부터 양하가 완료할 때(completion of unloading)까지의 전 운송구간을 보험기간으로 정하고 있다. 1963년 약관 및 1982년 약관에서는 그 시기를 "출하지 창고반출시부터", 종기를 "목적지 창고반입시"로 규정하였는데, 2009년 약관에서는 다음과 같이 현대의 물류실태에 맞추어 운송 전후의 창고내에서의 하역작업을 포함시키는 것으로 명기되었다.

제1항은 보험기간의 시기(始期)와 종기(終期)를 규정하고 있다. 즉, 이 보험은 운송개시를 위해 운송차량 또는 기타 운송용구에 보험의 목적을 즉시 적재할 목적으로 이 보험계약에서 지정된 장소의 창고 또는 보관장소에서 보험의 목적이 최초로 움직인 때에 개시되며, 통상의 운송과정을 거쳐 (a) 이 보험계약에서 지정된 목적지의 최종창고 또는 보관창고에서, 운송차량 또는 기타 운송용구로부터 양하가 완료된 때, (b) 보험계약에서 지정된 목적지에 도착하기 이전이든 또는 목적지든 불문하고, 피보험자 또는 그 사용인이 통상의 운송과정 이외의 보관을 위해, 또는 할당 또는 분배를 위해 사용하고자 선택한 기타의 창고 또는 보관장소[157]에서, 운송차량 또는 기타 운송용구로부터 양하가 완료된 때, (c) 최종양하항에서 외항선으로부터 보험의 목적의 양하완료 후 60일이 경과한 때[158] 중 어느 것이든 먼저 생긴 때 종료한다.

157) 이 규정에 따르면 화물의 할당 · 분배를 위해 사용되는 장소는 보험이 종료되는 장소로 취급된다. 그러나 보관에 대하여는 그것이 통상의 운송과정 중의 보관인지 아닌지는 피보험자의 그 당시의 행위 또는 의사에 의해 좌우된다. 화물이 본선으로부터 양하후 목적지의 창고 또는 보관장소에의 도착 이전에 중간창고에서 화물을 보관할 것을 피보험자가 선택한 경우에는 비록 60일의 기간이 만료되기 전이라도 보험은 그 보관장소에 반입될 때 종료된다(Goodacre, J. K., *Marine Insurance Claims*, 3rd ed., Witherby & Co. Ltd., 1996, pp.277~278).

158) 우리나라의 수출적하보험의 경우에는 전술한 원칙이 그대로 적용되나, 수입적하보험의 경우에는 전술한 세 가지 중 마지막 부분에 대해 한국에서만 사용되는 특별조항(10일 운송조항)을 제정하였다. 즉 ICC 제8조 제1항 제3호의 "최종양하항에서 본선으로부터 피보험화물의 양하를 완료한 후 60일이 경과한 때에 보험은 종료된다."는 규정 대신에 보세창고 및 기타 중간창고에 입고한 후 10일로 제한하여 시행하였다. 이 조항은 1970년 부산의 제2부두 보세창고화재사건을 계기로 제정되었는데 1973년 3월 4일부터 원면 등의 특수화물과 포괄보험계약을 제외한

제2항은 화물이 최종양하항에서 본선에서 양하 후 이 보험의 종료 전에 (아직 보관장소에 인도되기 이전이며 또한 양륙 후 60일 이내) 다른 지역상인에게 매각되어 보험증권에 기재된 목적지 이외의 장소로 운송되는 경우의 보험자 책임의 종기를 규정하고 있다. 즉, 이러한 경우 변경된 목적지로 운송이 개시된 때를 보험자책임의 종기로 하고 있다.

제3항은 위험의 변동을 허용한 조항이다. 즉, 피보험자가 좌우할 수 없는 지연, 일체의 이로, 부득이한 양하, 재선적 또는 환적, 해상운송계약상 선주 또는 용선자가 자유재량권을 행사함으로써 생긴 일체의 위험 변동이 있어도 보험자는 그 동안의 위험을 부담한다. 다만, 이 조항은 담보위험을 확장하는 것은 아니고 담보기간의 연장을 규정하고 있는 데에 주의해야 할 것이다.

한편 운송조항과 관련하여 개정의 주요 특징을 요약하자면 다음과 같다. 첫째, 크게 중요한 의미를 갖는 것은 아니지만, 보험기간을 규정하는 제8조 제1항의 형식이 다소 변화되었다. 즉, ICC 1982 제8조 제1항에서 첫 번째 문단에 포함되어 있었던 "통상적인 운송과정 중에 계속된다."라는 문언이 개정 조항에서는 형식상 별개인 두 번째 문단으로 독립 · 분리되었다. 이러한 형식의 변화가 해당 규정의 해석에 관한 실질적인 변화를 의미하는 것은 아니지만, 형식의 변화를 통하여 운송조항이 3개 부문, 즉 보험기간의 개시, 지속 및 종료로 구성되어 있다는 점을 강조하고 있다.

둘째, 제8조 제1항의 서두에 "제11조에 의거하여"라는 문언이 추가되었다. 이러한 문언의 추가는 제8조 제1항상 보험자책임이 제11조상 요구되는 피보험이익의 존재를 전제로 개시된다는 점을 명확하게 규정하기 위한 것이다.

셋째, 제8.1.3조가 신설되었다. 이 조항에서 "피보험자가 … 통상적인 운송과정의

수입화물의 보험계약에만 사용하고 있으며, 불가피한 사정에 의해 보세창고에 입고되기까지 장기간이 소요되거나 통관 중 저장기간이 길어지는 원면 등의 적하는 그 멸실위험에 대비하여 Risk After Discharge Clause(RAD Clause)를 첨부하고 있다. 그런데 수입적하보험의 경우 수입화물통관창고입고 후 10일까지를 부보기간으로 하고 있어 그동안 수입화물의 하역 후 통관소요 초과일수에 따른 추가부보로 화주의 이중부담을 유발한다는 업계의 건의를 재정경제부가 받아들여 종전 '보세창고입고후 10일간'으로 되어 있는 손해보험회사들의 수입적하보험기간을 '최종도착항 하역 후 30일까지'로 변경하여 1993년 4월 1일부터 시행에 들어감에 따라 무역업계는 종전과 동일한 보험료를 지급해도 실질적으로는 담보기간이 18일이 연장되는 효과를 보게 되었다. 이처럼 하역 후 30일이라는 담보기간 개념의 도입으로 자가창고가 없는 무역업자가 수입하는 수입화물은 담보창고입고와 동시에 적하보험이 종료되고 보세화물화재보험에서 계속 담보되게 되었다(허재창, "積荷保險의 始終時點에 관한 硏究", 부산대학교 박사논문, 1995, pp.161~162).

범주에서 벗어나 보관을 위해 운송차량 또는 기타 운송용구 또는 일체의 컨테이너를 선택하는 경우 이 보험은 종료된다." 고 규정함으로써, 통상적인 운송과정의 범주에서 벗어나는 보관 목적으로 사용되는 장소로서 기존의 제8.1.2조에서 규정하고 있는 '창고 또는 기타 보관장소' 에 더하여 운송실무상 실제로 보관장소로서 사용되기도 하는 '운송차량 또는 컨테이너' 를 추가로 규정하고 있다.

마지막으로 개정 운송조항에서 보험기간은 '화물의 이동' 이라는 개념에 기초하여 설정됨으로써, 'shelf to unloading' (선적지의 창고 내부의 화물보관선반(shelf)으로부터 목적지의 최종 화물보관창고 내부에서 양하가 완료되는 시점까지)이라고 불리는 기간 또는 구간으로 확장되었고, 결과적으로 보험자의 책임은 운송 전후의 하역단계에서 발생하는 화물손해를 포함하는 것으로 확장되었다. 즉, 개정 운송조항상 보험자의 책임은 선적지의 창고 내부에서 화물이 이동하는 시점에서 개시되고, 목적지의 창고 내부에서 화물의 이동이 종료되는 시점(즉, 양하가 완료되는 시점)에서 종료된다.[159)]

9) 제9조

Termination of Contract of Carriage

9. If owing to circumstances beyond the control of the Assured either the contract of carriage is terminated at a port or place other than the destination named therein or the transit is otherwise terminated before unloading of the subject-matter insured as provided for in Clause 8 above, then this insurance shell also terminate unless prompt notice is given to the Insurers and continuation of cover is requested when this insurance shall remain in force, subject to an additional premium if required by the Insurers, either
   9.1 until the subject-matter insured is sold and delivered at such port or place, or, unless otherwise specially agreed, until the expiry of 60 days after arrival of the subject-matter insured at such port or place, whichever shall first occur, or,
   9.2 if the subject-matter insured is forwarded within the said period of 60 days (or any agreed extension thereof) to the destination named in the contract of insurance or to any other destination, until terminated in accordance with the provisions of Clause 8 above.

159) 예컨대 1982년 ICC의 운송조항하에서 화물을 적재한 운송차량이 목적지의 최종창고에 도착한 후 화물의 양하 여부와 상관없이 보험기간은 종료하지만, 개정 운송조항하에서는 불가피한 사정으로 인하여 화물이 최종창고에 도착 후 즉시 양하되지 않더라도, 해당 화물은 양하완료 시까지 부보된 상태로 남게 된다.

운송계약종료

제9조 피보험자가 좌우할 수 없는 사정에 의하여 운송계약이 그 계약에서 지정된 목적지 이외의 항구 또는 지역에서 종료되거나 또는 상기 제8조에서 규정된 대로 보험의 목적의 양하 이전에 운송이 종료되는 경우에는 이 보험도 또한 종료된다. 다만 보험자에게 지체 없이 그 취지를 통지하고 담보의 계속을 요청하는 경우에는 보험자로부터 청구가 있으면 추가(할증)보험료를 지급할 것을 조건으로, 이 보험은

9.1 보험의 목적이 운송이 종료된 항구 또는 지역에서 매각된 후 인도된 때 또는 별도의 합의가 없는 한 그러한 항구 또는 지역에 보험의 목적의 도착 후 60일이 경과된 때 중 어느 한쪽이 먼저 생긴 때, 또는

9.2 보험의 목적이 상기의 60일의 기간(또는 합의된 연장기간) 내에 이 보험계약에서 지정된 목적지 또는 다른 목적지로 운송되는 경우에는 상기 제8조의 규정에 따라 보험이 종료될 때까지 유효하게 존속된다.

해설

본 조항은 피보험자가 좌우할 수 없는 사정에 의해 운송계약이 종료되는 경우에 일정 요건하에서 피보험자를 보호할 것을 규정한 조항이다. 즉, 피보험자가 좌우할 수 없는 사정에 의해 운송이 목적지 이외의 항구나 창고에서 종료되는 경우 또는 보험의 목적이 양하되기 전에 종료되는 경우 운송계약종료의 시점에서 보험이 종료되는 것을 원칙으로 하면서도, 피보험자는 (1) 보험자에 대한 신속한 통지, (2) 보험기간의 연장 요청 및 (3) 보험자가 요청하는 경우에는 추가보험료의 지급을 전제로 보험금청구권을 유지할 수 있다. 즉, 화물이 운송종료된 항구에서 매각되어 그것이 매수인에게 인도될 때까지 또는 그 항구에 도착 후 60일이 경과될 때까지 중 어느 것이든 먼저 생긴 때까지 위험이 담보된다. 이것은 운송이 중단된 항구에서 매각처분되든지 매각처분되지 않고 보관되는 경우이다. 화물이 운송종료 항구에서 당초 예정된 목적지 또는 기타 목적지로 계속 운송되는 경우 그 계속 운송이 운송종료 항구에 도착 후 60일 이내에 개시된다면 제8조 운송조항에 따라 보험자의 책임은 종료된다.

한편 이 조항과 관련하여 한 가지 유의할 점은 보험자가 보험기간의 연장을 위하여 피보험자에게 추가보험료의 지급을 요구할 수 있으나, 기존 보험조건의 변경을 요구할 수 있는 권리를 행사할 수 없다는 점이다. 이러한 점이 후술하는 제

10조(항해의 변경)상 보험기간의 연장에 대한 전제요건과 상이한 점이라고 할 수 있다.

10) 제10조

Change of Voyage

10. 10.1 Where, after attachment of this insurance, the destination is changed by the Assured, this must be notified promptly to Insurers for rates and terms to be agreed. Should a loss occur prior to such agreement being obtained cover may be provided but only if cover would have been available at a reasonable commercial market rate on reasonable market terms.

10.2 Where the subject-matter insured commences the transit contemplated by this insurance (in accordance with Clause 8.1), but, without the knowledge of the Assured or their employees the ship sails for another destination, this insurance will nevertheless be deemed to have attached at commencement of such transit.

항해변경

제10조

10.1 이 보험의 개시 후 목적지가 피보험자에 의하여 변경되는 경우는, 지체 없이 그 취지를 보험자에게 통지하고, 보험료율과 보험조건을 협정하여야 한다. 그러한 협정 전에 손해가 발생한 경우는, 영리보험시장에서 타당하다고 생각되는 보험조건 및 보험료율에 의한 담보를 취득할 수 있는 경우에 한하여 담보가 제공된다.

10.2 보험의 목적이 (제8조 제1항에 따라) 이 보험에 의해 예상된 운송을 개시했지 만, 피보험자 또는 그들의 사용인이 알지 못하고 선박이 다른 목적지로 향해 출항하는 경우에도, 이 보험은 그러한 운송의 개시 시에 개시한 것으로 간주된다.

해설

개정 제10조는 내용상 상당한 변화가 이루어졌을 뿐만 아니라, 형식적으로는 제2항이 신설됨으로써 2개 항으로 구성되어 있다. 제10조 제1항은 이른바 '계속담보(held covered)' 조항이라고 불렸던 1982년 약관 제10조를 개정한 것이며, 제2항은 소위 '유령선(phantom ship)' 조항이라고 언급되는 것으로서, 유령선 문제로부터 선량한 피보험자를 보호하기 위하여 신설되었다.

본 조항의 제1항은 위험개시 후에 피보험자가 목적지를 변경하는 경우, 즉 항해변경의 경우의 취급을 규정하고 있다. MIA 제45조에서는 항해의 변경에 대하여 보험자는 항해를 변경할 결의가 표명된 때부터 그 책임을 면한다고 하고 있는데, 제10조 제1항에서는 항해 변경의 취지를 지체 없이 통지하고 보험조건 요율을 재협정함으로써 담보가 계속된다고 하고, 그 재협정 전에 손해가 발생한 때에는 영리보험시장에서 타당하다고 생각되는 보험조건 및 보험료율에 의해 담보를 취득할 수 있는 경우에 한하여 담보가 계속된다고 규정하고 있다. 한편, 제10조 제2항은, 피보험자 또는 그들의 사용인이 알지 못하고 선박이 다른 목적지를 향해 출항하는 경우의 취급을 규정하고 있다. MIA 제44조에서는 다른 목적지로를 출항의 경우에는 위험은 개시하지 않는다고 되어 있는데, 제10조 제2항에서는 피보험자 또는 그들의 사용인이 그 사실을 알지 못하는 경우에는 위험이 개시되는 것으로 하여, 선의의 피보험자를 보호하는 규정으로 되어 있다.

① 제10조 제1항의 주요 개정내용

제10조 제1항은 피보험자에 의하여 자발적으로 항해가 변경되는 경우, 보험기간의 연장에 대한 전제요건을 규정한 것이다. 이번 개정의 주요 특징은 다음과 같다. 첫째, 개정 제10조 제1항에서 "held covered"라는 문언이 삭제되었다. JCC는 항해변경조항의 개정과정에서 "held covered"라는 문언이 영국 해상보험법에 대한 전문적인 지식을 갖추지 못한 피보험자의 관점에서는 담보가 상업적으로 제공될 수 없는 경우에도 담보를 무조건적 · 절대적으로 보장하는 것으로 오해될 수 있다는 문제점을 인식하였다.

둘째, 개정조항상 보험기간 연장의 요건으로서 '영리보험시장에서 합리적인 보험조건 및 보험료율로써' 보험의 취득이 가능한 경우로 한정하고 있다. 따라서 피보험자의 자발적인 항해변경과 관련하여 피보험자가 청구권을 유지하기 위해서는 항해의 변경에 기인하여 변동된 위험에 대하여 시장에서 합리적인 보험조건 및 보험료율로써 보험의 취득이 가능해야만 한다.

② 제10조 제2항의 주요 내용

㉠ 유령선의 개념 및 유령선 문제

비자발적인 항해의 변경에 대한 보험기간의 확장을 검토하기 전에 우선적으로 소위 '유령선 사기(phantom ship frauds)' 문제를 검토할 필요가 있다. 유령선 사기는 선주가 자신의 선박에 적재된 화물을 편취할 목적으로 해상운송계약상 약정된 양륙항이 아닌 다른 항구로 항해하여 화물을 매각한 후, 종적을 감춰 버리는 국제적으로 조직적인 범죄를 의미하고, 이러한 형태의 사기는 1970년대 후반부터 1990년대 초반까지 아시아를 중심으로 급증하다가 한때 주춤한 후, 1990년대 후반에 다시 증가세를 나타냄으로써 국제무역에 커다란 위협요인으로 작용하고 있다.[160)]

유령선 사기의 대상화물은 국제시장에서 처분이 용이하고, 추적이 쉽지 않은 목재류, 철재류, 광물류 및 곡물류이다. 유령선 사기는 다음과 같은 절차상 특징을 갖는다.[161)] 첫째, 용선중개인에게 고액의 중개수수료를 제시하면서, 그를 통하여 실제로 존재하지 않는 선박에 의한 운송의사를 용선시장에 유포하고, CIF 및 CFR 조건으로 국제물품매매계약을 체결한 매도인은 촉박한 선적일자를 맞추기 위하여 용선중개인을 통하여 해당 선박에 대한 항해용선계약을 체결한다. 이후 범죄단체는 편의취적국가에 선박에 대한 허위정보를 제공하고, 해당 선박에 대한 임시국적증명서를 취득한다. 둘째, 범죄단체는 소유선박을 유령선으로 의장한 후, 항해용선계약상 선적항에서 화물을 선적하고, 매도인에게 선하증권을 발행한다. 선적항을 출발한 유령선은 공해상에서 정박한 후, 홍콩 또는 대만에 소재하는 상품거래 중개인을 통하여 선적된 화물의 물품매매계약을 체결한다. 셋째, 범죄단체는 적재선박을 다른 유령선으로 변경하고, 새로운 양륙항으로 항해하여 매수인에게 물품을 인도한다. 이러한 과정에서 범죄단체는 주로 저가의 노후선을 구입하여, 이를 수년간 사기행위에 이용한 후 선박해체시장에 매각한다.

한편 '유령선'은 엄격한 의미에서 법률용어는 아니며, 1970년대 후반에 남중국해 부근에서 조직적으로 발생한 범죄행위를 설명하기 위하여 해운시장에서 만들어진 용어이며, 또한 이에 대해서는 다양한 정의가 존재한다. 예컨대 H. Bennett는 "유령선은 추적가능한 등록기록(registration)을 갖지 않은 선박으로서, 사기범에 의하여 통제되고, 적하를 탈취하기 위하여 사용되는 선박"이라고 정의하고 있다.[162)]

160) 이원정, "해상적하보험에서 유령선 사기에 관한 연구", 『한국해법학회지』, 제33권 제1호, 2011, pp.266~267.

161) 상게논문, pp.269~270.

J. Abhyankar는 "유령선은 유령정체(phantom identity)를 가진 선박이다. 유령선은 선박의 과거 명칭, 톤수, 용적 및 선주의 신원과 관련하여 등록당국에 제공된 허위 정보에 기초하여 등록된다. 그 결과 범죄의 발생 후, 조사하는 시점에서 해당 선박, 선주, 또는 (대부분의 경우) 선원에 관한 행적이 발견되지 않는다" 라고 정의한다.[163] 영국 판례인 The Prestrioka 사건[164]에서 Potter 판사는 "유령선은 국제해사국(International Maritime Bureau) 내부에서 유효한 선급을 보유하고 있지 않으며, 공인된 선박등기소(ship registry)에 등기되지 않았으며, 또한 보통 범죄자들에 의하여 운영되는 선박을 묘사하기 위하여 사용되는 용어인 것으로 생각된다. 유령선은 선주 및/또는 선장이 사전에 모의한 계획의 일부로써, 화주에 대한 사기의 수단으로 활용되고, 선적항을 출항한 후 단기간동안에는 표면상 적하의 양륙항을 향하여 항해하며, 유령선이 실제 화물의 양하 및 새로운 정체의 취득 목적으로 새로운 목적지를 향하여 항진하는 동안에는 행방불명된 것으로 위장하기 위하여 항해가 지연되는 것으로 보고된다. 유령선 사기는 극동 해운업계에서 잘 알려진 현상이다" 라고 정의하고 있다.

한편 적하보험계약과 관련하여 소위 '유령선 문제(phantom ship problem)' 는 The Prestrioka 사건에 대한 항소법원의 판결에서 출현하였다. 이 사건에서 항소법원은 MIA 제44조[165]를 적용함으로써, 선량한 피보험자라고 하더라도 유령선 사기에 기인한 적하손해에 대하여 보상받을 수 없다고 판결하였다. 항소법원의 판결 근거는 해당 선박이 피보험목적지를 향하여 출항하지 않았으며, 따라서 1982년 ICC 제8조 제1항의 창고간 조항의 규정에도 불구하고 위험이 개시되지 않았다는 것이었다. 즉, 이 사건에서 보험자의 책임이 개시되는 결정적인 시점은 1982년 ICC 제8조(운송조항)에서 규정하고 있는 "화물이 창고를 떠나는 시점" 이 아니라, 선박이 화물의 탈취 목적으로 미리 계획된 "유령선" 사기에 의거하여 보험계약상 특정된 목적지가 아닌 여타 목적지를 향하여 발항한 시점이었다.

---

162) H. Bennett, *The Law of Marine Insurance*(2nd edn.), Oxford Univ. Press, 2006, para. 18.12(p.517), fn.17.

163) J. Abhyankar, "Maritime fraud and piracy", *Combating Transnational Organised Crime*(ed. by P. Williams and D. Viassis), Frank Cass, 1998, p.176.

164) *Nima SARL v. The Deves Insurance Public Co. Ltd.(The Prestrioka)* [2003] 2 Lloyd's Rep. 327, 339(CA).

165) MIA 1096 제44조(Sailing for different destination): 보험계약상 목적지가 명시되어 있고, 선박이 해당 목적지 대신에 여타 목적지를 향하여 출항하는 경우, 위험은 개시되지 않는다.

이 사건에서 태국의 코시창(Kohsichang)으로부터 세네갈의 다카르(Dakar)까지 운송되는 화물(쌀 5,500톤; 화물가액 150만 유로)의 운송에 1982년 ICC(A) 조건의 적하보험계약이 체결되었고, 선박이 코시창에서 화물을 적재하고 출항하였으나, 이후 행방불명되었다. CIF 조건으로 체결된 무역계약하에서 세네갈의 매수인은 전손에 대한 보험금을 청구하였으나, 보험자는 책임을 부인하였다. 매수인(즉, 피보험자)은 해당 보험계약이 영국 법률에 의하여 지배된다는 사실에 근거하여 영국 법원에 소를 제기하였다. 보험자는 MIA 제44조에 의거하여 선박이 목적지를 향하여 출항하지 않았기 때문에 위험이 개시되지 않았다는 이유로 책임을 부인하였다. 이에 대하여 매수인은 MIA 제44조가 1982년 약관 제8조 제1항에 의하여 대체되고, 이 조항하에서 화물이 선적지 내륙의 창고를 떠나는 시점부터 위험이 개시되었으며, 따라서 본 사건과 같은 원인불명의 손해는 ICC(A)하에서 보상되어야 하는 전손에 해당한다고 주장하였다.

MIA 제44조가 협회적하약관의 운송조항상 창고간 규정에 의하여 무효 또는 대체되어야 하는지 여부가 이 사건의 핵심적인 쟁점이었고, 이에 대하여 항소법원은 피보험자의 주장과 반대되는 판결을 내렸다. 즉, Potter 판사는 "선례의 관점에서 볼 때, 보험자가 MIA 제44조에 의존하는 경우, 법원은 선박의 출항 시 단순히 계약상 명시된 목적지가 아니라, 실제적인 목적지를 결정하기 위하여 사후적인 검증을 수행하며, 그러한 검증은 발항 시 선주 및/또는 선장의 행위 및 의도에 의존한다. 법원이 해당 선박 및 화물의 발항 시, 보험계약상 명시된 목적지 이외의 목적지를 향하여 항해한 것이라고 판단하는 경우, 제44조가 적용될 것이고, 그러한 경우 화물이 창고를 떠나는 시점에서 추정적으로 개시된 위험은 개시되지 않은 것이라고 판결될 것이다…"라고 언급함으로써,[166] 협회적하약관상 운송조항에 의한 담보구간의 확장이 특정한 항구 간 해상사업에서 피보험자의 이해관계를 보호하는 항해보험계약의 본질을 변화시키는 것은 아니기 때문에 항해보험계약과 관련하여 결정적인 위험의 개시시점은 발항 시라고 결론내렸다.

The Prestrioka 사건에 대한 판결은 지나치게 법기술적이며, 장점이 없고, 운송조항상 위험의 개시에 관한 피보험자의 정당한 기대에 부합하지 않으며, 또한 일반적으로 현대적인 복합운송관행과 불일치한다는 이유로 학계의 비난을 초래하였

---

166) *Nima SARL v. The Deves Insurance Public Co. Ltd.(The Prestrioka)* [2003] 2 Lloyd' s Rep. 327, paras. 53-54.

다.[167] 유령선 문제에 대한 해결방안에 관한 학계의 의견은 일치하지 않으나, 협회적하약관상 관련 조항의 제정을 통하여 해결하는 것이 유일한 해결방안이라는 점에 대해서는 견해가 일치하였다. JCC는 이러한 비판에 유념하였고, 제10조 제2항은 적하보험계약과 관련하여 기존에 인식된 유령선 문제의 부당함에 대한 해결방안으로 도입되었다.

ⓛ 제10조 제2항의 주요 내용

개정 제10조 제2항상 보험의 개시가 적극적으로 간주되기 때문에 MIA 1906 제44조의 효과를 무효화시킨다. 그러나 개정조항상 적극적으로 간주되는 보험의 개시는 2가지 단서를 전제로 하고 있다는 점에 유의할 필요가 있다. 첫째, 화물이 최초로 이동하는 시점에서 보험이 개시된다고 규정하고 있는 제8조 제1항의 관점에서 볼 때, 보험계약상 예정된 화물의 운송 목적으로 해당 보험목적물의 이동이 개시되어야 한다. 둘째, 피보험자 또는 그의 피고용인은 선박이 여타 목적지를 향하여 발항할 것이라는 사실을 인지하지 못한 상태여야만 한다.

첫 번째 단서에 관한 한, 화물이 내륙의 보관장소로부터 최초로 이동함으로써, 보험계약상 예정된 여정(대부분의 경우, 내륙의 보관장소로부터 항해가 개시되는 항만까지의 내륙운송)이 개시되는 시점에서 보험기간이 개시되는 것으로 간주된다. 즉, 그러한 내륙운송 이후에 선박이 상이한 목적지를 향하여 항해한다고 하더라도, 육상운송의 개시 시에 보험이 개시된 것으로 간주되어야 한다. 개정조항에서는 'nevertheless' 라는 용어를 사용함으로써 새로운 보험의 개시시점을 강조하고 있으며, 소위 유령선 상황에서도 MIA 1906 제44조의 적용을 배제하겠다는 의도를 명백하게 천명하고 있다.

제10조 제2항상 보험의 개시를 위한 두 번째 단서는 피보험자 또는 그의 피고용인에 의하여 선박이 상이한 목적지를 향하여 출항할 것이라는 사실을 인지하지 못한 상태여야만 한다는 것이다. 이 조항에서 '인지(knowledge)' 라는 용어는 영국보험법상 '못 본 체하기(privity)' 라는 단어에 의하여 추정되는 다양하고 복잡한 상황을 내포하는 개념이다. 다만 이 조항에서 '인지' 와 관련하여 'knowledge' 라는 용어를 사용한 것은 다수의 영국 외 사용자들에 대하여 보다 평이하고 명확한 의미를 전달하기 위한 것으로 추정된다.

167) H. Bennett, op. cit., para. 18.18; F.D Rose, *Marine Insurance: Law and Practice*, Informa, 2004, paras. 10.49-10.51.

11) 제11조

CLAIMS

Insurable Interest

11. 11.1 In order to recover under this insurance the Assured must have an insurable interest in the subject-matter insured at the time of the loss.

11.2 Subject to 11.1 above, the Assured shall be entitled to recover for insured loss occurring during the period covered by this insurance, notwithstanding that the loss occurred before the contract of insurance was concluded, unless the Assured were aware of the loss and the Insurers were not.

보험금청구

피보험이익

제11조

11.1 이 보험하에서 보상을 받기 위해서는 피보험자는 손해발생시에 보험의 목적에 대한 피보험이익을 가지고 있지 않으면 안 된다.

11.2 상기 제11조 제1항의 규정에 따르는 것으로 하여, 보험계약 체결 전에 손해가 발생함에도 불구하고 피보험자가 그 손해발생의 사실을 알고 보험자가 몰랐을 경우를 제외하고, 피보험자는 이 보험에 의해 담보된 기간 중에 발생한 손해에 대하여 보상을 받을 권리가 있다.

해설

본 조항은 두 부분으로 이루어져 있다. 제1항은 MIA 제6조 제1항의 규정 즉, '피보험자는 보험계약체결시에 보험의 목적에 대하여 이해관계를 가질 필요는 없지만, 손해발생 시에는 피보험이익을 가져야 한다'는 취지를 재차 규정하고 있다.

제2항은 유명한 "lost or not lost"(멸실여부를 불문함) 소급조항의 해석에 관한 MIA 부칙 RCP 제1조의 규정과 동법 제6조 제1항 제2호의 단서 이후의 문언을 통합한 내용이다. 즉, 이전의 "lost or not lost" 조항 적용의 전제조건이었던 주관적 우연성의 존재를 필요로 하는 취지(소급담보의 전제조건)를 규정하고 있다. 부연하면 손해가 보험계약의 체결 이전에 발생한 것이더라도 피보험자가 이 손해발생 사실을 알고 있었고 보험자가 몰랐을 경우를 제외하고 피보험자의 보상청구권은 유효하다.

12) 제12조

Forwarding Charges

12. Where, as a result of the operation of a risk covered by this insurance, the insured transit is terminated at a port or place other than that to which the subject-matter insured is covered under this insurance, the Insurers will reimburse the Assured for any extra charges properly and reasonably incurred in unloading storing and forwarding the subject-matter insured to the destination to which it is insured.

This Clause 12, which does not apply to general average or salvage charges, shall be subject to the exclusions contained in Clauses 4, 5, 6 and 7 above, and shall not include charges arising from the fault negligence insolvency or financial default of the Assured or their employees.

계반비용

제12조 이 보험에 의해 담보되는 위험의 작용의 결과로서, 피보험운송이 이 보험에 의해 보험의 목적이 거기까지 담보되어 있는 항구 또는 지역 이외의 항구 또는 지역에서 종료되는 경우에는, 보험자는 보험의 목적을 양하, 보관하고, 이 보험에 부보된 목적지까지 운송하기 위해 적절하고 합리적으로 발생된 일체의 추가비용을 피보험자에게 보상한다.

이 제12조는 공동해손 또는 구조비에는 적용되지 않지만, 상기 제4조, 제5조, 제6조 및 제7조에 규정된 면책조항의 적용을 받으며 또한 피보험자 또는 그 사용인의 과실, 태만, 지급불능 또는 재정상의 채무불이행으로부터 생긴 비용을 포함하지 않는다.

해설

1963년 약관에서는 계반비용에 관한 규정이 없어 증권본문의 손해방지조항, MIA 제64조 제2항의 특별비용(special charges)에 관한 규정, FPA 약관에 있는 특별비용에 관한 규정에 비추어 해석하였다. 그러나 본 조항에 의하면 담보위험에 의해 생긴 계속운송을 위한 추가비용(extra charges)의 지급을 명시적으로 규정하고 있다. 즉, 담보위험이 발생한 결과 운송이 중간항에서 종료되는 경우에, 중간항에서의 추가비용과 본래의 목적지까지의 계반비용을 보상하는 것을 규정하고 있다. 다만, 여기서 주의해야 할 점은 ① 본 조항이 공동해손 및 구조비에 대해서는 적용되지 않는 점, ② 제1조 위험조항과 같이 제4조(일반면책), 제5조(감항능력결여 · 부적합면책), 제6조(전쟁면책) 및 제7조(동맹파업면책)에 규정된 면책조항의 적용을 받는 점, ③ 피보험자 또는 그 사용인의 과실, 태만, 지급불능 또는 재정상의 채무불이행으로부터 생긴 비용은 본 조항에서 말하는 계반비용에 포함되지 않는다는 점이다.

13) 제13조

Constructive Total Loss

13. No claim for Constructive Total Loss shall be recoverable hereunder unless the subject-matter insured is reasonably abandoned either on account of its actual total loss appearing to be unavoidable or because the cost of recovering, reconditioning and forwarding the subject-matter insured to the destination to which it is insured would exceed its value on arrival.

추정전손

제13조 보험의 목적의 현실전손이 불가피하다고 생각되기 때문에 또는 보험의 목적의 회수, 보수 및 보험에 부보된 목적지까지 운송하는 비용이 도착시의 보험의 목적의 가액을 초과할 것 같기 때문에, 보험의 목적이 합리적으로 포기되지 않는 한, 추정전손에 대한 보험금은 이 보험하에서는 보상되지 않는다.

해설

본 조항은 MIA 제60조(추정전손의 정의) 규정을 도입한 것으로, 위부사유에 대하여 규정하고 있다. 즉, 보험의 목적의 현실전손이 불가피하거나 또는 보험의 목적의 손해에 대한 회복, 수리 및 계반비용이 목적지에 도착했을 때의 보험의 목적의 가액을 초과할 것 같은 경우에, 보험의 목적을 보험자에게 위부함으로써 그 손해를 전손으로 처리할 수 있다는 것을 규정하고 있다.

14) 제14조

Increased Value

14. 14.1 If any Increased Value insurance is effected by the Assured on the subject-matter insured under this insurance the agreed value of the subject-matter insured shall be deemed to be increased to the total amount insured under this insurance and all Increased Value insurances covering the loss, and liability under this insurance shall be in such proportion as the sum insured under this insurance bears to such total amount insured.

In the event of claim the Assured shall provide the Insurers with evidence of the amounts insured under all other insurances.

14.2 Where this insurance is on Increased Value the following clause shall apply: The agreed value of the subject-matter insured shall be deemed to be equal to the total amount insured under the primary insurance and all Increased Value insurances covering the loss and effected on the subject-matter insured by the Assured, and liability under this insurance shall be in such proportion as the sum insured under this insurance bears to such total amount insured.

In the event of claim the Assured shall provide the Insurers with evidence of the amounts insured under all other insurances.

증액

제14조

14.1 이 보험에 부보된 보험의 목적에 대하여 피보험자가 증액보험을 부보한 경우에는 이 화물의 협정보험가액은 이 보험의 보험금액 및 이와 동일한 손해를 담보하는 모든 증액보험의 총보험금액으로 증가된 것으로 간주되며, 이 보험에서의 보상책임은 총보험금액에 대한 이 보험의 보험금액의 비율로서 부담하게 된다.

보험금을 청구할 때에는 피보험자는 모든 타보험의 보험금액에 대한 증거를 보험자에게 제공해야 한다.

14.2 이 보험이 증액보험인 경우에는 다음 조항을 적용한다.

부보된 보험의 목적의 협정보험가액은 원보험의 보험금액 및 피보험자에 의해 그 보험의 목적에 대해 부보되고, 동일한 손해를 담보하는 모든 증액보험의 총보험금액과 동액으로 간주되며, 이 보험에서 보상책임은 총보험금액에 대한 이 보험의 보험금액의 비율로서 부담하게 된다.

보험금을 청구할 때에는 피보험자는 모든 타보험의 보험금액에 대한 증거를 보험자에게 제공해야 한다.

해설

이 조항은 원보험과 증액보험을 별개로 취급하는 종래의 시장관행을 변경하는 취지에서 새로이 신설된 조항으로, 원보험과 증액보험은 각각 일부보험으로 되며 양자를 합산하여 전부보험이 되도록 규정하고 있다.

이 조항은 보험계약을 체결한 후 보험의 목적의 가격이 앙등하여 피보험자가 다시 동일한 보험의 목적에 대하여 증액보험을 체결한 경우로 크게 두 부분으로 나누어진다. 즉, 제14조 제1항은 원보험에 적용되며, 제14조 제2항은 증액보험에 적용된다. 두 항 모두 각 보험증권에 표시된 가액을 합산하여 하나의 보험가액으로 하고, 각 보험증권의 보험금액은 양 보험증권의 합계보험가액에 대한 일부보험으로 취급되며, 보험금 청구는 각 보험증권의 비율에 따라 지급된다.

15) 제15조

BENEFIT OF INSURANCE

15. This insurance

15.1 covers the Assured which includes the person claiming indemnity either as the person by or on whose behalf the contract of insurance was effected or as an assignee,

15.2 shall not extend to or otherwise benefit the carrier or other bailee.

보험의 이익

제15조 이 보험은

15.1 이 보험계약을 스스로 체결한 자 또는 자기를 위해 이 보험계약을 체결한 자로서, 또는 양수인으로서 보험금을 청구하는 자를 포함하는 피보험자를 대상으로 한다.

15.2 확장해석 또는 기타 방법에 의해 운송인 및 기타의 수탁자에게 유리하게 이용되어서는 안 된다.

해설

본 조항의 제1항은 피보험자의 정의규정으로 2009년 ICC에서 신설된 것이며, 보험증권의 양수인도 피보험자에 포함된다는 취지를 명확히 하고 있다. 제2항은 보험이익 불공여조항이라고 불리는 것으로 화주가 자신을 보호하기 위해 수배하는 보험의 이익을 운송인이 향수하는 것을 인정할 수 없게 하기 위한 규정이다.

16) 제16조

MINIMISING LOSSES

Duty of Assured

16. It is the duty of the Assured and their employees and agents in respect of loss recoverable hereunder

16.1 to take such measures as may be reasonable for the purpose of averting or minimising such loss,

and

16.2 to ensure that all rights against carriers, bailees or other third parties are properly preserved and exercised and the Insurers will, in addition to any loss recoverable hereunder, reimburse the Assured for any charges properly and reasonably incurred in pursuance of these duties.

손해경감

피보험자의 의무

제16조 이 보험에 의해 손해를 보상받기 위해서 다음 사항을 이행하는 것은 피보험자, 그 사용인 및 대리인의 의무이다.

16.1 그 손해를 방지하거나 또는 경감하기 위해 합리적인 조치를 강구하는 것, 그리고

16.2 운송인, 수탁자 또는 기타 제3자에 대한 일체의 권리가 적절히 보존되고 행사되도록 확보할 것, 그리고 보험자는 이 보험에서 보상하는 손해에 추가하여 상기 의무를 수행함에 있어 적절하고 합리적으로 발생된 일체의 비용을 피보험자에게 보상한다.

해설

본 조항은 피보험자의 손해방지의무 및 운송인, 기타 제3자에 대한 구상권 보전의무를 규정한 것으로 이를 위한 비용은 기타 손해액과 합하여 보험금액을 초과하여도 지급되는 것을 명시하고 있다. 좀 더 상술하면 제1항은 손해방지의무의 규정으로 손해를 방지 또는 경감하기 위해 합리적 조치를 취할 것(구조행위)을 규정하고 있다. 제2항은 운송인 · 수탁자 또는 기타 제3자에 대한 일체의 권리가 적절히 보존되고 행사되도록 확보하는 것(구상행위)이 피보험자의 의무임을 규정하고 있다. 또한 손해방지에 관한 피보험자의 의무를 이행함에 있어 적절하고 합리적으로 발생된 일체의 비용(이른바 손해방지비용)은 손해보상액에 추가하여 피보험자에게 보상할 것을 명시하고 있다.

17) 제17조

Waiver

17. Measures taken by the Assured or the Insurers with the object of saving, protecting or recovering the subject-matter insured shall not be considered as a waiver or acceptance of abandonment or otherwise prejudice the rights of either party.

포기

제17조 보험의 목적을 구조하거나 보호하거나 또는 회복하기 위해 피보험자 또는 보험자가 강구하는 조치는 위부의 포기 또는 승낙으로 간주되지 아니하며, 또한 어느 당사자의 권리를 침해하는 것도 아니다.

해설

본 조항은 구보험증권 본문약관에 포함되어 있던 포기조항(Waiver Clause)을 협회적하약관으로 옮긴 조항으로 피보험자가 위부의 통지를 하고 추정전손(constructive total loss)을 청구한 경우, 보험자 및 피보험자의 법률상의 지위가 손해를 회피하기 위해 양자가 취한 행위에 의해 침해되지 않는다는 것을 확약한 것이다. 즉, 보험의 목적의 구조, 보호, 회복을 위한 피보험자 또는 보험자의 행위는 위부의 포기 또는 승낙으로 간주되지 않는 취지를 규정하고 있다.

18) 제18조

AVOIDANCE OF DELAY
18. It is a condition of this insurance that the Assured shall act with reasonable despatch in all circumstances within their control.

지연의 방지
제18조 피보험자는 자기가 통제할 수 있는 모든 상황에서 상당히 신속하게 행동하는 것이 이 보험의 조건이다.

해설

본 조항은 신속조치조항으로 불리는 규정으로 피보험자에게 운송준비상의 지연을 회피할 것을 충분히 배려하는 것이 중요한 의무의 하나인 것을 명시하고 있다.

즉, 제16조(피보험자의 의무) 및 제17조(포기)는 손해가 발생한 경우 또는 추정전손의 경우에 피보험자의 손해방지경감의 의무를 규정하고 있는데 이들 의무는 손해가 이미 발생한 경우 또는 전손발생이 피하기 어려운 경우를 전제로 한 의무이다. 이에 대하여 본 조항의 신속조치의무는 손해가 발생하지 않은 상태에서 더구나 화물이 피보험자인 화주의 지배하에 있는 동안에 피보험자가 당연히 준수해야 할 '신속조치' 의무를 규정하고 있다.

19) 제19조

LAW AND PRACTICE
19. This insurance is subject to English law and practice.

법률 및 관습
제19조 이 보험은 영국의 법률 및 관습에 준거한다.

해설

본 조항은 영국법 준거를 정한 규정인데, MAR Form에 준하는 우리나라의 신적하 보험본문의 준거법 조항(Governing Clause)에 의하면 일체의 보험금청구에 대한 책임 및 결제에 대해서만(only as to liability for settlement of any and all claims) 영국의 법률 및 관습에 준거하는 취지를 규정하고 있다. 보험증권본문의 규정이 제19조에 우선하므로 보상책임 이외의 점, 예컨대 계약의 성립이나 보험료 지급에 대하여는 영국법이 아니고 보험계약의 체결지인 한국법에 준거하는 것으로 된다.

20) 주의사항

Note

It is necessary for the Assured when they become aware of an event which is "held covered" under this insurance to give prompt notice to the Underwriters and the right to such cover is dependent upon compliance with this obligation.

주의사항

제9조에 의해 담보의 계속이 요청되거나 또는 제10조에 의해 목적지의 변경이 통지되는 경우에는, 지체 없이 그 취지를 보험자에게 통지할 의무가 있고, 담보의 계속을 받을 권리는 이 의무의 이행여부에 달려 있다.

해설

제9조 운송계약종료, 제10조 항해변경의 경우의 담보계속의 요건으로서 보험자에게로의 신속통지의무가 주의규정으로 기술되어 있다. 즉, 보험계약에서 계속담보를 받는 사유가 발생한 경우에는, 피보험자(assured)는 지체 없이 그 취지를 보험자에게 통지할 것을 의무로 한 것이다. 다시 말해 이 규정으로 피보험자에게 통지의무가 부가되며, 그가 이를 이행한 경우에 계속담보를 받는 것으로 하였다.

제10장

협회기간약관-선박

제1절 선박보험증권의 연혁

1. Lloyd's S.G. Form

해상보험분야에서는 로이즈를 비롯한 런던보험시장이 오늘날에 있어서도 세계의 중심적 지위에 있다고 해도 과언이 아니다. 영국의 선박보험약관은 세계에서도 보기 드문 오랜 전통이 있으며 오늘날 우리나라뿐만 아니라 세계적으로 가장 널리 이용되고 있는 약관이다.

해상보험약관은 당초 여러 내용의 것이 사용되었지만 17세기 후반부터 공통의 양식이 사용되게 되어 1779년 로이즈는 이것을 통일양식으로 이용하게 되었다. 이것이 S.G. Form이며 S.G.는 Ship and Goods의 약자이다. 즉 이것은 선박보험, 적하보험의 공통증권으로서 사용된 것이다. 이 양식은 MIA 제1부칙에 보험증권양식으로서 열거되어 있다. 또한 1983년에 S.G. Form이 폐지되기까지 실제로 사용되고 있던 Form도 이것과 거의 변함이 없다.[168)]

S.G. Form은 오래되었으며 난해한 용어를 사용하고 있어 점차로 이것만으로는 시대의 요청에 부응할 수 없었기 때문에 이것을 보완하기 위한 약관이 1888년에 런던보험업자협회(ILU)에서 처음으로 제정되어 S.G. Form에 첨부되어 인수되게 되었다. 그래서 이 약관(협회기간약관-선박(Institute Time Clauses-Hulls; ITC-Hulls))은

168) Thomas, D.R., *The Modern Law of Marine Insurance,* Lloyd' s of London Press, 1996, p.47.

그 후 필요에 따라 개정이 이루어져 왔다.[169)]

또한 S.G. Form은 ITC-Hulls를 첨부하여 주로 로이즈보험업자에 의해 이용되어 왔지만 한편으로 ILU는 S.G. Form에서 선박, 화물 중 한쪽의 종목에는 불필요한 규정을 제외한 수정을 하여 선박, 화물 각각 전용의 양식인 Companies Combined Policy를 만들어 선박보험에 대해서는 이것에 ITC-Hulls를 첨부하여 사용해 왔다. 그러나 S.G. Form이든 이 Companies Combined Policy이든 양자 모두 내용적으로는 거의 변함이 없다.

2. UNCTAD의 국제표준약관의 제정

① 1968년 뉴델리에서 개최된 유엔무역개발회의(UNCTAD)의 제2회기에서 개발도상국 측에서 현행 국제해운입법의 대부분은 개발도상국의 이익이 고려되지 않았던 시대의 산물이라는 주장이 있어 국제해운입법을 개발도상국의 이익에 합치되는 것으로 하기 위해 입법권한을 UNCTAD의 소관으로 해야 한다는 결의가 이루어졌다. 이 결의를 기초로 UNCTAD의 해운위원회에 설치된 것이 '국제해운입법작업부' 이다. 동 작업부회는 선하증권, 용선계약, 공동해손, 해상보험 등 다양한 계획을 세워 해상보험에 대해서는 1979년에 착수하기 시작했다.

② 그 구체적인 동향으로서는 우선 UNCTAD 사무국이 UNCTAD 제6회기의 심의에 대비하여 1978년 11월 20일에 '해상보험계약에 관한 법률상 및 서류상의 문제점' (Legal and documentary aspect of the marine insurance contract report by the UNCTAD secretariat)(TD/B/C 4/ISL/27)이란 제목을 붙인 보고서를 발표했다. 이 보고서는 해상보험에 관한 법률 및 보험증권 · 약관 면에 있어서 국제적 통일을 향해 작업부회에서 검토할 자료로서 작성된 것이다.

우선 보고서는 해상보험의 경제적 역할, 기본원칙 등을 개설하고 국제적으로 통일된 해상보험조건이 존재하지 않은 것은 개발도상국의 국제수지에 나쁜 영향을 미친다는 것을 지적한 후에 당시 국제적으로 널리 사용되고 있던 영국의 해상보험에 관한 법제도 및 관행을 상세하게 설명하고 S.G. Form의 난해함 및 그 밖의 여러 가지 문제점에 대하여 분석하였다. 그 결론

169) 松島惠, 『船舶保險約款硏究』, 成文堂, 1994, p.175.

으로서 해상보험의 국제적 통일화를 확립하기 위한 방법을 다음과 같이 제안했다.

㉠ 보험계약: 체제는 노르웨이보험통칙에 따르기로 하고 내용은 영국의 약관을 기초로 하여 널리 타국의 법제도에 적응하도록 수정을 하고 나아가 각 조항의 해석기준으로서의 주석서를 작성할 것.

㉡ 법률 규정: 국제통일보험조건이 각국의 해상보험법의 강행규정에 따라 통일적인 적용을 달성할 수 없게 되는 것을 방지하기 위해 국제적인 통일보험법규를 작성할 것. 실시방법으로서는 법적구속력을 가지는 조약을 제정하는 방법과 모델법을 만들어 그것을 각국이 국내법으로 하여 제정하는 방법 중 어느 것이라도 선택할 수 있다.

㉢ 클레임처리에 관한 시장관행: 각 조항의 주석서에 국제적으로 합의한 사정(査定)규칙을 포함시킬 것. 나아가 보고서는 이 방법을 구체적으로 검토하고 그 결과를 작업부회에 보고하기 위해 정부의 전문가와 보험자 및 피보험자의 대표로 구성되는 임시전문가 그룹을 두어, 첫째, 국제적 통일보험조건을 개발하고, 둘째, 국제조약 또는 국제협정을 제정할 것의 시비(是非)를 심의하기로 제안했다.

③ 전술한 바와 같이 UNCTAD 사무국이 발표한 보고서는 포괄적인 국제통일보험조건 및 국제조약/협정을 작성하는 구상을 제안했는데 작업부회는 심의의 결과, 보험자, 이용자 쌍방의 대표를 포함한 전문가 레벨의 회합을 개최하여 법적 구속력을 가지지 않는 표준보험약관(a set of standard clauses as a non-mandatory international model)을 작성할 것을 결의했다. 그 후 같은 약관의 작성작업에 들어갔는데 그 때 가장 기본적인 문제점의 하나는 영미의 열거책임주의와 노르웨이 등의 포괄책임주의의 어느 쪽을 채택할지라는 점이었다. UNCTAD 사무국은 포괄책임주의에 의한 통일을 시사했지만 최종적으로는 오랜 전통을 가진 영국방식의 영향력을 무시할 수 없어 양쪽 주의에 기초한 두 가지의 담보위험약관을 작성하여, 양자를 병존시켜 보험계약자의 선택에 위임하기로 했다.

이와 같은 점을 기본으로 하여 전문가 레벨의 회합에서 검토가 계속되어 UNCTAD의 국제표준선박보험약관은 그 후 1984년에 작성되게 되었다. 그래서 1987년 이사회에서 동 약관이 승인되었다.

3. S.G. Form의 폐지와 ITC 약관의 개정

영국은 UNCTAD에서의 심의에 앞서 자국의 선박, 적하보험약관에 커다란 수정을 하여 1982년 1월 1일자로 새로운 단장을 한 ILU 적하보험약관을 발표하고 이어서 1983년 10월 1일자로 협회기간약관-선박(ITC-Hulls)을 발표했다. 영국이 행한 이 개정의 최대 관건은 로이즈 S.G. Form의 폐지이다. S.G. Form에 있든 조항을 장래의 협회약관의 조항과 합체하는 방법을 채택하여 영국의 보험업계는 이것을 달성한 것이다.

개정내용을 보면 자구, 그 밖의 약간의 수정은 별도로 하더라도 본격적인 내용의 변경은 예상외로 적었다. 예컨대 보험계약의 가장 근간을 이루는 위험조항에 대해서 말하면 종래 S.G. Form에 열거된 전통적인 담보위험과 ITC 중의 Inchmaree 조항[170]에 있던 담보위험을 하나의 조문에 규정한 것뿐이었다. 또한 담보위험 그 자체의 변경은 해적이 전쟁위험에서 해상위험으로 이동된 것뿐이다. S.G. Form 중의 위험조항에 있던 '기타 모든 위험' 이라는 표현은 삭제되었지만 이것도 개정약관 초안자는 과거의 관련판례를 상세하게 분석하여 이 표현이 없어도 담보위험에는 법적 변경이 없다는 것을 고찰한 후에 행하고 있다.

또한 1983년 ITC-Hulls의 개정에 맞추어 협회전쟁 · 동맹파업약관-선박(Institute War and Strikes Clauses-Hulls)도 1983년 10월 1일자로 개정이 이루어졌다.[171] 그 후 1995년 11월 1일에도 개정이 이루어졌는데 그 주요 차이는 다음 표와 같다.

---

170) 본 조항이 도입된 계기가 되었던 1884년에 발생하여 1887년에 최종적으로 판결된 Inchmaree 호 사건 때 선박명칭에서 비롯된 것이다. Thames & Mersey Marine Insurance Co. Ltd. v. Hamilton Fraser & Co.(The Inchmaree) 사건([1887]17Q.B.195)의 요지는 다음과 같다. 즉, 항해를 준비하기 위해 주기관에 물을 주입시키려고 보조기관을 작동했을 때 언제나 개방해 두었어야 할 밸브가 닫혀 있었기 때문에 물이 주기관에 들어가지 않고 보조펌프의 공기압축실에 들어가 공기압축실이 파손되었다. 본 사건에서 법원의 판결은 선원의 과실에 의해 생긴 Inchmaree호의 보조펌프의 손상은 해상고유의 위험(Perils of the Seas)에 의한 것도 아니며 증권본문의 기타 일체의 위험(all other perils)인 동종제한의 원칙이 적용되는 위험도 아니므로 보상될 수 없다는 것을 명확하게 하였다. 본 사건 이후 선원 등의 과실위험을 비롯하여 기타 일체의 위험에 포함되지 않는 위험을 보험자가 담보하려고 할 경우 본 조항에 추가규정하기로 하여 오늘에 이르고 있다(Thomas, D.R., op. cit., pp.77~78; 전무부, 『해상보험론』, 형설출판사, 1997, pp.551~552).

171) 谷川久監修, 東京海上火災保険株式會社 海損部編, 『イギリス船舶保険約款の解説』, 損害保険事業總合研究所, 1994, p.8~11.

제2절 협회기간약관의 구성 및 비교

여기서는 1983년 ITC-Hulls와 1995년 ITC-Hulls의 약관내용을 비교한다(〈표 10-1〉 참조).

〈표 10-1〉 1983년 ITC-Hulls와 1995년 ITC-Hulls의 약관내용의 비교

1983년 ITC-Hulls	1995년 ITC-Hulls
제1조 항해(Navigation)	제1조 항해(Navigation)
제2조 계속(Continuation)	제2조 계속(Continuation)
제3조 담보위반(Breach of Warranty)	제3조 담보위반(Breach of Warranty)
제4조 종료(Termination)	제4조 선급(Classification)
제5조 양도(Assignment)	제5조 종료(Termination)
제6조 위험(Perils)	제6조 위험(Perils)
제7조 오염손해(Pollution Hazard)	제7조 오염손해(Pollution Hazard)
제8조 3/4충돌책임(3/4ths Collision Liability)	제8조 3/4충돌책임(3/4ths Collision Liability)
제9조 자매선(Sistership)	제9조 자매선(Sistership)
제10조 사고통지 및 입찰 (Notice of Claim and Tenders)	제10조 공동해손 및 구조 (General Average and Salvage)
제11조 공동해손 및 구조 (General Average and Salvage)	제11조 피보험자의 의무(손해방지) (Duty of Assured)(Sue and Labour)
제12조 공제(Deductibles)	제12조 공제(Deductible)
제13조 피보험자의 의무(손해방지) (Duty of Assured)(Sue and Labour)	제13조 사고통지 및 입찰 (Notice of Claim and Tenders)
제14조 신구교환차익(New for Old)	제14조 신구교환차익(New for Old)
제15조 선저처리(Bottom Treatment)	제15조 선저처리(Bottom Treatment)
제16조 급식료(Wages and Maintenance)	제16조 급식료(Wages and Maintenance)
제17조 대리수수료(Agency Commission)	제17조 대리수수료(Agency Commission)
제18조 미수리손해(Unrepaired Damage)	제18조 미수리손해(Unrepaired Damage)
제19조 추정전손(Constructive Total Loss)	제19조 추정전손(Constructive Total Loss)
제20조 운임포기(Freight Waiver)	제20조 운임포기(Freight Waiver)
제21조 선비담보(Disbursements Warranty)	제21조 양도(Assignment)
제22조 계선 및 해지에 의한 반환보험료 (Return for Lay-up and Cancellation)	제22조 선비담보(Disbursements Warranty)
제23조 전쟁면책(War Exclusion)	제23조 계선 및 해지에 의한 반환보험료 (Return for Lay-up and Cancellation)
제24조 스트라이크면책(Strikes Exclusion)	제24조 전쟁면책(War Exclusion)
제25조 악의행위면책(Malicious Acts Exclusion)	제25조 스트라이크면책(Strikes Exclusion)
제26조 원자력면책(Nuclear Exclusion)	제26조 악의행위면책(Malicious Acts Exclusion)
	제27조 방사성오염면책 (Radioactive Contamination Exclusion)

1983년 ITC-Hulls와 비교하여 결정적으로 개정된 내용으로는 1995년 ITC-Hulls에서 새로 추가된 동 약관 제4조(선급조항)를 들 수 있는데 동 조항이 새로 추가된 이유는 다음과 같다. 1987년 국제해상보험연합(International Union of Marine Insurance; IUMI) 총회에서 선급은 유지되고 있지만 실제의 선체의 상태가 만족할 만한 수준이 되지 않고 있는 기준미달선(sub-standard ship)이 많이 항해하고 있는 현실이 지적되어 1989년 런던시장에서 선급약관(Hull Classification Clauses)이 제정되었기 때문이다. 또한 고령의 대형 벌크선의 중대 사고속출을 계기로 선급협회 내부에서도 기준미달선 배제에 대한 움직임이 활발해져 선급검사규칙의 개정 및 검사의 엄격한 실시의 추진이 진행되었다. 따라서 이와 같은 사정을 고려하여 1995년 ITC-Hulls에 선급조항이 추가되었다.

그 밖에는 1983년 ITC-Hulls의 제5조(양도), 제10조(사고통지 및 입찰), 제11조(공동해손 및 구조), 제12조(공제), 제13조(피보험자의 의무(손해방지))의 조항이, 조항 명칭의 변경 없이 ITC-Hulls 1995년에서는 각각 제21조, 제13조, 제10조, 제12조, 제11조에 규정되어 있으며, 1983년 ITC-Hulls 제26조(원자력면책)는 1995년 ITC-Hulls에서는 제27조(방사성오염면책)에 그 명칭이 변경되어 있다.

그 후 2003년에도 선박약관(2003년 국제선박약관(International Hull Clauses; IHC))이 개정되었는데 이 약관의 내용은 기존의 두 약관과 비교할 경우 현저한 차이가 있으며 획기적인 것이라고 할 수 있다. 또한 기존의 두 약관은 ILU에서 제정한 것인 데 비해 2003년 IHC는 국제보험인수협회(International Underwriting Association)에서 제정했다는 점이 다르다. 즉, 2003년 IHC는 기존의 협회선박약관과 비교해 볼 때 체계적 · 내용적으로 전혀 다르게 구성되어 있다. 오늘날 대개의 국가에서는 1983년 ITC-Hulls를 사용하고 있어, 1995년 ITC-Hulls와 2003년 IHC를 사용하고 있는 국가는 소수에 불과하다고 할 수 있다.

제11장

해상위험

제1절 해상위험의 의의

1. 해상위험의 개념

위험이란 재해 또는 사고를 말한다. 우연적으로 발생하는 위험이 보상의 대상이며 필연적으로 발생하는 위험은 보험의 대상이 아니다.

해상보험과 관련하여 보험사고는 항해에 관한 사고로서, 해상위험은 항해에 기인하고 항해에 부수하여 발생하는 사고를 말한다. 해상위험에는 보험자가 담보할 수 있는 위험과 담보할 수 없는 위험이 있으며, 해상보험계약상 위험은 다양한 개념으로 정의될 수 있다. 또한 해상보험과 관련하여 해상위험은 다음의 요건을 충족하여야 한다.

1) 손해의 원인인 위험사고가 발생할 가능성으로서의 위험

보험자의 손해보상의무는 보험자가 부담한 일정한 우연적인 사고에 의존한다. 이 의미의 위험은 보험계약성립의 요소로서의 위험이며 보험자가 손해를 보상하는 데 달려 있는 사고이기 때문에 보험자가 보상하느냐의 여부는 이 의미의 위험의 발생 여부에 따라 결정된다.

2) 위험사고발생 가능성으로서의 위험

보험계약의 체결이 위험의 존재를 전제로 한다거나 “위험이 없으면 보험이 없다.”

라고 할 때의 위험을 의미한다. 위험의 정도, 위험의 측정, 위험의 증가 또는 감소라는 경우의 위험을 말한다.

3) 보험책임으로서의 위험

보험계약상의 보험자의 책임, 즉 손해보상의무 또는 위험부담책임을 표시하기 위해 사용한다. 즉, 위험의 개시, 위험의 담보 등의 경우에는 보험자의 책임을 의미한다.

2. 해상위험의 특징

첫째, 사고가 발생한 사실을 모르고 있을 경우에는 위험이 될 수 없다.

둘째, 항해사업은 보험계약상 확정되어 있어야 한다. 보험증권에 정해진 항로나 기간 이외의 위험은 해상에서 발생하였다고 하더라도 보험계약상의 해상위험이라 할 수 없다.

셋째, 해상위험은 항해고유의 위험뿐만 아니라 항해를 전제로 하지 않는 인위적 · 자연적 위험도 포함한다.

3. 위험의 제한

해상보험에서 보험자는 모든 해상위험을 담보하는 것이 원칙이지만 도덕적 위태의 방지, 보험경영의 합리화 등을 위해 다수의 위험 가운데 보험자가 담보하는 위험을 일정한 범위 내로 제한하는 것이 필요하다.

그 위험제한의 유형은 다음과 같다.

① 종류적 제한: 보험자의 담보위험 및 면책위험의 종류를 열거 및 명시하여 제한하는 유형

② 시간적 제한: 보험자의 담보위험에 대해 보험기간을 명시

③ 조건적 제한: 일정한 조건 또는 사실이 발생할 경우에 보험자의 면책

④ 원인적 제한: 사고의 책임이 피보험자에게 있는 경우에 보험자의 보상책임을 제한

⑤ 장소적 제한: 일정한 지역 · 장소에서 발생한 손해의 경우로 보험자의 보상책임을 제한

제2절 해상위험의 변동

1. 위험변동의 의의

위험변동의 원리는 해상보험이나 기타 일반보험의 경우 근본적인 차이점은 없다고 할 수 있다. 즉, 위험변동의 원리는 보험계약을 체결할 때 존재한 '보험자의 위험부담과 지급보험료의 균형 유지(회복)' 라는 것이다. 단지 해상보험의 경우에는 육상보험의 경우와 달리 보험의 목적물인 선박 · 적하가 위험한 해상을 이동하기 때문에 물리적인 장소 측면에서 상당한 특수성이 존재한다. 즉 해상보험자가 부담하는 위험은 원칙적으로 '항해에 관한 사고' 의 전부라는 담보위험의 다양성, 보험의 목적물인 선박 · 적하가 가동물(可動物)인 점, 더욱이 보험의 목적물인 선박 · 적하가 위험에 노출되는 장소가 다양한 위험이 존재하는 해양이라는 점, 또한 선주 · 화주의 선박 · 적하에 대한 소유자로서의 지배권이 항해 중에는 선장 및 운송인에게 이동되는 점 등 항해사업의 고유한 특수사정에 유래한다. 보험의 목적물이 가동물이라는 점, 위험에 노출되는 장소가 위험도가 높은 해양이라는 점이 해상보험에서의 위험의 변동의 기회를 화재 · 자동차 등 육상의 보험의 그것에 비해 현저하게 높이는 원인이 되고 있다.[172)]

따라서 보험계약체결에 있어 불변을 전제로 한 위험상태가 변동하는 경우 또는 보험계약체결 후에 위험사정에 변화가 초래된 경우, 예컨대 피보험선박이 항해 중 내항성을 상실하여 그 결과 보험자가 예기하지 못한 위험률의 증대를 초래한 경우 보험계약의 기초에 동요를 초래하여 보험계약은 그 효과에 영향을 받을 수밖에 없게 된다.

법률 또는 약관은 사정에 따라서는 보험계약의 실효, 보험계약의 해지, 사후면책 또는 보험계약자 또는 피보험자를 구제하기 위한 방법으로 증가한 위험에 대응한 새로운 보험료율에 근거한 추가(할증)보험료의 지급을 요구할 수 있는 등의 효

172) 加藤由作,『海上危險新論』, 春秋社, 1961, p.831.

과가 발생한다는 취지를 규정하게 된다. 이를 일반적으로 '위험변동의 원리(원칙)' 라 부르고 있다.

해상보험에 있어서 위험변동의 구체적인 예로서 항해의 변경, 이로(항로의 변경), 항해의 지연, 선박의 변경, 환적, 적하의 갑판적재, 보험목적물의 양도, 선장의 변경 등이 있다.[173)]

2. 통지의무

1) 위험변경 · 증가의 통지의무

위험변경 · 증가의 통지의무의 의의: 보험계약자 등이 보험사고발생의 위험이 현저하게 변경 또는 증가된 사실을 안 때에는 지체 없이 보험자에게 통지하여야 한다(상법 제652조). 이러한 위험변경 · 증가통지의무의 발생요건으로서는 보험기간 중에 발생한 것이어야 하며, 그것의 변경 또는 증가가 현저한 것이어야 하며, 또한 보험계약자 등이 개입할 수 없는 제3자의 행위여야 한다.[174)]

위험변경 · 증가통지의 시기와 방법: 위험변경 · 증가통지의 시기와 방법은 지체 없이 통지해야 하는데, 자기의 책임 있는 사유로 지체 없이 위험변경 · 증가의 통지를 발송하면 된다. 발송사실에 대해서는 보험계약자 등이 입증해야 한다.

위험변경 · 증가 통지의무 해태의 효과: 보험자의 계약해지권의 발생은 지체 없이 그 사실을 통지하지 아니한 경우에 보험자는 그 사실을 안 날로부터 1개월 내에 계약을 해지할 수 있다(상법 제652조 제1항). 보험자가 위험변경 · 증가 통지의무의 위반을 이유로 보험계약을 해지한 경우는 보험계약은 효력이 상실된다.

2) 위험유지의무

위험유지의무의 의의: 보험기간 중에 보험계약자 · 피보험자나 보험수익자는 스스로 보험자가 인수한 위험을 보험자의 동의 없이 증가시키거나 제3자에 의하여 증

173) 韓洛鉉, 『海上保險における危險の變動』, 成文堂, 1997, pp.43~194.

174) 독일보험계약법(VVG)에서는 위험증가의 개념만이 존재하고 위험변경의 개념은 존재하지 않는다. 위험증가의 개념은 위험변경의 개념보다 협의의 개념이라고 보고 있다(Ritter, C. und Abraham, H. J., *Das Recht der Seeversicherungs*, 2.Aufl., 1.Bd., Cram De Gruyter & Co, 1967. S.385).

가시키도록 하여서는 안 될 의무를 부담한다. 보험계약자 등의 고의 또는 중대한 과실로 인하여 사고 발생의 위험이 현저하게 변경 또는 증가한 경우 보험자는 계약을 언제든지 해지할 수 있다(상법 제653조).

위험유지의무위반의 효과: 보험계약자 등이 위험유지의무를 위반한 경우에 그 사실을 안 날로부터 1개월 이내에 보험자에게 보험료의 증액청구 또는 보험계약해지권을 인정하고 있다. 또한 해지권행사의 효과에 대해서는 보험자가 보험계약을 해지하면 보험사고가 발생한 경우에도 보험금지급책임을 지지 아니한다. 단, 보험계약자가 그 '보험사고의 발생이 위험유지의무의 위반과 인과관계' 가 없음을 증명한 경우에는 보험자는 그 보험계약을 해지할 수 없다.

3) 보험사고발생의 통지의무

보험사고발생의 통지의무의 의의: 보험계약자 등이 보험사고의 발생을 안 때에는 지체 없이 보험자에게 그 통지를 발송해야 하며, 보험사고발생 통지의무의 법적 성질에 대해서는 고지의무나 위험변경 · 증가 통지의무와 같이 보험계약자 등에게 그 의무이행을 강제할 수 없으나 보험금청구를 위한 전제조건인 동시에 보험자에 대한 진정한 의무라고 할 수 있다.

보험사고발생 통지의무 위반의 효과: 보험계약자 등이 보험사고발생 통지의무의 나태로 인해 손해가 증가된 때에는 보험자는 그 증가된 손해를 보상할 책임이 없다(상법 제657조 제2항).

3. 해상보험에 있어서 위험변동의 실례

1) 항해의 변경

항해변경의 의의: 항해의 변경(change of voyage)은 발항항 또는 도착항의 한쪽 또는 양쪽을 변경하는 것이다. 즉, 항해는 보험계약에서 정한 발항항에서 도착항까지 계약상의 항해를 의미하므로 항해의 변경이란 바로 그 발항항 또는 도착항을 바꾸는 것을 뜻한다.

발항항 · 도착항의 변경: 선박이 보험계약에서 정하여진 발항항이 아닌 다른 항에서 출항한 때 또는 도착항이 아닌 다른 항을 향하여 출항한 때에는 보험자는 책임을 지지 아니한다.

책임개시 후의 항해의 변경: 보험자의 책임이 개시된 후에 보험계약에서 정하여진 도착항이 변경된 경우에는 보험자는 그 항해의 변경이 결정된 때로부터 책임을 지지 아니한다.

항해변경의 합의가 있는 경우: 보험자와 보험계약자 사이에 항해의 변경에 관한 합의를 한 때에는 그 계약의 조건에 따라 보험자는 그 항해변경 후의 사고에 대하여 보상책임을 진다.

입증책임: 보험자는 항해변경이 있는 경우 그 사실을 입증하고 손해보상책임을 면할 수 있다.[175)]

2) 이로(항로의 변경)

이로의 의의: 대개의 모든 항해에서 시종점(始終点)의 한쪽에서 다른 쪽으로 항해하기 위한 가장 안전하고 직접적이며 가장 신속한 방법은 종래의 경험과 관습에 의해 일정한 항로가 정해져 있다. 보험증권 중에도 특히 다른 항로를 지정하지 않는 한 이와 같은 항로가 피보험항해의 적법한 항로이며 계약체결 때 계약당사자에 의해 예정된 것으로 추정된다. 피보험항해의 정당한 항로에서 이탈하지 않겠다는 양해는 '이로하지 않을 것의 묵시조건(an implied condition not to deviate)' 이라 불린다. 따라서 해상보험 계약체결 때 위험개시의 장소와 위험종료의 장소가 지정된 어떤 항해가 부보되면 계약당사자는 선박이 관습상 인정된 항로를 항해하는 것으로 예기되었다고 간주되는 것이며 보험자는 이와 같은 항로를 기초하여 위험을 측정한다.

또한 적하의 신속하고 안전한 수송은 선박이 항해해야 할 항로와 밀접한 관계가 있으며 일단 적하에 손해가 발생한 경우 그 발생 여부에 따라 선박의 항로를 문제로 해야 하며 해상보험자에게 있어서 그 인수하는 위험을 측정하기 위해서라도 선박의 항로는 매우 중요하다. 이상과 같이 해상보험계약에 있어서는 선박이 관습상 정해진 항로에 따라 항해가 수행되는 경우에 보험적 보호를 받을 수 있으므로 선박이 관습상 정해진 항로를 이탈하지 않는 것이 하나의 묵시조건이 되고 있다.[176)] 이

---

175) Gilman, J.C.B., *Arnould's Law of Marine Insurance and Average*, Vol Ⅲ, 16th ed., Sweet & Maxwell, 1997, p.297.

위반행위를 '이로, 항로의 변경 또는 항로 외의 항해(deviation)' 라 한다.

이로의 성립요건

① 이로의 발생 시기는 현실적으로 이로의 상태 또는 행위가 있을 것을 필요로 하며 이로의 의사만으로는 보험계약에 어떤 영향도 미치지 않는다.
② 이로는 계약성립 후에 발생할 것을 필요로 한다.
③ MIA에서는 이로는 다른 위험의 변동의 경우와 마찬가지로 피보험자의 책임에 귀속되는 사유에 기인하는지의 여부에 불문하고 발생한다고 되어 있다(제46조 제1항).

이로의 효과: MIA 제46조 제1항에 의해 이로가 발생한 때는 보험자는 이후 그 책임을 면하고 이로의 경우 가령 정규의 항로에 복귀하는 경우가 있더라도 보험자의 책임은 부활되지 않는다.[177)]

다만 다음과 같은 적법한 이유가 있을 경우에는 이로가 허용되는 경우가 있다(MIA 제49조 제1항).

① 보험증권상의 명시규정에 따라 인정된 경우
② 선장 및 고용주가 지배할 수 없는 사정에 따라 인정된 경우
③ 명시 또는 묵시의 담보를 충족하기 위해 합리적으로 필요한 경우
④ 선장 또는 보험목적물의 안전을 위하여 합리적으로 필요한 경우
⑤ 인명을 구조하기 위해, 또는 인명이 위험에 처할 우려가 있는 조난선을 구조하기 위한 경우
⑥ 선상에 있는 자에게 내과적 또는 외과적 치료를 하기 위해 합리적으로 필요한 경우
⑦ 선장 또는 해원의 악행이 피보험위험의 하나인 때는 이들 자의 악행에 의해 발생한 경우

3) 항해의 지연

항해지연의 의의: 우선 항해보험에서는 보험기간이 공간적으로 정해져 있지만 시간

176) O' May, D. & Hill, J., op. cit., p.59.
177) 우리나라 상법 제701조의 2도 동일 취지이다.

적으로는 명확히 제한되지 않는다. 그러나 보험계약의 체결에 있어 특약하는 것이 없으면 부보한 항해는 보험계약 체결 후 상당한 기간 내에 개시되고 항해의 계속 및 종료도 또한 상당한 기간 내에 행해져야 한다. 즉 항해는 일정한 시기 및 기간 내에 행해질 것을 보험자는 기대하고 이것을 전제로 하여 위험을 측정하고 보험계약을 체결한 것으로 생각할 수 있다. 따라서 보험계약의 체결에 있어 보험자가 계약의 내용으로 항해수행의 지연은 위험의 변경이 된다. 이 경우 위험의 증가가 발생했는지의 여부는 문제가 되지 않는다(MIA 제42조).

한편 기간보험에서는 특정항해의 실행시기 및 항해기간은 보험계약의 체결에 있어 고려되는 바가 아니다. 그러나 확정보험이 종료된 때 및 선박이 항해 중이므로 계속조항[178]에 의해 기간보험이 그 종료될 때까지 연장된 경우 확정기간 종료 후에도 항해의 지연은 위험의 변경을 발생시킨다.

항해지연의 형태

① 항해개시의 지연(delay in commencement of the voyage)

② 항해수행의 지연(delay in the course of the voyage)

③ 항해종료의 지연(delay at the termination of the voyage)

항해지연의 효과: 영국의 법률 · 약관의 규정에서는 항해지연의 경우 보험자의 보상책임을 배제하고 있는데 보험자의 책임을 부정하는 이유로서 생각되는 것은 영법에서는 근인원칙의 엄격한 적용을 하고 있다는 것이다. 또 하나의 이유는 항해의 지연 자체는 보험자가 부담해야 할 담보위험이 아니라는 이유에 근거하고 있다. 보험자가 담보방식으로서 열거책임주의를 채택하는 MIA에서는 항해의 지연은 열거위험 중에 포함되지 않는다. 따라서 원래 비열거위험인 항해의 지연에 근인하여 발생한 손해에 대해 보험자는 보상책임을 지지 않는다.

또한 우리나라 상법 제702조도 피보험자가 정당한 사유 없이 발항 또는 항해를 지연한 때에는 보험자는 발항 또는 항해를 지체한 이후의 사고에 대하여 책임을 지

178) 영국에서는 MIA 및 로이즈 보험증권에 기간연장에 관한 규정이 없기 때문에 이와 같은 경우 실제로는 기간연장을 인정하는 이른바 '계속약관' 이 보험증권에 추가되게 된다. 이 약관이 추가되면 위험의 변경 · 증가 등에 있어 보험자에의 통지에 의해 또는 추가(할증)보험료의 지급에 의해 담보는 계속된다. 1995년 ITC-Hulls 제2조는 이 계속약관에 대해 규정한 것인데 조난 중이든지 피난항 또는 기항항에 있을 때는 미리 보험자에게 통지할 것을 조건으로 그 목적항 도달까지 담보는 계속된다고 규정하고 있다.

지 아니한다고 되어 있다.

4) 선박의 변경

선박변경의 의의: 선박의 변경은 광의로 해석하면 피보험적하가 선적항에서 보험계약에 규정된 선박 이외의 선박에 적재되는 경우와 항해도중 보험계약에서 규정한 선박으로부터 다른 선박에 환적되는 경우를 의미하는데, 협의의 해석에 있어서 선박의 변경(change of ship)은 전자의 경우만을 의미하고 후자는 특히 환적(transshipment)이라 한다. 적하보험에 있어서는 적재되어야 할 선박을 특정하는 것이 일반적이지만 이 경우 적하는 특정한 선박으로 운송되는 것을 전제로 하여 보험자는 위험을 측정하여 보험계약을 체결한다. 따라서 적하가 보험증권기재의 선박에 적재되지 않을 때는 거래의 통념상 피보험항해사업을 최초의 사업과 전혀 다른 별종의 사업으로 변혁하게 된다.[179]

선박변경의 요건

① 보험계약상 일정한 적하를 운송해야 할 선박이 특정된 경우에는 다른 선박에 선적하지 말아야 한다. 이것을 위반하면 선박의 변경이 발생한다.

② 선박이 보험증권 중에 특정되지 않은 경우에는 선박의 변경은 문제가 되지 않는다. 예컨대 '선명미상 보험증권(floating policy)'[180]에서는 선박은 특정되지 않으며 '1척 또는 2척 이상의 선박적재'와 같이 표시된다. 이 경우에는 어떤 선박에 적하를 적재해도 원칙적으로 자유이다. 이 점에 대해 우리나라 상법 제704조(선박미확정의 적하예정보험) 제1항은 보험계약의 체결 당시에 화물을 적재할 선박을 지정하지 아니한 경우에 보험계약자 또는 피보험자가 그 화물이 선적되었음을 안 때에는 지체 없이 보험자에게 그 선박의 명칭, 국적과 화물의 종류, 수량과 가액의 통지를 발송하여야 한다고 되어 있으며, 동 제2항은 동 제1항의 통지를 해태한 때에는 보험자는 그 사실을 안 날로부터

179) Ripert, G., *Droit maritime*, 4e éd, T.Ⅲ, Éditions rousseau et cie, 1953, p.715.

180) 우리나라에서는 개별예정보험을 provisional insurance, 포괄예정보험을 open policy 또는 open contract라고 부르고 있는데 영국에서는 양자를 포함하여 광의의 예정보험을 floating policy 또는 open policy(선명 등이 open으로 계약되는 것에서)라 부르고 있다. 즉, MIA 제29조에 따르면 floating policy란 포괄적 문언으로 보험계약을 기술하고 선명 및 그 밖의 명세를 후일 확정통지에 의해 규정하는 보험증권을 말한다고 규정하고 있다.

1개월 내에 계약을 해지할 수 있다고 되어 있다.

③ 보험계약 체결 때 보험자가 선박의 변경이 있다는 것을 위험측정의 기초사정으로 고려한 경우를 제외하고 선박의 변경은 필요에 기초하여 발생하든 선박의 변경 후 보험자가 그것을 승낙하든지를 불문하고 위험의 변동이 된다.

선박변경의 효과: 해상적하보험에 있어서도 그 운송용구인 선박은 보험계약상 중요한 사항으로서 선박의 개성이 중시되므로, 보험계약자 또는 피보험자가 부득이한 사정도 없이 보험자의 동의를 받지 아니하고 선박을 변경한 때에는 보험자는 그 후의 보험사고로 말미암은 손해에 대하여 보상책임을 지지 않는다.

MIA는 선박의 변경에 대해 규정하는 바가 없지만 선박의 변경은 MIA에서도 위험의 변동으로 보고 있으며 보험증권에 특정된 선박을 변경하면 안 된다는 묵시조건이 있는 것으로 해석된다.

한편 우리나라 상법 제702조는 적하를 보험에 붙인 경우에 보험계약자 또는 피보험자의 책임 있는 사유로 인하여 선박을 변경한 때에는 보험자는 그 변경 후의 사고에 대하여 책임을 지지 아니한다고 되어 있다.

5) 환적

환적의 의의: 환적이란 보험계약에 있어 특정한 선박 또는 실제로 적재할 특정된 선박에 적재된 피보험화물을 항해개시 후에 임의로 다른 선박에 환적하는 것을 말한다. 또한 일정 범위의 선박으로 운송해야 할 취지를 계약한 경우 그 범위 이외의 선박으로 변경하거나 환적을 하는 것도 마찬가지이다. MIA에서는 환적하지 않을 것을 보험계약의 묵시조건으로 하고 있다.

환적의 효과: 환적은 때때로 위험의 변동을 초래하며 그 경우에는 보험자는 환적한 때 이후의 사고에 대해서는 책임을 지지 아니한다. 단 환적이 사고의 발생에 영향을 미치지 않았거나 보험자의 부담에 귀속되는 불가항력 또는 정당한 사유로 인해 발생한 때는 환적의 효과는 영향을 미치지 못한다.

MIA에서는 적하의 보험계약이 체결되면 보험자의 동의 없이 선박을 변경할 수 없다고 되어 있다. 그러나 특정선박이 항해 중 보험자가 부담하는 위험, 즉 원래의 선박이 항해 중 피보험위험의 발생에 기인하여 항행불능에 빠져 그 결과 안전을 위해 또는 목적지에의 계반을 위해 적하를 다른 선박에 환적할 필요가 있는 경우에는 그 보험은 적하를 계속 담보한다(MIA 제59조).

6) 화물의 갑판적재

화물의 갑판적재의 개념: 재래선의 경우 선하증권에는 '갑판적재 화물은 송하인의 위험부담(on-deck cargo at shipper' s risk)' 이라는 취지가 기재된다. 이처럼 화물의 갑판적재는 보험이전의 문제로서 운송계약상의 문제이지만 적하보험계약에서도 일반 화물은 선창내 적재로 운송되므로 보험자도 그것을 전제로 하여 위험을 측정한다. 따라서 일반 화물이 갑판적재로 운송되면 위험의 변동이 발생한다. 보험계약체결 후 이 위험의 변동이 발생하면 갑판적재의 실행에 착수한 때부터 보험자는 면책되는 것으로 해석된다. 또한 일반 화물의 보험계약체결 때에는 특별한 관습이 없는 한 갑판적재 화물의 경우에는 그 취지를 보험자에게 고지할 의무가 피보험자에게 있는 한편, 보험자도 갑판적재에 관한 관습의 유무를 업무지식으로 파악해 두는 것이 요구된다.

갑판적재 화물과 해상보험: 화물의 갑판적재 운송은 종래부터 대부분의 국가에 의해 금지되는 것이 통례였다. 이것은 선박의 갑판이 화물의 운송을 행하는 데 적당한 장소가 아니라는 것에 유래한다. 즉, 이와 같은 운송방법은 화물로 하여금 이른바 water hammer에 의한 용기 및 화물의 파손, 해수 및 우수에 의한 누손, 태양의 직사열에 의한 부패 등 선창내 적재의 경우에는 볼 수 없는 고유 위험에 노출되는 외에 선박 자체의 안전성도 저해하기 때문이다. 갑판은 통로이기 때문에 갑판적재 화물은 선창내 적재화물보다 손해를 입기 쉬우며, 공동해손에 있어 화물의 투하, 그 밖의 해손처분에 있어서는 갑판적재 화물이 선창내 화물보다도 편의적이며 효율적이다. 이와 같은 사정이 있는 갑판적재 화물은 적하보험, 공동해손 등과의 관련에서 여러 가지 불이익을 받을 가능성이 높다.

RCP 제17조는 갑판적재 화물에 관한 관습의 의미를 다음과 같이 규정하고 있다. 즉 반대의 관습이 없는 경우에는 갑판적재 화물 및 생동물은 특히 그 취지를 명시하여 부보할 것을 필요로 하며 화물이라는 총괄문언으로 부보하면 안 된다고 규정하고 있다.

화물 갑판적재의 효과: 갑판적재에 의한 위험의 변동에 대해서는 우리나라 상법은 아무런 규정을 두고 있지 않지만 갑판적재가 관습상 인정되지 않는 화물의 갑판적재는 위험의 변동을 초래하게 되어 이 경우의 효과에 대해서는 위험변동의 일반효과가 적용되어 보험자는 원칙적으로 책임을 면하게 된다. 갑판적재가 관습상 인정되어 따라서 위험변동을 초래하지 않는 경우에는 보험자는 갑판적재 화물에 대해서도 책임을 면할 수 없다.

7) 보험목적물의 양도

보험목적물의 양도: 해상보험증권은 양도 가능하다(제50조 제1항). 특히 적하보험증권의 경우 보험목적물이 양도되어 그것에 수반되어 보험증권이 양도되어도 보험자가 가지는 위험에는 커다란 변동이 발생하지 않기 때문이다. 한편 선박보험증권에 대해서는 MIA상 아무런 제한규정도 두고 있지 않으나, 선박의 소유권 · 국적이 변경되는 경우 또는 새로운 선박관리인이 선정되는 경우, 보험자가 해당 보험계약을 계속하는 취지를 특히 합의한 경우를 제외하고 보험계약은 자동적으로 종료하고 순보험료가 하루단위로 반환된다는 취지의 약관이 삽입되어 있다.

보험목적물의 양도의 효과: MIA는 보험목적물의 양도에 의해 피보험이익이 소멸한다는 원칙에 근거해 규정을 두고 있다. 즉, 동법에 따르면 보험목적물의 양도는 특약이 없는 한 보험계약상 권리의 이전을 수반하지 않는다. 단지 법률에 의해 피보험이익의 이전이 발생하는 경우 예컨대 피보험자의 사망, 파산 등의 경우에만 예외적으로 권리의 이전을 인정하고 있다. 즉, 보험목적물의 양도는 피보험이익을 소멸시키기 때문에 보험계약을 실효시킨다. 그러므로 보험목적물의 양도 후에는 양도인이 그 양수인에게 보험증권을 양도해도 보험계약상의 권리양도의 효과가 발생하지 않는다. 따라서 피보험자가 보험목적물의 양수인에게 보험계약상의 권리도 이전하게 된다면 목적물의 양도 이전 또는 양도를 할 때 보험증권을 양수인에게 양도하는 것에 명시적 · 묵시적으로 합의할 것을 필요로 한다. 단 손해가 발생한 후에는 피보험이익의 유무를 논의할 필요가 없기 때문에 보험증권의 이전에 의해 손해보상청구권을 양도할 것을 방해받지 않는다.

한편 우리나라 상법 제703조의 2는 다음과 같이 규정하고 있다. 즉, 선박을 보험에 붙인 경우에 다음의 사유가 발생한 때에는 보험계약은 종료한다. 그러나 보험자의 동의가 있는 때에는 그러하지 아니한다고 규정하고 있다.

① 선박을 양도할 때
② 선박의 선급을 변경할 때
③ 선박을 새로운 관리로 옮긴 때

제3절 위험부담과 인과관계

1. 위험부담

1) 담보위험(perils covered, perils insured against)

담보위험의 의의: 담보위험이란 보험자가 그 위험에 의해서 발생한 손해를 보상할 것을 약속한 위험을 말한다. 따라서 보험자가 보상책임을 지기 위해서는 손해가 담보위험에 의해서 발생한 것임을 필요로 한다. 담보위험은 일반적인 보통약관으로 담보되고 있는 반면, 원래는 담보되지 않지만 특약을 체결하여 특별약관을 통해 담보되는 확장담보위험도 있다.

후술하는 바와 같이 보험증권에 위험을 구체적으로 명시하고 그로 인한 손해만을 보험자가 보상하기로 약속하는 책임원칙을 '열거책임주의' 라고 한다. 현행 적하보험에서 사용되고 있는 ICC(B), (C)약관에서는 담보위험이 구체적으로 보험증권상에 열거되어 있는 열거책임주의의 원칙을 채택하고 있다. 그리고 선박보험에서 가장 대표적으로 이용되고 있는 ITC-Hulls도 열거책임주의의 원칙을 채택하고 있다.

비담보위험(peril not covered): 보험자에게 인수되지 않았던 위험, 즉 보험자가 그것에 의해서 발생한 손해를 보상한다는 명시도, 또한 면책한다는 명시도 없는 위험을 말한다.

2) 면책위험(excepted(excluded) perils)

면책위험이란 담보위험이라 해도 일정한 사유로 인해 어떤 종류의 위험을 보험자의 위험부담범위에서 제외하는 것이 있는데, 특히 이 같은 보험자의 위험부담범위에서 제외된 위험 내지 사고를 말한다. 따라서 어떤 위험이 담보위험으로 정해져 있더라도 해당위험에 관한 면책약관이 담보위험에 우선하는 것이라면 보험자는 담보위험에 의해서 발생한 손해에 대하여 보상책임을 지지 않아도 된다.

후술하는 바와 같이 보험증권에 면책위험을 명시하고 이를 제외한 모든 위험을 담보할 것을 약속하는 방식을 포괄책임주의라 하는데, 해상보험에서 포괄책임주의의 원칙이 적용되는 경우는 적하보험에서 사용되고 있는 ICC(A)약관뿐이다. 동 약관에서는 보험자의 일반면책, 선박의 감항능력결여 및 부적합성, 전쟁 및 동맹파업을 제외한 모든 위험을 보험자가 보상하도록 규정하고 있다.

또한 MIA 제55조 제2항에 규정되어 있는 보험자의 법정면책사항은 다음과 같다.

① 피보험자의 고의적인 불법행위
② 항해의 지연에 의한 손해
③ 통상적인 자연소모
④ 통상적인 누손 및 파손
⑤ 보험목적물 고유의 하자 및 성질
⑥ 쥐 혹은 벌레에 의한 손해
⑦ 해상위험에 근인하지 않는 기관 손해

3) 위험부담의 원칙

개요: 손해보험은 위험에 의해서 발생하는 손해의 보상을 목적으로 하는 경제제도이므로, 보험자가 부담하는 위험이 무엇인가를 검토해 볼 필요가 있다. 보험자가 부담하는 위험이 복수인 경우에 그 담보위험의 범위를 한정하는 방법으로는 담보위험을 구체적으로 열거하는 열거책임주의와 일체의 위험을 포괄적으로 정하는 포괄책임주의가 있다(〈표 11-1〉 참조).

〈표 11-1〉 위험부담의 원칙

비교 대상	내용
담보위험의 범위	포괄책임주의에 있어서는 모든 위험이 일단 보험자의 부담에 속하기 때문에 피보험자 측에는 유리함. 열거책임주의에서는 사회의 변천에 따라 지금까지 경험하지 못했던 위험이 발생한다면 그때마다 하나 하나의 위험을 추가하지 않으면 피보험자는 보험보호를 받을 수 없음. 그 추가가 늦어지게 되는 경우도 일단 고려되어야 함.
입증책임	입증책임에 대해서 보면, 보험자 측의 입장에서 보면 열거책임주의 쪽이 유리하고 피보험자 측에서 보면 포괄책임주의 쪽이 유리함. 단, 열거책임주의는 포괄책임주의보다 보험료가 저렴함.

열거책임주의와 포괄책임주의의 차이: 포괄책임주의와 열거책임주의의 우열을 비교함에 있어 어떤 국가이거나 위험약관의 조항 및 특별약관에 의해서 담보위험의 제한이 행하여지고, 특히 영국의 위험약관에 대해서는 위험의 제한 외에 위험종류의 확장도 행하여지기 때문에 위험약관만의 우열을 결정하는 것은 큰 의미가 없다. 그

러나 전반적인 면을 고려하여 그 우열을 비교한다면 다음과 같다(〈표 11-2〉 참조).

〈표 11-2〉 열거책임주의와 포괄책임주의의 비교

위험부담의 원칙	내용
열거책임주의	보험자가 부담하는 담보위험을 열거하는 방법으로 열거된 위험에 대해서만 보상책임을 짐. 열거책임주의가 적용되는 경우에는 부보된 피보험이익에 손해가 발생할 것과 그 손해가 열거위험으로 인하여 발생한 것임을 입증하는 책임이 피보험자에게 있으며 만약 피보험자가 이를 입증하지 못하는 경우에는 피보험자는 보험금의 수취가 불가능함.
포괄책임주의	원칙적으로 모든 위험, 우연적 사고를 부담하는 방법이지만 일반적으로 면책위험도 열거하고 있음. 다시 말하면 부담위험을 열거하지 않고 면책위험만 열거함으로써 면책위험을 제외한 모든 위험을 부담함. 피보험자는 보험기간 중 손해를 입었다는 사실을 입증하면 그것으로 충분하고 그 손해가 특정의 담보위험에 의해서 생긴 것까지 입증할 필요는 없음.

2. 인과관계

인과관계(causation)란 일반적으로 원인으로서의 어떤 상태나 사실이 발생한다면 결과로서의 다른 상태나 사실이 발생한다는 원인과 결과의 관계를 의미하는 것이라 할 수 있다. 즉 위험과 손해의 관계를 규정하는 것을 인과관계라고 말한다. 숫자와 같은 순수한 이론체계 중에서는 원인 · 결과의 관계는 엄밀하게 탐구하는 것이 가능할지도 모르지만, 위험과 손해의 인과관계의 경우에는 이론뿐만 아니라 경험, 지식 등의 불안정한 기초에 근거하여 고찰해야 한다는 점에서 엄밀성이 결여된 부분이 있을 수 있다. 위험과 손해의 인과관계의 문제는 손해의 원인으로서 어느 위험이 가장 유력한지를 판단하기 위한 이론적 기준을 설정할 수밖에 없다.

1) 근인설

근인이란 연속적인 사건으로 인하여 손실이 발생하였을 때 그 연속적인 사건을 유발시킨 첫 번째 손인을 말한다.[181] 즉 최초의 이것이 없었다면 손실이 발생하지 않

181) 반면, 단순히 시간상의 전후에 의해서 원인의 여부를 결정하는 것은 결국 기계적으로 원인을 정하는 것인데 근인에 대한 뚜렷한 개념은 없다. 그러나 본래는 시간상 최후에 발생한 원인을 근인으로 하는 것이기 때문에 이 설을 택할 경우에는 개개의 경우에 있어서 특정한 손해에 대한 원인을 간단히 확정할 수 있어서 매우 편리하게 되므로 때때로 상당히 부조리한 결과를 야기할 염려도 있다는 지적도 있다.

았을 원인을 말한다. 화재로 인한 손실을 예컨대, 화재가 발생하였을 때 열, 연기, 진화작업 등에 의하여 손실이 발생할 수 있다. 이 경우 모든 손실이 화재로 인하여 발생하였기 때문에, 화재가 근인이 된다. 따라서 화재보험에서는 이러한 손실들이 모두 담보되고 있다. 또한 화재는 천둥, 폭발 또는 지진 등에 의해서도 발생할 수 있다. 따라서 화재를 담보손인으로 하고 있는 보험에서는 천둥, 폭발 혹은 지진 등도 담보손인으로 하고 있다.

2) 상당인과관계설

이 설은 결과에 있어 불가결한 조건 가운데서 상당한 조건만을 원인으로 하는 입장으로 많은 불가결한 조건을 상당한 것이라는 기준에서 골라내어 원인을 한정해 가는 것이다.

여기서 '상당한' 이란 용어의 해석에는 여러 설이 있어 반드시 명확한 것은 아니지만, 일반적으로 어떤 불가결한 조건에 의해 결과가 발생할 때, 즉 어떤 불가결한 조건이 일반적 경우에 있어서 보통 그 같은 결과를 초래하게 될 것이라고 관찰될 때 상당한 관계가 있다고 할 수 있다. 이 설은 육상보험에 있어서는 지지를 받지만, 해상보험에 있어서는 오히려 근인설을 주장하는 자가 많다.

3) 최유력조건설

최유력조건설은 어떤 결과의 발생에 빠뜨릴 수 없는 조건 중 손해발생에 대해서 가장 유력하게 작용한 하나의 조건을 손해의 유일한 원인으로 간주한다는 설이다. 어떤 조건이 손해발생에 의해서 가장 유력한 조건을 가지는가는 여러 가지 조건 중 손해발생에 대해서 거래상 필연적인 관계를 가진다고 합리적으로 간주되는 것에 의해서 결정된다.[182)]

---

182) 이원근 외, 『최신보험학입문』, 두남, 1999, p.180.

제4절 보험기간

1. 보험기간의 의의

보험기간(duration of risk)(위험부담기간 또는 책임기간)은 보험자가 피보험목적물에 대하여 부담하는 위험부담책임이 존속되는 기간이다. 보험기간과 보험계약기간(duration of policy)은 개념상 차이가 존재하는데, 전자는 보험자의 계약상의 부담책임이 존속하는 기간을 말하고, 후자는 보험 자체가 유효하게 존속하는 기간을 말한다. 화물이 선적된 후 보험계약이 체결되었다고 하더라도 소급약관(Lost or Not Lost Clause)에 의하여 위험이 노출되는 때부터 위험부담이 개시된다. 이 소급보험으로 인해 보험기간과 보험계약기간이 반드시 일치하지 않는 경우가 많다.

2. 적하보험의 보험기간

1) 상법상의 규정

상법 제699조 제2항은 적하를 보험에 붙인 경우에는 보험기간은 화물의 선적에 착수한 때에 개시하지만, 그러나 출항지를 정한 경우에는 그곳에서 운송에 착수한 때에 개시한다고 규정하고 있다. 또한 동 제700조 제1항에는 보험기간은 양륙항 또는 도착지에서 화물을 인도한 때에 종료한다고 규정하고 있다. 즉 상법은 그 시기에 대해 본선 또는 그 밖의 수송용구에 화물을 적재하기 위해 화물이 육지를 떠난 때에 보험자의 책임이 개시된다고 하는 '이륙주의'를 명시하고, 그 종기(終期)에 대해서는 양륙항에서 화물이 지상에 양륙된 때 종료한다고 하는 '양륙주의'를 채택하고 있다.

2) 로이즈 S.G. 보험증권 · 협회적하약관(ICC)상의 규정

로이즈 S.G. 보험증권의 본문약관에서는 보험자의 부담책임은 화물이 본선에 적재된 때 개시되고 화물이 목적지에 안전하게 양륙된 때에 종료한다고 규정되어 있다. 하지만 이와 같은 보험자의 책임기간하에서는 화물을 본선에 선적하기까지의 내륙운송 중의 위험 및 부선위험 또는 양륙 후 최종목적지까지 내륙운송 중의 위험은 부담되지 않으므로 피보험자인 화주의 위험이 충분히 보호될 수 없다. 그래서 보험기간을 연장해야 한다는 요청에 따라 출하지의 창고에서 목적지 창고까지 기간을 담보하는 이른바 '창고간담보약관(Warehouse to Warehouse Clause)' 이 제정되게 되었다.

이 창고간약관은 당초 일종의 특약으로서 적용되어 왔지만 1963년 ICC가 개정될 때 동 약관 제1조(운송조항) 중에 삽입하게 되어 운송조항(창고간약관 삽입)(Transit Clause incorporating warehouse to warehouse clause)으로서 규정되게 되었다. 이 운송조항은 약간 수정을 한 후 1982년 ICC 제8조에 동일 내용의 운송조항으로서 규정되게 되었다. 전술한 바와 같이 1982년 ICC에는 보험기간에 관한 조항으로서 제8조 외에, 제9조(운송계약종료조항) 및 제10조(항해변경조항)의 3조항이 규정되어 있다.

3. 선박보험의 보험기간

1) 선박의 기간보험

보험기간의 시기 및 종기에 대해 특정한 일시를 규정하는 경우 예컨대 ○○년 ○○월 ○○일 정오부터 ○○년 ○○월 ○○일 오후 12시까지로 하는 등 보험기간의 시종기에 대해, 그 시종기의 시각이 어떤 지역에서의 시각을 표준으로 해야 할지가 문제가 된다. 이 시종기의 시각에 대해 특별한 합의가 없는 한 계약체결지의 시각으로 되지만 영국에서 발행되는 보험증권에서는 그리니치표준시간(Greenwich Mean Time) 또는 영국하기시간(British Summer Time)이 적용된다.

2) 보험기간의 연장

기간보험에 있어서 보험자의 부담책임은 선박의 동정과는 무관계로 보험기간의 만료와 동시에 종료하게 된다. 따라서 예컨대 선박의 항행 중, 조난 중, 또한 적하양륙 중에 보험기간이 종료될 수 있다. 이와 같은 경우에는 피보험자의 무보험상태를 방지하기 위해 새롭게 보험계약을 체결하는 것이 필요하게 되는데 절차상 불편한 점이 있다.[183)]

영국에서는 MIA 및 로이즈 S.G. 보험증권에 기간연장에 관한 규정이 없기 때문에 이와 같은 경우 실제로는 보험기간의 연장을 인정하는 이른바 계속조항(Contin-

---

183) 그래서 독일상법 제831조 제1항에서는 항행 중에 보험기간이 종료된 경우에는 반대의 규정이 없는 한 선박이 다음의 목적항에 도달하기까지 또는 동일 항구에서 적하를 양하한 경우에는 적하의 양하가 종료되기까지 보험기간을 연장하는 규정을 두고 있다.

uation Clause)이 보험증권에 추가되고 있다. 1995년 ITC 제2조는, 본 조항에 대해 규정한 것인데 동 조항에 따르면 본 보험기간 종료 때 선박이 항해 중이든지 조난 중이든지, 피난항 또는 기항항에 있는 경우에는 미리 보험자에게 그 취지를 통지할 것을 조건으로 선박은 목적항에 도달하기까지 월종(月定)보험료로 담보가 계속된다고 규정하고 있다.

3) 선박의 항해보험

상법 제699조 제1항은 항해단위로 선박을 보험에 붙인 경우에는 보험기간은 화물 또는 저하(底荷)의 선적에 착수한 때에 개시한다고 규정해 적재개시시점의 입장을 채택하고 있다. 따라서 선박이 적재를 위해 발항항에 도착하여 선적의 준비가 완료해도 보험기간은 개시되지 않는다. 제699조 제2항은 적하 또는 저하를 선적한 후에 선박보험을 붙인 경우의 보험기간의 개시에 대해 보험계약이 성립한 때를 근거로 개시한다는 취지를 규정했다. 또한 적하나 저하도 선적되지 않는 경우도 있지만 이와 같은 경우에는 선박이 발항한 때를 근거로 개시된다고 해석된다.

항해보험의 종료기간에 대해 상법 제700조 제1조는 도착항에서 화물 또는 저하를 양륙한 때에 보험기간은 종료한다고 규정하고 있지만 불가항력으로 인하지 아니하고 양륙이 지연된 때에는 그 양륙이 보통 종료될 때에 종료된 것으로 한다고 규정하고 있다. 즉, 원칙으로 적하의 양륙종료를 근거로 보험기간이 종료하는 것을 명기하고 있음과 동시에 불가항력에 의해 양륙이 지연된 경우에는 그 지연을 허용하는 입장을 명백히 했다.

4) MIA · ITC상의 보험기간

항해보험의 시기와 관련하여 RCP 제2조에 의하면 선박을 '특정지에서(from a particular place)' 의 조건으로 보험에 붙인 경우에는 보험자의 부담책임은 해당 선박이 피보험항해를 위해 발항할 때에 개시한다. 또한 RCP 제3조에 의하면 선박을 '특정지에서 밑부터(at and from a particular place)' 의 조건으로 보험에 붙인 경우에는 보험자의 부담책임은 ① 계약성립 시에 해당선박이 안전한 상태이며 그 지역에 있을 때에는 계약성립과 동시에 개시하고, ② 계약성립 시에 그 지역에 있을 때에는 선박이 안전한 상태로 그 지역에 입항함과 동시에 개시하게 된다.[184)]

---

184) O' May, D. & Hill, J., op. cit., pp.58~59.

항해보험의 종기와 관련하여 과거 영국은 로이즈 해상보험증권(Lloyd' s Marine Insurance Policy(hull form))에서 피보험선박이 도달항에 안전하게 투묘(投錨)하여 24시간을 경과한 때, 보험자의 보상책임이 종료하는 것으로 규정하고 있었다. 이 로이즈 보험증권의 취지는 도달항에서 안전하게 투묘하여 24시간을 경과하기까지 보험자의 부담책임이 존속하는 것을 의미하는 것이므로 만약 안전한 상태가 존속되지 않으면 투묘 후 24시간을 경과해도 보험자의 책임은 계속된다는 것이다.

한편 영국 선박보험시장은 1983년 ITC를 채택 · 사용하게 됨으로써 S.G. 보험증권 양식과 결별하게 되었기 때문에 법규상은 전술한 바와 같이 취급되지 않는다. 하지만 실제로는 ITC와 병용되는 신로이즈 보험증권양식에 설정된 '항해 또는 보험기간' 의 명세란에 '안전하게 투묘하여 24시간을 경과하기까지' 라는 문언을 삽입하는 것이 인정되고 있다. 그러나 1995년 ITC 제5조 제2항에는 특정한 사유, 예컨대 선박의 선급협회의 변경, 선급협회에서의 선급의 변경, 국적의 변경, 소유권의 변경, 선박관리자의 변경 등이 발생한 경우에는 보험담보는 자동적으로 종료한다는 취지가 규정되어 있으므로 이와 같은 경우에는 전술한 보험기간은 제한을 받게 될 것이다.

제12장

해상손해

제1절 해상손해의 개념

1. 해상손해의 의의

해상손해란 항해사업(marine adventure)에 관련된 화물 또는 선박 등 피보험목적물이 해상위험의 발생으로 인하여 피보험이익의 전부 또는 일부가 멸실 또는 손상되어 피보험자에게 경제적 불이익을 초래하는 것으로서, 해상에서 발생하는 해상손해뿐만 아니라 해상항해에 부수되는 내수 및 육상의 손해를 포함하는 개념이다.

2. 해상손해의 분류

해상보험에서는 담보위험으로 인하여 화물이 손상되는 것과 같이 보험목적물 자체의 손해가 발생하기도 하고 보험목적물의 손해를 방지 또는 경감하기 위하여 비용이 지출되기도 한다. 이러한 손해 중 보험목적물 자체의 손해를 '물적 손해'라 하고, 간접적으로 지출된 비용을 '비용손해'라 하며, 또한 제3자에게 배상책임을 부담함으로써 생긴 손해를 '배상책임손해'라 한다(〈그림 12-1〉 참조).

1) 물적 손해(physical loss)

물적 손해란 보험목적물에 대하여 직접적 · 물리적으로 발생한 손해로서 물적 손해 또는 직접손해라 한다. 물적 손해는 손해의 정도에 따라 전손과 분손으로 구분된

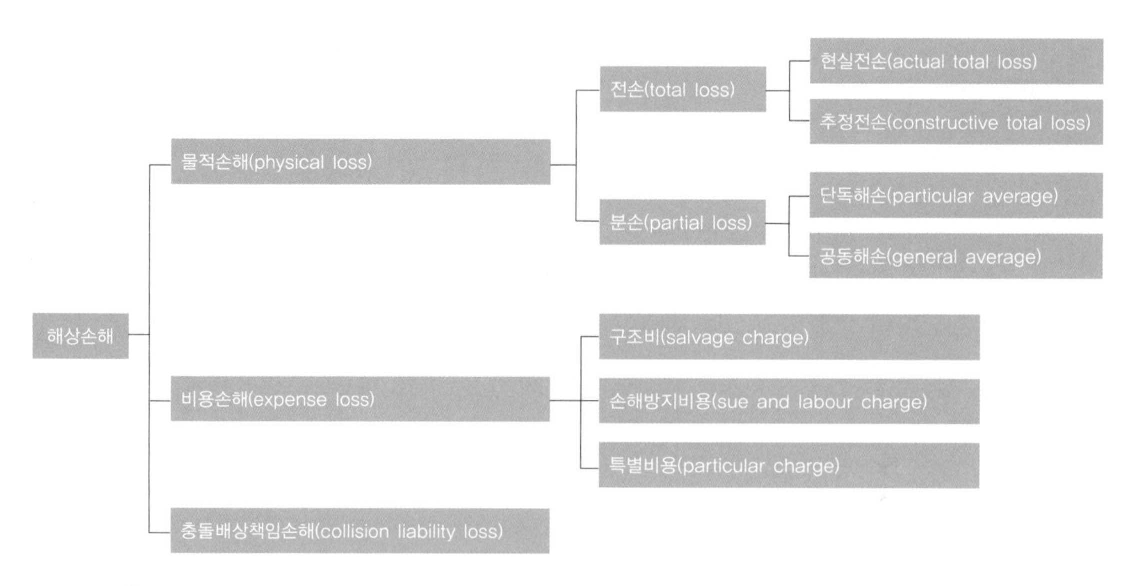

그림 12-1 **해상손해의 분류**

다. 전손(total loss)은 보험목적물이 전부 멸실된 경우이며, 분손(partial loss, average)은 보험목적물의 일부가 손상된 것을 말한다. 전손이 아닌 손해는 분손으로 처리된다.[185)]

또한 전손은 현실전손(actual total loss)과 추정전손(constructive total loss)으로 구분되는데, 추정전손은 물리적인 상태에서는 전손이라고 할 수 없으나 경제적인 측면에서 전손으로 처리하는 것으로서 해상보험법에서만 인정되는 손해의 형태이다.

분손은 단독해손(particular average)과 공동해손(general average)으로 구분된다. 단독해손은 보험목적물에 이해관계가 있는 피보험자가 단독으로 부담하는 손해이며, 공동해손은 공동의 이익을 위하여 희생된 손해와 비용을 공동의 이익과 관련이 있는 당사자들이 공동으로 분담하는 손해이다

2) 비용손해(expense loss)

물적 손해는 보험목적물 자체의 손해를 의미하지만, 비용손해는 보험목적물과 관련하여 간접적으로 지출되는 비용이 발생하는 손해를 의미하며 간접손해라고도 한다. 비용손해는 그 성격에 따라 손해방지비용, 구조비, 특별비용 등으로 분류된다.

185) 구종순, 전게서, p.286.

3) 배상책임손해(liability loss)

배상책임은 피보험자의 과실로 제3자에게 손해를 입혔을 때 그 손해를 부담하는 책임이다. 손해배상책임손해는 피보험자의 과실 · 태만 등으로 인하여 제3자에게 손해배상책임을 부담하는 손해를 말한다. 해상보험에서 선주가 자신의 과실로 충돌이 발생한 경우 상대 선주 또는 화주에게 손해배상책임을 지게 된다. 선주의 손해배상책임으로 부담하는 손해는 선박보험약관에 의하여 선박보험자가 보상하고, 일부는 P&I 클럽에서 보상된다.

> 손해의 형태에 대한 실례
>
> 선박의 좌초로 인하여 선박의 일부가 파손되고, 또한 연료유의 유출사고가 발생하는 경우를 상정해 보자. 선주는 연료유의 유출로 인한 해양오염을 방지하기 위하여 자신의 비용으로 긴급하게 연료탱크의 보수작업을 위한 비용을 지출하였으나, 연료의 일부는 유출되었다. 이 경우 좌초의 결과 발생한 선박 자체의 손상으로 인한 손해는 물적손해 또는 직접손해에 해당하고, 연료탱크의 보수작업비를 지출한 것은 간접손해로서 비용손해에 해당한다. 또한 연료유의 유출로 인하여 해양이 오염되고, 그 결과 어민이나 양식업자가 손해를 입은 경우, 선주는 자기 소유 선박의 과실로 인하여 발생한 어민 또는 양식업자의 손해에 손해배상책임을 부담하게 되는데, 이로 인한 손해는 배상책임손해에 해당한다.

3. 전손과 분손

1) 전손

전손은 담보위험으로 인하여 보험목적물이 전부 멸실되는 것을 의미하지만 반드시 보험목적물이 완전히 멸실되는 것을 의미하지는 않는다. 따라서 다소의 잔존물이나 잔손이익이 있더라도 전손으로 보며, 또한 보험목적물이 현존하더라도 피보험자가 점유할 수 없으면 전손이 성립된다.

현실전손(Actual Total Loss; ATL): 현실전손은 피보험목적물의 파괴, 부보된 화물의 성질 상실, 목적물에 대한 소유권의 박탈로 회복할 가능성이 없을 경우에 성립된다. MIA 제57조 제1항과 제58조에 다음과 같이 규정하고 있다.

MIA 제57조 제1항에는 "피보험목적물이 파괴되거나, 부보된 종류의 물품으로서 존재할 수 없을 정도로 심한 손상을 받은 경우 또는 피보험자가 보험목적물에 대한 소유권을 박탈당하고 이를 회복할 수 없는 경우에 현실전손이 존재한다."라고 규정하고 있으며, 제58조에는 "해상사업에 종사하는 선박이 행방불명되고 상당한 기간 경과 후까지 그 소식을 모를 경우에는 현실전손으로 추정할 수 있다."라고 규정하고 있다. 이 규정에 따라 현실전손의 예를 정리하면 다음과 같다.

① 보험목적물의 파손: 보험목적물이 파손되어 그 가치가 실질적으로 소멸된 경우이다. 선박이나 적하 등이 충돌, 좌초, 침몰 등으로 인하여 완전히 파괴되어 복구가능성이 없거나 선박이나 적하가 화재로 전소된 경우가 이에 해당한다.

② 보험목적물의 성질 상실: 보험목적물이 적하로서 존재는 하고 있으나 부보된 종류의 적하로서의 성질을 상실한 경우이다. 예컨대 시멘트가 바닷물에 응고되거나 원맥이나 현미가 해수에 젖어 부패되어 사료용으로만 사용 가능하고, 또한 선박이 난파되어 수리장소로 회항이 불가능한 경우 등이 현실전손으로 인정된다.

③ 보험목적물의 박탈: 보험목적물이 소유권을 박탈당하여 피보험자가 이를 회복할 수 없는 경우이다. 선박이 적에게 포획된 경우나 합법적인 전리품으로 몰수되었을 때 및 금괴가 심해에 빠져서 소유권이 회복될 전망이 없는 경우도 현실전손으로 된다.

④ 선박의 행방불명: 선박이 출항 후 상당한 기간이 경과했는데도 그 소식을 들을 수 없을 경우에는 선박의 행방불명으로 간주하고 현실전손으로 인정한다. 여기에서 상당한 기간이란 출항한 선박, 적재된 화물의 종류, 항해의 성격 등을 고려하여 행방불명의 기간이 구체적으로 결정된다. 통상적으로 선박의 출항일로부터 1년으로 보고 있다.

추정전손(Constructive Total Loss; CTL): 추정전손은 해상보험에서 유일하게 인정하고 있는 손해의 유형으로서 전손이 확실하지는 않으나 추측에 의해 그 손해를 전손으로 처리하는 것이다. 이는 해상에서 발생하는 사고는 그 사실을 증명하고 손해의 정도를 파악하는 것이 불가능하거나 어려운 경우가 종종 있기 때문이다.

이와 같은 특성을 고려하여 해상보험에서는 추정전손을 인정하여 보험사고에 의한 전손을 현실적으로 입증하기 어렵다 하더라도 보험목적물이 전손을 입었을 것이라고 추측이 되면 전손으로 인정하는 것이다.

추정전손이 성립되기 위해서는 보험자와 피보험자 간의 추정에 의한 의사의 합치가 있어야 한다. 즉, 피보험자가 추정전손을 전손으로 추정한다는 사실을 보험자에게 통지하고, 보험자가 이 사실에 동의해야만 하고, 또한 반드시 위부를 필요로 한다. ICC(1963년 약관 제6조, 1982년 약관 제13조)의 추정전손약관(Constructive Total Loss Clause)에는 전손이 불가피하거나 회복비용이 보험금액을 초과한 경우에 피보험자가 이를 보험자에게 위부한 경우에만 추정전손으로 본다고 규정되어 있다.

MIA 제60조 제1항에서는 "보험증권에 명시규정이 있는 경우를 제외하고 보험목적물이 현실전손이 불가피하다고 보이거나 또는 그 가액을 초과하는 비용을 지급하여야만 현실전손을 면할 수 있는 경우에 피보험목적물이 합리적으로 위부된 경우에는 추정전손이 성립한다."라고 규정하고 있다. 또한 제60조 제2항에서는 "피보험자가 담보위험으로 인하여 선박 또는 화물의 점유를 박탈당하여, (a) 피보험자가 선박 또는 화물을 회복할 가망이 없거나 또는 (b) 회복하는 데 소요되는 제 비용이 회복한 후의 선박 또는 화물의 가액을 초과한 때 또는 선박이 손상된 경우에는 선박이 담보위험에 의하여 심하게 손상되어 그 손상을 수리하는 비용이 수리 후의 선박가액을 초과할 때 또는 화물이 손상되었을 경우에는 화물을 수리하는 비용과 그 화물을 최종 목적지까지 운반하는 데 소요되는 비용이 도착 시의 화물가액을 초과할 때이다"라고 규정함으로써 추정전손의 경우를 구체적으로 명시하고 있다. 이를 정리하면 다음과 같다.

① 선박 또는 화물의 점유권의 박탈: 선박과 화물에 대한 점유권을 박탈당하여 이를 회복할 수 없거나 회복하는 데 소요되는 비용이 화물가액을 초과하게 되는 경우이다. 선박과 화물이 적에게 포획되어 이를 회복할 가능성이 없는 경우이다.

② 선박 또는 화물의 훼손: 담보위험으로 선박이 훼손되어 그 훼손을 수리하는 비용이 수리했을 때의 선박가액을 초과했으리라고 예상되거나 또는 화물이 훼손된 경우 그 훼손을 수리하고 목적지까지 계속 운반하는 데 소요되는 비용이 도착시의 화물가액을 초과할 경우에는 추정전손이 성립된다. 화물의 추정전손의 여부를 결정하는 화물훼손의 회복비용은 구체적으로 훼손된 화물을 수리하는 데 지출된 총비용과 수리 후 최종목적지까지 운반하는 데 소요되는 비용을 말한다.

2) 분손

분손(partial loss)은 담보위험으로 인하여 보험목적물의 일부분이 손해를 입는 것을 의미한다. 분손은 전손의 상대적인 개념으로 전손에 속하지 않는 모든 손해를 분손으로 처리한다. MIA에서는 분손을 단독해손과 공동해손으로 구분하고 있다.

단독해손(particular average): 단독해손은 피보험자가 단독으로 부담하는 손해로서 MIA 제64조 제1항에는 "단독해손은 담보위험에 의한 보험목적물의 분손으로 공동해손이 아닌 것을 말한다."라고 규정하고 있고, RCP 제13조에는 "공동해손이 아닌 분손은 공동해손손해 이외의 분손을 의미하며 특별비용은 포함하지 않는다"라고 규정되어 있다.

해상보험에서 단독해손의 형태는 주로 선박의 파손, 화물의 일부손해, 운임의 미취득으로 나타난다. 적하의 단독해손은 악천후에 의하여 선박에 해수가 유입되는 경우, 선박이 장애물과 접촉하는 경우, 화재에 의하여 적하가 분손되는 경우, 악천후에 의한 적하가 누손되는 경우이다.

선박의 단독해손은 악천후에 의하여 선체에 가해진 압박으로 인한 손해, 화재에 의한 선박장비 및 선체구조에 발생된 손해 등이다. 또한 운임의 단독해손은 화물의 일부가 해수에 의하여 멸실되어 일부가 목적지에 인도됨으로써 운송인이 계약상 운임의 전부를 받지 못하게 되는 경우이다. 피보험자가 이러한 단독해손을 보상받기 위해서는 이들 손해가 담보위험에 의하여 우연히 발생한 것이라야 한다.

공동해손(general average): 공동해손은 선박과 적하 등이 공동의 위험에 처하여 이로부터 벗어나기 위하여 취하여진 공동해손행위로 인하여 발생한 손해 또는 비용을 이해관계자가 공동으로 부담하는 손해이다. 공동해손의 목적은 항해사업이 공동의 위험에 처했을 때 전항해사업의 이익을 위하여 재산을 희생하였거나 경비를 지출한 사람에게 보상해 주고자 하는 것이다.

공동해손은 YAR(1994)에 따라 정산한다. 공동해손의 자세한 내용에 대해서는 후술한다.

4. 비용손해

1) 손해방지비용(sue and labour charge)

손해방지의무: 피보험자가 보험에 가입하게 되면 보험목적물의 안전이나 사고발생에 대하여 무관심하게 되고, 한편 보험자는 보험목적물이 항해 중에 있기 때문에 직접 관리 · 통제하여 위험을 줄이고 싶어 한다. 따라서 보험자는 피보험자가 보험목적물의 안전에 관심을 가져서 보험자를 대리하여 손해의 발생을 줄이거나 손해가 더 이상 확대되지 않도록 모든 조치를 강구하기를 원한다. 그러나 피보험자는 사고가 발생하더라도 보상을 받을 수 있다는 기대심리 때문에 손해를 방지하거나 경감하는 조치를 취하기에 소극적이다.

이러한 이유로 손해보험에서는 피보험자들이 보험목적물의 손해방지 · 경감을 위하여 최선의 노력을 다하도록 의무화하고 있는데, 이를 피보험자의 '손해방지 및 경감의무(duty to sue and labour)' 라 한다. MIA 제78조 제4항에서는 "손해를 방지하거나 또는 경감하기 위하여 합리적인 조치를 강구하는 것은 모든 경우에 있어서 피보험자 또는 그 대리인의 의무이다."라고 규정하고 있다.

손해방지의무의 위반: 피보험자와 그의 대리인은 보험목적물의 손해를 방지하거나 경감할 의무가 있음에도 불구하고 이를 해태한 경우 보험자는 보험금의 지급을 거절할 수 있다. 이는 MIA와 보험약관을 위반한 결과로 보기 때문에 보험자는 보험금의 지급을 하지 않을 수 있다.

또한 보험자는 피보험자가 자신의 의무를 다하지 않았기 때문에 발생한 손해에 대하여 손해배상을 청구할 수 있으며, 손해방지행위를 했더라면 경감할 수 있었던 손해액을 보험금에서 공제하여 지급할 수 있다.

손해방지비용의 성격: 피보험자나 그의 대리인이 손해방지 및 경감의무를 이행하기 위하여 지출된 비용을 '손해방지비용' 이라 하며, 이러한 비용은 보험자가 별도로 보상을 한다. 이는 보험자가 손해방지비용을 보상해 줌으로써 피보험자가 손해방지노력을 다하도록 유도할 수 있고, 또한 피보험자의 손해방지의무는 자신의 이익을 위한 것이 아니라 보험자를 위한 의무이기 때문에 피보험자의 의무수행과정에서 발생한 비용은 보험자가 보상해 주어야 하는 것이다.

이러한 손해방지비용은 적하보험약관의 손해방지약관에 따라 보험자가 추가로 보상하는 것이다. 손해방지비용을 별도로 보상하게 되면 보험자가 보험계약에서 보상해 주기로 한 보험금액을 초과하여 보상하는 결과가 나올 수 있다. 그러나 보험목적물에 대한 보상책임과 손해방지비용에 대한 보상책임은 별개이기 때문에 보험자는 보험금액을 초과하더라도 손해방지비용을 지급하여야 한다. MIA 제78조 제1항에서도 보험조건에 상관없이 피보험자는 정당하게 지출된 손해방지비용을 보험자로부터 보상받을 수 있도록 규정하고 있다.[186)]

피보험자 등이 지출한 비용이 손해방지비용으로 되기 위해서는 다음의 요건을 갖추어야 한다.

첫째, 손해방지행위의 주체자가 피보험자, 그의 사용인 및 대리인이어야 한다. MIA 제78조 제4항에서도 손해를 방지하거나 또는 경감하기 위하여 합리적인 조치를 강구하는 것은 피보험자 또는 그의 대리인의 의무로 규정하고 있다. 따라서 제3자가 손해방지행위를 했다면 그 비용은 손해방지비용이 될 수 없다.

둘째, 손해방지약관에서는 적절하고 합리적으로 발생된 손해방지비용에 대해서는 한도액에 상관없이 보상된다. 적절하고 합리적인 손해방지비용은 사실문제로서 사건에 따라 기준이 달라질 수 있다.

셋째, 보험목적물이 실질적으로 위험에 처해 있을 때 임박한 손해를 방지하기 위하여 피보험자가 지출한 비용은 손해방지비용으로 보상된다. 따라서 손해방지비용으로 인정되기 위해서는 위험이 실제로 발생해야 한다.

넷째, 보험자는 담보위험으로 인하여 발생한 손해를 방지하기 위하여 지출된 비용만 손해방지비용을 인정하여 보상한다. 따라서 보험증권에 담보되지 않는 위험으로 발생한 손해를 방지 · 경감하기 위하여 지출된 비용은 손해방지비용으로 보험자는 보상하지 않는다(MIA 제78조 제3항).

손해방지조항: 보험증권에는 피보험자의 손해방지의무를 규정하고 있는 손해방지약관이 포함되어 있다. 구증권의 손해방지조항(Sue and Labour Clause)이 신증권에서 ICC 제16조 피보험자의 의무조항(duty to sue and labour Clause)으로 개정되었다. 이러한 조항에서 "피보험자, 그 사용인 및 대리인은 손해를 방지하거나 또는 경감하도록 모든 합리적인 조치를 취해야 하며, 또한 이러한 의무를 수행함에 있어 적절하고 합리적으로 발생한 각종 비용은 보험자가 보상한다."라고 규정하고 있다.

---

186) O' May, D. & Hill, J., op. cit., pp.330~334.

이에 따라 해상보험에서는 피보험자, 그의 사용인 및 대리인이 손해를 방지 · 경감하기 위하여 적절하고 합리적으로 지출된 각종 비용은 손해방지비용으로 보험자가 전액 보상하게 된다.

2) 구조비(salvage charge)

해난구조는 해난에 직면한 선박 또는 적하 등을 구출하는 행위를 말한다. 해난구조는 피보험자의 의뢰에 따라 구조계약을 체결하여 행하는 계약구조(contract salvage)와 구조의 의무가 없는 제3자가 자발적으로 행하는 임의구조(pure, true salvage)로 구분된다.

해상보험에서 구조비가 성립하기 위해서는 구조행위가 임의구조여야 한다. 즉 구조자가 아무런 구조계약 없이 임의적으로 구조활동을 벌인 결과 구조물의 일부 또는 전부를 구출하게 되면 해상법에서 정한 구조비를 구조물의 소유자에게 청구할 수 있다.[187] 우리나라 상법(제849조)에서도 임의구조인 경우에 한하여 구조비청구권을 구조자에게 인정하여 주고 있다.

MIA 제65조에서는 구조비에 대하여 다음과 같이 규정하고 있다. "보험증권에 명시규정이 있는 경우를 제외하고 담보위험에 의한 손해를 방지하기 위하여 지출된 구조비는 담보위험에 기인한 손해로서 회수할 수 있다. '구조비' 란 구조자가 구조계약과 상관없이 해상법상으로 회수할 수 있는 비용을 말한다. 이 구조비는 피보험자, 그 대리인 또는 보수를 받고 고용된 자가 담보위험을 피하기 위하여 행한 구조의 성질을 띤 노무의 비용을 포함하지 않는다. 그러한 비용은 적절하게 발생한 비용이라면 비용이 발생한 사정에 따라 특별비용(particular charge) 또는 공동해손손해(general average loss)로서 보상받을 수 있다." 이상의 규정을 요약하면 구조비는 해난에 직면한 선박이나 화물을 제3자가 구조계약을 체결하지 않고 구조했을 경우 해상법상으로 제3자에게 지급하여야 할 보상금이다.

여기서 제3자란 보험목적물의 소유자 · 대리인 · 사용인 · 양수인을 제외한 자를 말한다. 따라서 해상보험에서 구조비는 구조행위의 주체가 반드시 제3자여야 한다는 것이다. 한편 선주와 구조자 간에 구조계약을 체결하고 구조활동을 한 경우 구조행위에 소요된 비용을 '구조료(salvage award)' 라 하며, 이는 구조행위의 성격에 따라 특별비용 또는 공동해손손해로 보상된다. 즉, 구조가 선박 또는 화물 각각의

187) Brice, G., *Maritime Law of Salvage*, 3rd ed., Sweet & Maxwell, 1999, pp.2~3.

구조목적인 경우에는 '특별비용' 이 되며, 구조가 선박, 화물, 운임 전체의 구조목적인 경우에는 '공동해손비용' 으로 된다.

구조비의 성립요건은 다음과 같다.

첫째, 선박 또는 적하 등 보험목적물이 실제로 위험한 상태에 있어야 한다. 즉, 위험이 실제로 발생하여 보험목적물이 어려운 상태에 있어야만 구조행위가 필요하고 그에 따라 구조비가 보상된다.

둘째, 구조자가 법적의무로서 구조를 하는 것이 아니라 자기의 의사대로 임의적으로 구조행위를 하는 것이다.

셋째, 구조행위가 성공해야 한다. 즉, 구조자는 구조행위를 한 결과 구조물의 전부 또는 일부를 구조해야만 구조비를 청구할 수 있다.

3) 특별비용(particular charge)

특별비용은 보험목적물의 손해를 담보위험으로부터 방지하기 위하여 피보험자 또는 그 대리인이 지출한 비용을 말한다. MIA(제64조 제2항)에서는 피보험목적물의 안전이나 보존을 위하여 피보험자에 의하여 또는 피보험자를 위한 비용으로 공동해손과 구조비 이외의 것을 '특별비용' 이라 한다.

특별비용은 피보험자가 자신의 보험목적물의 안전과 보존을 위하여 지출된 비용이기 때문에 공동의 이익을 위한 공동해손과 구별된다. 한편, 구조비는 피보험자측과 관련이 없는 제3자의 구조활동에 소요되는 비용이므로 행위의 주체자가 피보험자 측인 특별비용과 구별된다. 또한 특별비용은 보험목적물 자체의 물적 손해가 아니라 그 손해를 방지 또는 경감하기 위하여 지출된 비용이므로 단독해손을 포함하지 않는다.

따라서 해상보험에서의 비용손해 중에 공동해손과 구조비를 제외하면 특별비용이 되는 것이므로 특별비용은 손해방지비용과 기타의 비용이라 할 수 있다. 손해방지비용은 보험목적물이 목적지에 도착하기 전에 손해방지 또는 경감을 위하여 지출된 비용이라고 한다면, 기타 특별비용(순수특별비용)은 목적지에서 손해의 평가와 관련해서 지출되는 비용이다. 순수특별비용은 손해조사비용, 판매비용, 재포장비용, 재조정비용 등이 있는데 대부분 화물에 일부의 손상이 발생된 경우에 지출되는 비용들이다.

5. 배상책임손해

배상책임손해(liability loss)는 피보험자의 과실 · 과오 · 부주의 등으로 인하여 제3자가 입은 손해에 대하여 법적으로 배상해줄 책임을 말한다. 이는 피보험자가 선원의 고용주, 선박의 소유주 또는 운송계약의 당사자로서 제3자에 대하여 손해배상책임을 부담함으로써 간접적으로 손해를 입는 것으로서, 손해배상책임손해 또는 책임손해라고 한다.

해상보험에는 대표적으로 선박의 충돌에 따른 배상책임과 공동해손이 발생한 경우 각 이해당사자들이 분담하는 배상책임이 있다. 그런데 공동해손의 발생으로 이해당사자들이 분담하는 공동해손분담금(general average contribution)은 균등하게 나누어 가지기 때문에 손해배상책임과는 다르다. 왜냐하면 손해배상은 주로 법률상의 불법행위 또는 위법행위의 결과에 대한 책임임에 반하여 공동해손분담금은 공동의 안전을 위한 것이기 때문이다. 따라서 해상보험에서 배상책임손해라고 하면 선박의 충돌에 따른 충돌손해배상책임손해를 의미한다고 할 수 있다.

일반적으로 제3자에 대한 손해배상책임은 책임보험에 의해 담보가 가능하며, 책임보험은 피보험자가 제3자에 대하여 보험기간 중에 생긴 사고로 인하여 배상책임을 지는 경우 그 손해를 보험자가 보상할 것을 목적으로 하는 손해보험계약이다. 따라서 책임보험은 우연한 사고의 발생으로 제3자에게 배상할 비용을 보상하기 위한 보험으로 간접손해의 보상을 목적으로 한 보험이라 할 수 있다.

해상보험에서도 선박의 충돌로 인한 손해배상책임을 담보하도록 하고 있다. 해상보험법 제74조에서는 "피보험자가 제3자에 대한 책임을 명문으로 부보하였을 경우 그 손해의 한도는 보험증권에 명시의 특약이 있는 경우를 제외하고 피보험자가 그러한 책임에 대하여 제3자에게 지급하였든가 또는 지급하여야 할 금액이다."라고 규정하여 피보험자가 제3자에 대한 배상금액을 한도로 보상하도록 규정하고 있다.[188] 그러나 충돌손해배상책임은 선박보험에서 추가로 보상을 하기 때문에 선주가 별도로 충돌손해배상책임을 담보하기 위하여 별도의 책임보험계약을 체결하지 않는다.

188) 오원석, 『해상보험론』, 삼영사, 1996, p.400.

제2절 손해보상원칙과 입증책임

1. 손해보상의 원칙

1) 실손보상의 원칙

해상보험계약은 실손보상을 목적으로 한 계약이다. 즉, 실손보상은 피보험자를 사고발생 전의 금전 상태로 회복시키는 것을 말한다.

2) 직접손해보상의 원칙

보험자는 원칙적으로 물적 손해인 직접손해만을 보상하고 간접손해인 비용손해에 대해서는 보상하지 않는다. 따라서 해상보험에서는 선박이나 화물의 소유자가 갖는 소유이익을 피보험이익으로 하여 부보하고 있다. 그러나 직접손해보상의 예외로서 보험약관과 법률의 규정에 의하여 보상되는 것이 있다. 즉, 구조료, 구조비, 특별비용, 손해방지비용, 손해조사비용, 공동해손분담금에 대해서는 약관이나 영국해상보험법에 의하여 보상된다.

2. 입증책임

입증책임(onus of proof, burden of proof)이란 증거를 제시해야 할 책임을 말한다. 입증책임원칙은 어떠한 사실을 입증함으로써 이익을 향유하는 자에게 있다는 것이다. 해상보험에서의 입증책임은 주장하는 자가 부담하고 부정하는 자는 부담하지 않는다는 것이다. 따라서 피보험자는 보험자에게 보상을 청구하기 위해서는 담보위험에 의해서 손해가 발생되었음을 입증해야 한다. 그리고 보험자는 피보험자의 입증책임에 반증을 할 수가 있다. 즉, 피보험자는 담보위험으로 인하여 손해가 발생했음을 입증하고 보험금을 청구하면, 보험자는 자신의 면책위험이나 고지와 담보의무의 위반을 입증하여 면책을 주장할 수 있다.

피보험자의 입증책임은 위험담보방식에 따라 결정된다. 예컨대, 포괄책임주의인 ICC(A/R), ICC(A) 조건의 경우에는 손해가 발생하면 일단 포괄적으로 담보하는 위험이라는 추정이 인정된다. 따라서 피보험자는 보험개시 시에 보험의 목적물에 이상이 없었으나 인수 시에 손상이나 멸실이 생겼다는 사실을 증명하고 손해보상을 청구할 수 있다. 그 후 보험자는 그 멸실 · 손상이 면책위험에 의해 발생하였음을 반증한다.

열거책임주의인 ICC(FPA), ICC(WA), ICC(B), ICC(C)의 경우는 피보험자가 손해발생사실과 보험기간 중에 담보위험에 의해 발생한 손해라는 사실을 입증하여야 보상받을 수 있다.

제3절 보험대위와 보험위부

1. 보험대위

1) 보험대위의 개념

보험대위(subrogation)란 보험자가 보험금을 지급한 경우에 보험계약자 · 피보험자가 보험목적이나, 제3자에 대하여 가진 권리를 당연히 취득하도록 하는 것을 말한다. 전자를 잔존물 대위라 하고 후자를 구상권대위라고 부르는데, MIA 제79조에도 동일한 취지를 규정하고 있다.

우리 상법에서는 보험대위를 보험목적물에 대한 대위(제681조)와 '제3자에 대한 대위' (제682조)를 포함하여 단지 대위 또는 보험대위라고 하고 있지만 'subrogation' 은 주로 제3자에 대한 대위를 말하고, 보험목적물에 대한 대위의 경우에는 'salvage' 라고 한다. 또한 'subrogation' 은 어원적으로는 라틴어의 sub(= under)와 rogare(= ask)로 구성되어, 'asking(for a payment) under another' s name' 이라는 의미이다.

보험대위는 민법상 손해배상자의 대위(민법 제339조)와 유사한 것으로 손해보험에서만 인정되는 원칙이고, 인보험에서는 허용되지 않고 있다(제729조). 그러나 인보험 가운데서도 상해보험의 경우에는 그 사고가 제3자의 행위로 생긴 경우는 보험대위를 인정해야 한다는 설도 있다.

2) 보험대위의 근거와 성질

보험대위의 인정 근거: 보험대위는 손해보험의 기본원리의 하나인 이득금지의 원칙과 형평의 이념에서 유래된 것이다. 보험대위가 법적으로 인정된 근거에 대해서는 학문상으로 손해보험의 성질에서 찾으려는 입장과 정책적인 관점에서 찾으려는 입장으로 나눌 수 있다.

① 손해보험계약설: 손해보험계약은 일종의 손해보상계약이기 때문에 피보험자에게 보험사고발생으로 인한 손해만을 보상하여 주어야만 하고 그 이상의 부당한 이익을 부여하면 안 된다는 설로서 우리나라에서는 이 설을 채택하는 것이 일반적이다.

② 보험정책설: 피보험자가 보험사고를 유발하거나 도박보험 등의 방법으로 보험제도를 악용 · 남용하려는 소지를 방지하기 위하여 보험대위를 인정하여야 한다는 설이다. 주로 프랑스가 이 설을 채택하고 있다. 오늘날 손해보험의 성격을 가지고 있는 인보험에서도 보험대위를 금지하는 경우가 있으며, 경우에 따라서는 허용되는 경우(의료보험법 제46조)가 있기 때문에 보험대위를 인정하는 법적 근거를 보험정책설에서 찾는 것이 타당하다고 볼 수 있다.

보험대위의 성질: 피보험자의 의사표시에 따른 양도행위의 효과가 아니라 법률이 인정하는 당연한 효과이다. 대위의 요건(전손, 보험금의 전부지급, 보험목적물 가치의 존재, 제3자에 의한 보험사고발생)이 충족되면 당사자의 의사표시와는 상관없이 당연히 권리(보험목적에 대한 권리, 제3자에 대한 권리)가 보험자에게 이전된다.

잔존물에 관한 권리의 이전은 물권변동의 절차를 밟지 않고도 당연히 제3자에게 그 권리를 주장할 수 있으며 또한 제3자에 대한 권리의 경우에도 지명채권양도(특정인을 채권자로 하는 채권을 말하는데 이에 상반되는 것은 지시채권, 무기명채권)의 대항요건의 절차 없이도 채무자, 그 밖에 제3자에게 대항할 수 있다. 제3자에 대한 보험대위에서는 보험자가 보험금의 일부를 지급한 경우에도 일부대위가 인정되는 점에서 보험목적물에 대한 대위와 다르다.

(1) 보험목적에 대한 보험대위와 제3자에 대한 보험대위

양자를 간단하게 설명하면 다음과 같다(〈표 12-1〉참조).

① 잔존물의 가액을 계산하는 데 많은 시간과 비용이 들 뿐만 아니라 피보험자가 잔존물을 매각처분해야 하는 불편을 주게 되기 때문에 피보험자 권익보

〈표 12-1〉 보험목적에 대한 보험대위와 제3자에 대한 보험대위

	보험목적에 대한 보험대위	제3자에 대한 보험대위
의의	① 보험의 목적이 전부 멸실한 경우 보험금액의 전부를 지급한 보험자는 그 목적에 대한 피보험자의 권리를 취득하는 것을 말함(상법 제681조). 전손이 발생한 경우 보험자가 잔존물의 가치를 공제한 금액을 피보험자에게 보상하면 피보험자가 부당한 이득을 취할 수 없게 됨.	④ 보험사고에 의한 손해가 제3자(보험자와 보험계약자 · 피보험자이외의 자. 피보험자와 함께 생활하는 가족은 고의로 손해를 발생하게 한 경우가 아니면 제3자에 포함 않됨)의 행위에 의하여 발생한 경우에 보험금액을 지급한 보험자는 그 지급한 금액의 한도 내에서 제3자에 대한 보험계약자 또는 피보험자의 권리를 취득하는 것을 말함(상법 제682조).
요건	② 보험목적의 전부멸실: 전부의 멸실이란 보험계약 체결 당시 보험의 목적이 가진 경제적 가치가 전부 멸실한 것으로 전손과 같은 의미임. ③ 보험금액의 전부지급: 보험금액의 전부지급이란 보험의 목적에 입은 손해뿐 아니라 보험자가 부담하는 손해방지비용(상법 제680조)까지 지급한 것을 말함. 따라서 보험자가 보험금액의 일부만을 지급한 때에는 그 지급액부분에 대해서도 권리가 이전하는 것은 아님.	⑤ 제3자에 대한 보험사고의 발생: 제3자에 대한 보험대위를 인정하기 해서는 보험사고가 제3자로 인해 발생하고 피보험자가 제3자에 대하여 손해배상청구권을 가질 것을 필요로 함. ⑥ 보험금액의 지급: 보험대위의 요건으로 보험자는 제3자의 행위로 인한 피보험자의 손해를 보험계약의 조건에 따라 보상해야 함. 보험자는 피보험자에게 보험금액을 지급함으로써 법률상 당연히 그 제 3자에 대한 권리를 취득하게 되므로, 보험대위의 발생시기는 보험금액을 지급한 때임.

호를 위해서도 바람직하지 않다. 따라서 잔존물을 도외시하고 전손으로 보아서 보험자가 보험금액의 전부를 피보험자에게 지급하고 그 대신 잔존물에 대하여 피보험자가 가지고 있는 권리를 보험자가 취득한다(MIA 제79조 제1항).

② 다시 말하면 보험의 목적이 그 모든 가치에 대하여 상당한 비율에 해당하는 비용을 들여 정상의 목적으로 돌릴 수 있는 경우에는 분손이고, 잔존물의 일부가 남아 있다 하더라도 그것이 경제적인 관점에서 이용이 어려운 경우에는 전손으로 다루어야 한다.

③ 보험금액의 일부만을 지급하고 나머지를 지급하지 않고 있는 동안에 보험목적이 구조되었다면 보험자는 그 물건에 대하여 권리를 취득할 수 없고 동시에 피보험자는 구조된 물건의 가액을 보험금액에서 공제해야 한다.

④ 예컨대 적하보험의 경우 화물의 손실이 해상운송인의 귀책사유로 생긴 때에

피보험자에게 그 손해를 보상하여 준 보험자가 해상운송인에 대한 피보험자의 손해배상청구권을 대위하여 취득할 수 있다. 보험사고의 발생이 가령 제3자의 불법행위로 인한 때에는 피보험자는 불법행위를 원인으로 하여 그 불법행위자에게 손해배상을 청구할 수 있고 또 보험계약에 따라 보험자에게 보험금액을 청구할 수 있다.

⑤ 예컨대 제3자의 행위는 불법행위뿐만 아니라 채무불이행으로 인한 손해배상의무를 부담하는 경우를 포함하고 또 선장의 공동해손처분처럼 적법행위에 의한 경우도 포함한다.

⑥ 또 보험금액의 지급은 보험계약자의 의무로서 지급하는 것으로 반드시 보험계약에서 정한 한도의 모든 금액을 지급하여야 하는 것은 아니고, 일부를 지급하여도 그 지급한 범위 내에서 그 대위권을 행사할 수 있다(상법 제682조 단서). 이 점은 보험목적에 대한 보험대위의 경우와 다르다(상법 제681조).

3) 보험목적에 대한 보험대위와 제3자에 대한 보험대위의 효과

(1) 보험목적에 대한 보험자대위의 효과

① 보험목적에 대한 권리의 이전

㉠ 당연한 권리의 이전: 보험목적의 전부가 멸실한 경우에 보험금액의 전부를 지급한 보험자는 보험의 목적에 대한 피보험자의 권리를 취득하게 된다(상법 제681조). 보험의 목적에 대한 피보험자의 권리의 이전은 법률의 규정에 의하여 당연히 이루어지는 것이므로, 보험자가 보험금액을 전부 지급하면 그 목적물에 대한 물권변동의 절차를 밟지 아니하고도 보험의 목적에 대한 피보험자의 권리가 보험자에게 이전하게 된다. 이에 따라 피보험자는 그 목적물에 대하여는 특약이 없는 한 아무런 권리를 가지지 못하고, 또한 임의로 그것을 처분할 수 없다.

㉡ 이전되는 권리의 범위: 상법은 그 목적에 대한 피보험자의 권리라고 정하고 있으므로 보험대위에 의하여 보험자에게 이전하는 권리는 피보험자가 보험의 목적에 대하여 가지는 피보험이익에 관한 모든 권리라고 할 수 있다. 피보험이익에 대한 피보험자의 권리라 함은 일반적으로 임차권이나 담보물건 등은 그 목적물의 멸실과 동시에 소멸한다는 이유로 목적물에 대한 피보험자의 소유권만을 가리킨다.

㉢ 권리이전의 시기: 보험대위권은 보험금전액의 지급을 전제로 하고 있으므로 보험자는 보험사고의 발생시기가 아니고 보험금액을 전부 지급한 때로부터 그 권리를 취득한다. 그러므로 피보험자가 보험금의 지급을 받기 전에 그 목적물을 임의로 처분하였으면 보험금에서 그 대가를 공제할 수 있고, 보험금의 지급을 받은 후에 이를 처분한 때에는 보험자는 피보험자에 대해 그로 인한 손해배상을 청구할 수 있다.

② 일부보험의 경우

일부보험(under insurance)에서 보험자가 보험금액의 전부를 지급하면 보험금액의 보험가액의 비율에 따라 피보험자가 보험목적에 대하여 가지는 권리를 취득하게 된다. 이에 따라 일부보험의 경우에는 잔존물에 대한 권리가 그 비율에 따른 부분만이 보험자에게 귀속하게 되므로 보험자와 피보험자는 그 목적물에 대하여 지분적 공유를 하게 된다. 예컨대 보험가액이 5억원인 선박을 보험금액 4억원으로 보험에 부보한 경우에는 피보험자는 1억원에 대하여 자가보험자가 되어 구조물의 1/5에 대한 권리를 가지게 되고, 보험자는 4/5에 대한 권리만을 취득하게 되는 것을 말한다.

③ 피보험자의 협조의무

피보험자는 보험금의 지급을 받아 보험의 목적에 대한 권리가 보험자에게 이전한 후에는 보험자가 그 권리를 행사할 수 있도록 필요한 정보를 제공하고 그가 점유하고 있는 권리의 입증에 필요한 서류를 교부하고 필요에 따라서 권리이전에 관한 공증서를 제출해야 한다. 왜냐하면 그 보험의 목적에 대하여는 피보험자가 점유하고 있는 것이 일반적이고 또한 그 내용을 가장 잘 알고 있는 위치에 있기 때문에 보험자의 권리행사에 피보험자가 협조하여야 하는 것은 당연하다고 할 수 있기 때문이다.

④ 목적물에 대한 부담과 대위권의 포기

보험자는 대위권의 행사로 불이익을 받게 되는 경우에 보험자가 보험대위권을 포기하고 보험목적에 따른 공법상 또는 사법상의 부담을 피보험자에게 귀속시킬 수 있다. 그래서 공법상 혹은 사법상의 채무를 이행하기 위한 금액은 피보험자의 부담으로 하고 있다. 보험자가 난파선의 가치를 넘을지도 모르는 비용을 들여서 난파선을 제거하여야 할 의무를 지게 되는 경우도 보험자는 잔존물을 인수하지 아니할 뜻

을 나타내고 손해를 보상한 경우에는 그 잔존물은 피보험자의 소유가 된다.[189)]

(2) 제3자에 대한 보험대위의 효과

① 제3자에 대한 보험사고의 발생

㉠ 피보험자의 권리이전: 제3자의 책임 있는 사유로 보험사고가 발생한 때에는 보험자의 보험금지급에 의하여 보험계약자 · 피보험자가 가지는 제3자에 대한 권리가 당연히 보험자에게 이전한다(상법 제682조).

㉡ 대위권행사의 범위: 제3자에 대한 보험대위권의 행사는 바로 피보험자가 보험사고로 말미암아 제3자에게 가지고 있던 권리를 행사하는 것이므로 피보험자의 권리에 의해 제한된다. 환언하면 보험자는 피보험자가 제3자에 대하여 가지는 권리보다 더 큰 권리를 가질 수 없다.

㉢ 피보험자의 협조의무: 보험자가 보험금의 지급 이후에 제3자에 대한 피보험자의 권리를 취득하더라도 제3자와 관계가 있는 보험계약자 또는 피보험자의 협조가 없으면 대위권을 행사하기가 곤란하다. 따라서 피보험자는 보험금을 지급받은 후에는 보험자가 그 권리를 행사할 수 있도록 협조해야 할 의무를 가지게 된다.

㉣ 권리취득의 제한: 보험자가 보상할 보험금액의 일부를 지급한 때 보험자는 피보험자의 권리를 침해하지 않는 범위 내에서 그 권리를 행사할 수 있다. 이러한 이유는 손해를 완전히 보상받지 않고 있는 피보험자의 배상청구권을 방해하지 않도록 하기 위한 것이다.

㉤ 재보험자의 보험자대위: 원보험자가 제3자에 대한 보험대위권을 가지고 있을 때에 재보험자가 원보험자에게 보험금액을 지급하면 그 지급한도 내에서 다시 재보험자에게 대위권이 이전한다. 그러나 이 경우 재보험자 자신이 그 대위권을 행사한다는 것은 불편하고 경우에 따라서는 불가능한 경우도 생길 수 있다. 따라서 상관습상으로 보험대위권을 재보험자 자신이 행사하지 않고 원보험자에게 위탁하여 원보험자가 자기의 명의로 대위권을 행사한 다음에 회수한 금액을 재보험자에게 교부하는 것이 보통이다. 그리하여 일반적으로 원보험자는 자신의 명의로 대위권을 행사하여 회복한 금액이 있으면 재보험

189) 양승규, 『보험법(제3판)』, 삼지원, 1999, pp.239~242.

자에게 그 보험금의 비율에 따라 반환하여야 할 의무를 지는 것이다.[190)]

2. 보험위부

1) 의의

위부(abandonment)란 보험사고 발생결과가 현실전손은 아니지만 보험목적이 전손에 가까운 손실을 입었거나 또는 본래의 목적에 사용할 수 없을 경우에 피보험자가 그 보험목적에 대하여 가지고 있는 일체의 권리를 보험자에게 위부하여 보험금액의 전액을 청구할 수 있는 해상보험의 특유한 제도이다. 해상보험에 있어서는 전손이 있다고 추정되기는 하지만 그 증명이 곤란한 경우가 있다. 이러한 경우에 피보험자가 보험사고 발생사실의 증명이나 손해액 산정절차를 생략하고 법률상 전손과 같이 취급하여 보험금액을 청구할 수 있도록 하는 제도가 바로 위부제도이다.[191)]

2) 위부의 요건

피보험목적물의 전손발생이 불가피하다고 인정되는 경우, 또는 피보험이익의 가액을 초과하는 비용의 지출이 예견되는 경우에 추정전손의 발생이 불가피하다고 보고 위부를 인정하고 있다(MIA 제16조). 한편 우리나라 상법 제710조는 위부의 요건에 대해 다음과 같이 규정하고 있다.

선박 · 적하의 점유상실: 선박의 회복가능성이 없거나 회복은 가능해도 그 회복비용이 회복하였을 때의 가액을 초과하리라고 예상되는 경우는 위부할 수 있다.

선박의 수선비용이 과다한 때: 수선비용이 수선하였을 때의 가액을 초과하리라고 예상될 경우에 위부할 수 있다.

적하의 수선비용 · 운송비용이 과다한 때: 적하의 수선비용과 적하를 목적지까지 운송하기 위한 비용의 합계액이 도착한 때의 적하의 가액을 초과하리라 예상되는 경우에 그 적하를 위부할 수 있다.

---

190) 양승규, 전게서, pp.255~257.

191) 조해균, 『최신보험경영론』, 박영사, 2000, p.114.

3) 위부의 통지

피보험자가 위부를 하기 위해서는 보험자는 그 뜻을 통지하지 않으면 안 되는데 이를 '위부의 통지(notice of abandonment)' 라고 한다.

한편 위부를 통지하는 목적은 보험자의 이익을 도모하기 위해서이다. 피보험자의 위부통지를 보험자가 수락하게 되면 잔존물은 보험자의 재산이 된다. 따라서 보험자는 피보험자로 하여금 위부를 통지하도록 하여 자기의 재산이 될 보험목적물을 조속히 관리하고 손해가 확대되는 것을 방지하여 이익을 획득하려고 한다.

위부의 성립: MIA 제62조 제6항은 피보험자에 의한 위부의 통지가 있고 보험자가 이를 승낙해야 비로소 위부가 성립한다고 규정하고 있다. MIA상으로는 위부는 일종의 계약으로 볼 수 있으며, 위부의 통지가 보험자에 의하여 승낙되면 위부를 철회할 수 없다(제62조 제6항).

피보험재산의 추정전손 여부를 판단하여 위부의 통지를 하는 것이 적법한지는 위부를 통지할 때 그 당시의 사정에 따라 판단해야 할 사실상의 문제로 보고 있다. 추정전손이 성립되는가의 여부로서 위부의 통지가 적법한지를 결정하기 위한 당시의 조난상황은 영장을 교부할 때의 사정인 것이다.

위부통지의 방법: MIA 제62조 제2항은 위부의 통지는 서면, 구두 또는 일부를 서면, 일부를 구두로 할 수 있다고 규정하고 있다. 그런데 실제로는 피보험자에 의해 서면으로 이루어지고 있다. 또한 보험의 목적물상의 피보험자의 피보험이익을 보험자에게 무조건으로 위부하는 피보험자의 의사를 표시하는 것이라면 어떤 문언으로라도 무방하다고 규정하고 있다.

위부통지의 시기: 위부통지의 시기에 대해서 MIA 제62조 제3항은 상당한 주의를 갖고서 위부통지를 해야 한다고 규정하고 있다. 그러나 손해에 대한 정보가 명확하지 않은 경우 피보험자는 이를 확인하기 위해 상당한 시간을 가질 수도 있다. 대체로 손해에 대한 확증을 갖고서도 고의적으로 위부통지를 지연시키지 않는 한 위부통지의 효력에는 아무런 영향을 미치지 않는다.

그러나 고의적으로 위부통지를 지연시켜 보험자에게 재산상의 손실을 야기시키게 되면 그러한 위부통지는 아무런 효력을 갖지 못한다. 위부통지의 목적에 부합되어야만 위부통지로서의 의의를 찾을 수 있기 때문이다.[192]

---

192) 구종순, 전게서, pp.307~308.

한편 우리나라 상법 제713조에서는 피보험자가 위부를 하고자 할 때에는 상당한 기간 내에 보험자에 대해 그 통지를 발송해야 한다고 규정하고 있으며 동 제716조에는 보험자가 위부를 승인한 후에는 그 위부에 대하여 이의를 제기하지 못한다고 규정하고 있다.

4) 위부의 성격과 효과

위부는 피보험자의 단독행위이기 때문에 피보험자의 위부통지만으로써 성립하며 보험자의 승낙을 필요로 하지 않는다. 보험자가 위부를 승인하지 아니할 때 피보험자가 위부의 원인을 증명하지 아니하면 보험금액의 전액을 청구하지 못한다(상법 제717조). 보험자가 일단 위부를 승낙한 후에는 이에 대해 이의를 제기하지 못한다(상법 제176조). 위부의 원인이 보험목적 일부에 대하여 생길 때는 그 부분에 대해서만 위부할 수 있다.

위부의 직접효과는 피보험자가 보험목적에 대하여 가지는 일체의 권리(보험목적에 대하여 가지는 권리와 제3자에 대하여 가지는 권리)를 보험자에게 이전하는 것이다. 위부의 간접효과는 피보험자가 보험목적을 위부한 때는 보험금액의 전액을 청구할 수 있는 것이다.

위부의 효과에 대해 MIA 제63조 제1항은 유효한 위부가 있는 경우에는 보험자는 보험의 목적물의 잔존부분에 대한 피보험자의 이익 및 보험의 목적물에 부수하는 모든 재산권을 승계하는 권리가 있다고 규정하고 있다. 동조 제2항은 선박의 위부가 있는 경우에는 선박보험자는 선박의 취득 중의 운임으로써 손해를 초래한 재해 후에 선박이 취득하는 모든 운임에서 그 운임을 취득하기 위해 재해 후에 지출한 비용을 공제한 것을 취득할 권리가 있다고 규정하고 있다. 또한 동조항은 선박이 그 선박의 소유자의 화물을 운송하고 있는 경우에는 보험자는 손해를 초래한 재해 후의 그 화물의 운송에 대해 타당한 보수를 받을 권리가 있다고 규정하고 있다.

5) 보험위부의 문제점

보험위부제도는 전손이 발생했다고 추정되는 경우에 피보험자가 보험의 목적물에 대해 가지는 모든 권리를 보험자에게 이전함에 따라 보험금액의 전부를 청구할 수 있는 제도인데 실무에서는 보험자가 보험의 목적물에 대한 권리를 취득하지 않고 전손금을 지급하는 처리를 하고 있다.

원래 위부제도는 위부에 의해 보험자에게 이전하는 보험의 목적물에 경제적 가치가 있는 것을 전제로 하는 것인데 오늘날에는 보험목적물의 잔존물에 부수하여 발생하는 철거비용 및 손해배상책임을 이행하기 위해 필요로 하는 비용이 위부되는 보험목적물의 경제적 가치를 상회하는 경우가 많아 전술한 전제가 붕괴되고 있다.

더구나 보험의 목적물에 잔존가치가 있는 경우에는 보험위부제도에 의하지 않고 보험대위에 의한 소유권의 취득방법을 이용할 수 있는 등의 이유로 보험위부제도가 폐지되기에 이르고 있다.

3. 보험대위와 보험위부의 관계

보험의 목적에 대한 대위는 해상보험에서 인정되는 보험위부와 비슷하다. 그러나 전자는 '사전적' 이고, 후자는 '사후적' 이며, 또한 전자는 보험의 목적에 현실전손이 있는 경우에 피보험자에게 손해를 보상하여 준 보험자에게 법률상 당연히 그 목적물에 대한 권리와 제3자에 대한 권리를 이전시키는 제도인 데 비해, 후자는 보험목적이 전부 멸실한 것과 동일시할 수 있는 경우에 피보험자가 보험목적에 대하여 가지고 있는 모든 권리를 보험자에게 이전시키고 보험금액의 전부를 청구할 수 있는 해상보험의 특유의 제도이다(상법 제710조). 그리고 보험위부는 위부된 보험목적물이 피보험자에게 지급한 보험금액보다 큰 것이 입증되어도 보험자는 여전히 그 전부에 대한 권리를 가질 수 있다. 그러나 이와 반대로 보험대위는 보험자는 피보험자에게 지급한 보험금액 이상으로 회복할 수 없다는 점에서 양자는 구별된다.

제4절 공동해손

1. 공동해손의 기원

보험과 유사한 가장 오래된 제도는 B.C. 916년에 공표된 로디안(Rhodian) 해법에 기록되어 있는 공동해손(general average)제도이다.[193] 초기의 무역은 상인이 화

193) Wilson, D. J.& Cooke, J. H. S., *Lowndes & Rudolf: The Law of General Average and The*

물과 함께 항해하여 목적지에서 화물을 판매하고 고향에서 판매할 물건을 구입하여 다시 돌아오는 형태였다. 이익을 추구하는 여러 무역상들과 그들의 화물을 적재한 선박은 과적하는 경우가 많았다. 그러다 기후가 나빠져 선박과 화물이 침몰위험에 놓이게 되면 이 위험을 해결하기 위한 가장 손쉬운 방법이 화물을 바다로 버리고 선박의 무게를 줄이는 방법이었다. 그런데 누구의 화물을 먼저 버리는가 하는 문제는 선주와 무역업자 간 갈등을 초래하는 원인이 되었다. 이 문제를 해결하기 위하여 공동해손이라고 하는 방식을 약 3천년 전부터 개발하여 활용하였던 것이다.

이러한 공동해손제도는 현재까지 계속 발전하여 오늘날 해법과 해상보험의 기초가 되었다고 할 수 있으나, 공동해손제도는 해상보험제도와는 별개로 해법의 일부로서 창안된 것으로서 해상보험의 기원으로는 보지 않는다. 왜냐하면 공동해손제도에서는 합리적으로 설정된 보험료가 없기 때문이다.[194]

2. 공동해손의 원리

1) 공동해손의 개념

해손(average)이란 손상된 화물을 의미하는 아리비아어 awariya에서 파생된 것으로서 '전손과 구별되는 분손' 을 의미하는 전문용어이다. 분손은 단독해손(particular average)과 공동해손(general average)으로 구분된다. 공동해손은 화물을 적재한 선박이 항해 도중에 해상위험에 직면한 때 공동의 안전을 위해 고의로 합리적으로 이례적인 희생 · 비용을 지출한 경우에 이와 같은 희생손해 및 비용손해에 대해 손해를 면하게 된 이해관계자 간에 이것을 분담하는 제도이다.

공동해손의 성질을 가지는 가장 일반적인 희생적 행위는 다음과 같다.

① 항해단체 전체를 구조하기 위한 적하 일부의 희생
② 항해단체 전체를 구조하기 위한 선박 일부의 희생
③ 선박과 적하를 구조하기 위해 지출한 비용. 예컨대 좌초한 선박을 가볍게 하기 위한 양하 및 재적재하는 경우

York-Antwerp Rules, 12th ed., Sweet & Maxwell, 1997, p.1. 로디안해법은 당시 지중해무역이 활발하였던 그리스 연안의 로데스 섬(Rhodes Island)에서 사용되던 해법이다.

194) 東京海上火災保險株式會社海損部編著, 『共同海損の理論と實務』, 有斐閣, 1995, pp.1~17.

④ 소화를 위해 사용된 물에 의해 화물에 발생한 손해. 단 화재 자체에 의한 손해는 공동해손이 아니다.

⑤ 별도의 연료를 사용할 수 없기 때문에 연료로써 적하를 사용한 것에 따른 손해. 단 이 연료가 항해단체 전체를 구조하기 위해 필요한 경우에 한정된다.

2) 공동해손의 성립요건

우리나라 상법 제832조는 공동해손의 요건과 관련하여 선박과 적하의 공동위험을 면하기 위한 선장의 선박 또는 적하에 대한 처분으로 인하여 생긴 손해 또는 비용은 공동해손으로 본다고 규정하고 있다.

공동의 안전: 공동해손으로 인정되기 위해서는 공동해손행위가 공동의 안전을 위하여 이루어질 것을 필요로 한다. 선박 · 적하 및 운임의 안전을 위해서, 또는 선박, 적하의 이해관계자의 안전을 위해 이루어져야 하며 선박 또는 적하 중 한쪽만의 안전을 목적으로 하는 행위는 공동해손행위가 아니다.

고의적 · 합리적: 공동해손행위는 고의적이며 합리적으로 이루어질 것을 필요로 한다. 공동해손손해는 사고의 회피 · 경감을 목적으로 하여 자발적이며 의도적으로 이루어진 행위의 결과로 초래된 손해여야 한다. 예컨대 선창 내에 화재가 발생한 때 동일 선창 내에 적재된 화물에 누손이 발생할 것을 예측하면서도 소화하기 위한 물의 주입행위는 공동해손행위로 간주된다. 그러므로 역설적으로 말하면 우연하게 발생한 손해는 공동해손손해로 인정되지 않는다. 또한 위험에 조우한 때 선장은 인명의 구조 외에 선박 · 화물의 구조를 목적으로 행동하지만 이와 같은 경우의 손해는 선장의 냉정한 판단의 결과라는 것을 필요로 한다.

이례적인 희생 · 비용: 공동해손행위는 이례적인 희생을 하고 이례적인 비용을 지출할 것을 필요로 한다. 따라서 통상의 용법으로 발생한 손해는 공동해손으로서 인정되지 않는다. 예컨대 좌초된 선박을 무리하게 이초시키려고 하여 발생한 기계의 고장은 공동해손으로서 인정되지만 그것이 해상화물운송계약의 이행상 운송인이 통상 부담해야 할 비용이라면 이례적인 비용이 아니므로 공동해손이 되지 않는다.

3. York-Antwerp Rules(YAR)

전술한 공동해손의 요건을 충족한 공동해손행위에 의한 손해를 '공동해손손해(general average loss)' 라고 한다. 어떤 손해를 공동해손손해로 인정할지에 대해서는 각 국가 간에 준거법상 또는 관습상 상당한 차이가 있다. 이러한 준거법 또는 관습이 국가에 따라 상이하게 된다면 공동해손의 정산에 상당한 지장을 초래하게 되므로 공동해손규칙을 국제적으로 통일하려는 움직임이 고조되었다.

1864년 York에서 시작하여 1877년 Antwerp에서 나아가 1890년에 이르러 공동해손에 관한 국제적 통일규칙이 완성되었다. 이것을 1890년 YAR이라 부르고 있지만 이 YAR은 세계 각국에서 채택되어 이윽고 해상화물운송계약에 공동해손은 1890년 YAR에 준거한다는 규정을 삽입하는 것이 관습이 되어 그 후 1924년, 1950년 및 1974년에 개정했다. 또한 1994년 10월 2일부터 8일까지 시드니에서 개최된 국제해법회(Comité Maritime International; CMI)에서 1974년 및 1990년 YAR을 대폭 개정하여 새로운 공동해손에 관한 규칙을 제정함으로써 오늘날 공동해손의 정산에 관해서는 1994년 YAR이 적용되고 있다.[195]

YAR은 일반원칙을 규정한 7개의 문자규정(lettered rules), 특별규칙을 규정한 22개의 숫자규정(numbered rules)으로 구성되어 있는데 숫자규정이 우선적으로 적용되며 숫자규정에 규정이 없는 경우에는 문자규정을 적용하는 것으로 되어 있다.

그 후 국제해법회 · 국제소위원회가 국제회의에 제출한 최종보고서를 중심으로 2004년 5월 31일부터 6월 4일까지 캐나다 · 밴쿠버에서 제38회 국제회의를 개최하여 1994년 YAR을 일부 개정하여 2004년 YAR이라 불리는 새로운 규칙을 채택하였다.

그런데 이번 개정은 선주 이해관계자의 대표자에게 지지를 받지 못하였다. 예컨대 국제회의에서 BIMCO, Intertanko 및 Intercargo, 국제해운회의소 등의 대표자들은 1994년 YAR이 개정되어 10년도 경과되지 않은 가운데 새로운 일련의 규칙을 제정한 것은 시기상조라고 언급하였다. 따라서 국제소위원회는 2004년 YAR은 도움

---

195) 1994년 YAR에는 최우선규정(Rule Paramount)이 신설되는 등 주로 문자규정(lettered rules)이 대폭 수정 · 보완되었는데, 즉 "어떠한 경우라도 공동해손의 희생과 비용이 합리적으로 발생하고 지출된 것이 아니면 희생 또는 비용으로 인정하지 아니한다."는 내용이 그것이다. 그리고 숫자규정(numbered rules)에서는 환경의 손해를 방지하기 위하여 지출된 비용도 공동해손으로 인정하는 등 환경 및 오염에 관한 내용이 신설되었다(Wilson, D. J. & Cooke, J. H. S., op. cit., p.66).

이 안 되는 혼란만을 초래하는 원천이 되고 있다고 언급하고 있다.

4. 공동해손의 유형

공동해손손해에는 공동해손희생손해(general average sacrifice)와 공동해손비용손해(general average expenditure)가 있다.

1) 공동해손희생손해

공동해손희생손해라고 해도 그 손해가 선박 또는 화물을 직접 희생하는 것에 의해 발생하는 경우가 있다. 예컨대 선박을 구조하기 위해 화물 · 연료 · 속구 등을 바다에 투기하는 투하(jettison), 선박화재의 소방작업에 수반되는 물의 주입손해, 선박의 침몰을 회피하기 위해 해안에 끌어올리는 것에 의해 발생하는 손해 또는 불가피하게 연료에 제공한 선용품 · 저장품의 손해 등이 공동해손희생으로 간주된다.

이 희생손해는 공동해손행위의 직접적인 결과로서 발생한 손해이며 소위 선박 · 적하가 해상위험에 기인하여 직접으로 손해를 입은 것으로 이해된다. 따라서 이와 같은 경우에는 피보험자는 다른 공동해손 의무자로부터의 배상을 기다리지 않고 손해액 전부를 보험자로부터 직접 보상받을 수 있다. 이것은 MIA 제66조 제4항에 규정되어 있는 바와 같다.[196)]

2) 공동해손비용손해

공동해손비용손해는 선박과 적하의 공동의 안전을 위하여 필요한 이상적인 비용지출에 의한 손해를 말한다. 예컨대 적재선박이 좌초되어 손상을 입은 경우에 선박을 이초시키기 위한 인양비용, 화물의 양하비용, 선박이 피난항에 입항하는 비용, 화물의 양하 · 보관 · 재적재비용, 선박의 임시수선비용, 예항비용 등은 공동해손비용에 해당된다.

공동해손비용손해는 전술한 공동해손희생손해와 마찬가지로 선박 및 화물의 공동의 위험을 회피하기 위하여 지출이 불가피한 비용이므로 광의의 손해방지비용의 성격을 가진다. 또한 이와 같은 공동해손비용손해는 비용손해의 일종으로 간접손해에 해당하므로 보험자가 반드시 보상하는 것은 아니다.

---

196) 이 점에 대해서는 1982년 ICC(B) 및 (C)약관 1.2.1에서도 동일한 취지를 규정하고 있다.

5. 공동해손분담금

공동해손분담금(general average contribution)이란 공동해손으로서의 희생을 하고 비용을 지출한 것에 의해 공동해손행위가 성립한 경우에 선박, 화물 또는 운임의 전부 또는 일부를 보존할 수 있었던 자(공동해손분담 의무자)가 희생을 하고 비용을 지출한 자(공동해손분담 청구권자)에 대해 공동해손손해를 일정비율로 지급해야 할 분담액을 말한다. 예컨대 선박에 관해서는 화물의 공동해손희생 · 비용 및 이것에 수반되는 운임의 상실에 대한 선주의 분담액이 공동해손분담금이며 화물에 관해서는 선박 및 다른 화물의 공동해손희생 · 비용 및 이것에 수반되는 운임의 상실에 대한 화주의 분담액이 그것이다.

공동해손손해에 대해 분담의무자가 분담청구권자에게 부담해야 할 부담액은 일종의 책임손해이므로 통상의 선박보험 및 적하보험에서는 원칙적으로 보상되지 않는다. 하지만 이와 같은 공동해손분담금의 중요성을 고려하여 상법 제833조에는 공동해손은 그 위험을 면한 선박 또는 적하의 가액과 운임의 반액과 공동해손의 액과의 비율에 따라 각 이해관계자가 이를 분담한다고 되어 있다. 공동해손손해의 분담의무자가 피보험자라면 그 분담액은 일종의 책임손해이므로 책임이익에 발생한 손해로서 보험자가 보상해야 한다. 또한 분담청구권자가 피보험자로서 그 피보험자가 공동해손희생손해를 입은 경우에는 직접 보험자로부터 보상받을 수 있으므로 보험자는 이 피보험자가 분담의무자에 대해 가지는 분담청구권에 대위(subrogation)할 수 있다.

공동해손의 결과 발생하는 분담의무자와 분담청구권자 간의 분담에 관한 문제는 원래 공동해손의 법률관계로서 처리되어야 하며 해상보험의 법률관계와 전혀 별개의 것이다. 하지만 통상은 공동해손의 이익단체를 구성하는 선주 및 화물 이해관계자가 자기의 피보험이익에 대해 해상보험을 들고 있으므로 즉 공동해손분담금의 정산에 대해서도 보험자 상호간에 행해지게 된다.

6. 공동해손분담금의 산출방법

1) 공동해손부담가액 · 분담가액의 산출

공동해손분담금을 산출하기 위해서는 우선 공동해손부담가액 · 분담가액(contributory value; valeur contributive; Beitragswert)을 구할 필요가 있다. '공동해손부담가액' 이란 공동해손분담금을 산출하기 위한 기초가 되는 가액을 말하며 상법 제834조에서는 선박의 가액은 도달의 때와 장소의 가액으로 하고 적하의 가액은 양륙의 때와 장소의 가액으로 한다고 규정하고 있다. YAR 제G조에서도 동일한 취지를 규정하고 있는데 YAR 제17조에서는 보다 구체적으로 공동해손의 분담은 항해종료 시의 재산의 순가액(net value)을 기초로 행하며 이것에 희생하게 된 재산의 공동해손배상액이 포함되지 않을 때는 이것을 가산한다는 취지를 규정하고 있다.[197)]

이와 같이 공동해손부담가액에는 항해종료의 시기 및 장소에 있어서 재산의 순가액이 이용된다. 따라서 이 경우 공동해손에 의해 배상되어야 할 금액이 있으면 순가액에 이것을 가산하고 한편으로 공동해손행위 후에 지출된 비용으로 공동해손으로서 인정되지 않는 것이 있다면 이것을 공제한 가액이 공동해손부담가액이 된다.

따라서 선박의 부담가액에 대해서 말하면 선박이 희생 또는 비용으로 구조된 비용 즉 항해종료 시의 선박의 실제가액 또는 항해가 중간항에서 포기된 경우에는 중간항에서 손상상태에서의 선박의 실제 평가액이 기준이 된다. 선박의 항해종료 시의 순가액에 공동해손배상액이 가산되지 않는 경우에는 이것을 가산하고 공동해손행위 이후에 지출된 비용이 공동해손으로서 인정되지 않는 것을 공제한 것이 '선박의 부담가액' 이다.

또한 선박, 화물 각각의 공동해손분담금을 산출하는 데는 공동해손분담률을 계산하고 이 분담률을 선박 및 화물 각각의 공동해손부담가액에 곱하여 계산한다. 공동해손분담률은 공동해손총액/공동해손부담총액으로 계산할 수 있다. 즉 다음의 계산식으로 공동해손분담금을 구할 수 있다.

- 공동해손분담률 = 공동해손총액/공동해손부담총액
- 공동해손분담금 = 공동해손분담률×공동해손부담가액

2) 해손정산인의 직무

선박이 공동해손의 방법에 의해 해결되는 상황에 조우할 때 선박은 공동해손사고

---

197) 이 경우 공동해손배상액을 가산하는 것은 배상되는 희생손해도 또한 공동해손을 분담해야 한다는 이유에서이다(亀井利明, 『海上保険總論』, 成山堂, 1975, p.251).

에 조우했다고 말해지며 선주는 즉시 해손정산인(average adjuster)을 지명해야 한다. 이 해손정산인의 직무는 공동해손의 공평하고 공정한 할당을 담당하는 것이다. 이와 같은 공정한 할당은 다음의 문제에 해답하는 것으로 결정될 것이다. ① 공동해손손해의 합계는 얼마였던가. 그리고 이 손해를 누가 부담했는가. ② 공동해손희생에 제공된 재산의 가액 및 공동해손희생에 의해 구조된 다른 분담이익의 가액의 총액은 얼마였던가.

이 두 가지의 숫자가 계산되면 결제를 할 수 있다. 이와 같은 결제를 '정산(adjustment)' 이라 한다.

7. 보험자의 보상액

이렇게 같이 하여 공동해손분담금이 계산되는데 이 분담액은 공동해손부담가액을 산정 기초로 하고 있으므로 선박보험 및 적하보험에서의 보험가액과의 관계에서 무조건으로 분담액 전액이 보험자에 의해 보상되는 것은 아니다. 즉, 보험가액이 발항 시의 가액인 것에 비해 공동해손부담가액은 항해종료 시의 가액이므로 양자는 반드시 일치하지는 않는다. 그래서 보험자의 보상액은 보험가액(전부보험의 경우는 보험금액)과 공동해손부담가액의 비율을 계산하고 그 비율을 공동해손분담금에 곱하여 산출하게 된다.

보험자의 보상액 = 보험가액/공동해손부담가액×공동해손분담액

따라서 만약 보험가액과 공동해손부담가액이 동일하다면 보험자는 분담액 전액을 지급하게 된다. 보험가액이 공동해손부담가액보다 소액(少額)이라면 분담액은 보험가액의 부담가액에 대한 비율로 감액(減額)하여 보상하게 된다.[198] 이 계산식은 선박뿐만 아니라 적하 및 운임에도 동일하게 적용된다.

8. 적하보험에 대한 공동해손의 적용

해상화물을 수송하는 화주는 자기 화물의 보존과 그 목적지로의 안전한 도착을 가

198) MIA 제73조 제1항.

능하게 한 다른 자에 의해 행해진 희생을 보상하기 위해 공동해손분담금을 지급한다는 해법상 발생하는 책임에 직면한다. 화주는 자기의 화물을 보험에 부보하지 않은 때는 화물인도를 받기 전에 자기자금으로부터 이 분담액을 제공해야 할 것이다. 화주가 일부보험을 들었기 때문에 보험자가 부담액 전액을 지급하지 않으려고 할 때는 화주는 보험자에 의해 보증받지 않는 부분을 자기자금으로 제공해야 한다. 대부분의 경우 피보험자는 전부보험을 들고 있으므로 따라서 화물인도를 확보하기 위해 화주의 보험자에 의해 공동해손보증서가 제공된다.

별도의 규정이 있는 경우를 제외하고 공동해손은 항해가 종료한 국가의 법률 및 관습에 따라 정산된다. 선박이 상이한 국가의 연속된 항구에 기항하여 각각의 항구에서 양하를 할 때는 복수의 상이한 법률에 따라 정산을 해야 한다는 것을 의미한다. 이 때문에 YAR이 모든 공동해손의 정산에 적용된다는 취지를 규정하는 것이 유용하며 일반적이다. 어떤 이유로 특정국가가 YAR을 채택하지 않아 결제를 '외국정산서' 에 따라 행할 경우에는 협회약관 중 공동해손조항을 이용함에 따라 피보험자는 공동해손사건으로부터 발생하는 불확실성에서 벗어날 수 있을 것이다.

적하가 어떤 위험에 대해 부보되어 이 피보험위험에 의해 공동해손사건이 발생하는 경우에는 통상의 보험증권에 기초한 손해와 같이 희생되게 된 적하에 대해 보상이 이루어질 것이다.

피보험자가 자기의 화물 인도를 받기 위해 공동해손공탁금을 지급할 경우에는 피보험자에게 공동해손공탁금수령증(general average deposit receipt)이 교부되지만 피보험자는 소중하게 이것을 보관해 두어야 한다. 보험자는 보통 이 수령증과 교환으로 지급한 공탁금을 환불하고 최종적으로 이 수령증은 지급초과의 환불을 받기 전에 사용된다. 해손정산인은 보통 손해를 과대하게 견적하므로 통상 환불이 발생하지만 선주 · 해손정산인은 청구자의 환불 권리를 증명하게 하고 이 공탁금수령증의 제출을 요구하는 것이 관습이다.[199)]

---

199) Badger, D. et al., *International Physical Distribution and Cargo Insurance*, Woodhead - Faulkner, 1993, 338~339.

제13장

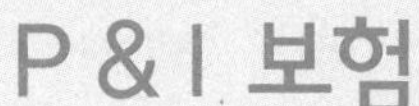

제1절 P&I 보험의 역사

1. 선체상호보험클럽의 생성 및 발전

1) 선체상호보험클럽의 생성배경

영국 해상보험의 찬란한 역사가 런던이란 도시의 보잘 것 없는 커피점에서 시작되었다는 것은 역사의 아이러니라고 할 수 있다. 18세기 영국의 해상보험시장이 여타 국가에 비하여 상당히 발전했던 것은 사실이지만, 당시 영국 선주의 입장에서는 상당한 결점을 가진 불만족스런 시장이었다. 특히 1720년에 공포된 포말법(Bubble Act 1720)은 당시 선주의 불만족을 가중시키는 결과를 초래하였다. 이 법령의 발효로 인하여 영국에서는 두 개의 특허회사 및 로이즈 보험업자와 같은 개인보험업자에게만 해상보험을 인수할 수 있는 특권이 부여되었다.[200]

200) 6 Geo.1, c.18. 18세기초 영국은 해외식민지와의 교역량 증대로 인하여 상선이 급증하였고, 그로 인한 보험수요의 급증은 보험투기꾼들을 산출하였다. 따라서 영국정부는 해운의 정책적인 보호 및 육성을 위하여 난립한 보험인수인을 정비할 필요가 있었다. 한편 1720년을 전후하여 수년 동안 영국의 왕실재정은 적자가 누적되어 조지 1세의 능력으로 부채를 탕감하는 것은 어려운 실정이었다. 이러한 상황에서 귀족인 온슬로우경과 체트윈드경의 주도로 국왕에게 보험시장의 정비를 청원하였고, 그에 대한 대가로 왕실에 대한 기부금을 약속하였다. 이에 대하여 국왕은 1720년 5월 4일 의회에 두 개의 특허회사(Royal Exchange Corporation 및 London Assurance Corporation)를 제외한 일체의 회사로 하여금 보험인수를 금지하는 법령제정을 촉구하였고, 이에 대한 대가로 청원자그룹으로부터 30만 파운드를 기부받았다. 결국 포말법은 국가 전체적인 경제적 요구와 왕실의 이해타산이 일치하여 제정된 것이라고 볼 수 있다.

한편 두 개의 특허회사 및 개인보험업자들은 주로 런던을 중심으로 보험영업을 하였기 때문에 런던 이외의 항구를 본거지로 활동하던 선주들에게는 엄청난 불편을 초래하였다. 당시 독점으로 인한 영국 해상보험시장의 폐해는 1810년 영국 하원의 해상보험에 관한 특별위원회 보고서에서 상세하게 지적되었다.[201)]

첫째, 당시 보험업자들은 손해보상을 위한 담보능력이 부족하였다. 이 문제는 1693년 영국 및 네덜란드의 상선대 100여 척이 프랑스 함대에 의하여 격침 및 포획되는 사건을 계기로 쟁점화되었고, 미국의 독립전쟁 중이던 1780년대에 심화되었다.

둘째, 1720년 포말법의 발효로 인한 독점적 시장구조하에서 독점지위를 부여받은 두 개의 특허회사 및 로이즈의 개인보험업자는 위험이 큰 보험의 인수를 꺼렸고, 또한 보험료율을 지나치게 높이 책정하였다.[202)]

셋째, 보험업자들의 소송제기로 인하여 보험금의 지급이 지나치게 지연되는 경향이 있었고, 한편 로이즈개인보험업자들은 대형사고가 빈번하게 발생하는 시기에는 보험인수를 회피하기 위하여 영업을 하지 않는 습관이 있었다.

넷째, 지방의 선주와 관련되는 것으로서, 런던으로부터 멀리 떨어진 곳에 소재하고 있는 지방의 선주들은 보험업자의 성실성이나 지급능력을 확인할 방법이 없었기 때문에 런던의 보험업자를 불신하는 경향이 있었고, 보험업자들도 되도록 지방의 선주와 거래하는 것을 꺼리는 경향이 있었다. 더욱이 지방의 선주가 대도시의 보험업자와 보험계약을 체결하기 위해서는 보험중개인의 조력을 필요로 하게 되었는데, 당시 영국의 보험중개인은 정직성 면에서 신뢰할 수 없는 집단이었다.

다섯째, 보험인수관행 및 담보위험과 관련하여 두 개의 특허회사 및 로이즈 보험업자들은 독점적인 상황하에서 상당히 신중하고 보수적이었다.[203)]

---

201) Report of Select Committee on Marine Insurance 1810, Parliamentary Papers 116.

202) 보험료율에 관한 특별위원회의 보고서에 의하면, 당시 런던에 소재하던 선체상호보험클럽인 Friendly Assurance와 London Union Society의 경우 보험금액 100파운드당 1파운드 5실링에 불과하였으나, 동일 위험을 로이즈커피점의 개인보험업자에게 부보하는 경우 9~11파운드의 보험료를 요구하였다. 약 80명의 회원을 보유하고 있었던 또 다른 선체상호보험클럽의 경우 회원에 대한 보험료율은 100파운드당 5파운드 10실링이었던 데 반하여, 당시 로이즈의 경우 동일 위험에 대하여 화물선인 경우 9파운드, 석탄선인 경우에는 18~20파운드였다.

203) 1810년 보고서에서는 "포말법이 제정 당시에는 위대한 법령이었을지 몰라도, 그 법령이 시행되는 동안 로이즈는 비효율(inefficiency), 부적합(inadequacy) 및 지급불능(insolvency)이라는 죄로 피소되어 피고석에서 심문받고 있었다"라고 결론짓고 있다.

결국 런던 이외의 지역에 거주하는 지방의 선주들은 18세기 영국 해상보험시장의 불만족스러운 상황에 대처하기 위하여 지방, 특히 영국 북동부 항구도시의 선주를 대상으로 선체상호보험클럽(Hull Mutual Club)을 조직하였다. 이 선체상호보험클럽은 초기에 상호적 · 우호적 · 친목적인 조직으로 설립되었으며, 영국 북동부의 석탄수송사업을 영위하는 선주들을 중심으로 번창하였다.[204)]

2) 선체상호보험클럽의 전개

초기 선체상호보험클럽은 1명의 관리자 또는 4~5명의 선주로 구성된 이사회에 의하여 관리되는 지역적 · 친목적인 단체였다. 이들 클럽들은 클럽이란 말에서 암시하듯이 보험관련업무 외에도 선주들이 공동출자하여 일상적인 어려움을 해결하는 친목단체의 기능을 겸하였다. 보험가입자인 선주 간의 개인적 친분은 그 자체로서 커다란 장점이었다.

작은 규모의 클럽들은 관리상 너무 단순해서 상당히 경제적이었을 뿐만 아니라, 이윤의 일부는 다음 연도의 보험금지급을 위하여 적립되었다. 이들 클럽은 비영리 · 상호주의로 운영되었기 때문에 당시 두 개의 특허회사 및 로이즈 개인보험업자에 비하여 보험료도 낮았다. 선주들이 자기 목적을 위하여 설립한 조직이었기 때문에 보험금의 지급이 신속하게 이루어졌고, 선주 간 친분으로 인하여 보험금지급의 지연을 목적으로 한 소송은 거의 제기되지 않았을 뿐 아니라,[205)] 보수적인 기존의 보험업자에 비하여 신종위험의 담보에 보다 적극적 · 탄력적이었다. 결국 19세기 초에는 영국 전역에 20개 이상의 클럽이 존재할 정도로 번성하였다.

지방단위로 운영된다는 초기 클럽의 지역성이 초기에는 선주에 대하여 커다란 장점으로 작용하였으나, 시일이 경과할수록 클럽의 양적 성장을 저해하는 요인으로 작용하였고, 일부 클럽의 경우 지역적인 한계를 벗어나서 여타 지역의 선박도 담보하는 양적 성장을 추구하였다. 이러한 양적 성장의 과정에서 초기 클럽의 장점으로 작용하였던 선주 상호간 정보교류나 배려는 상실되었다. 범위가 확대된 클럽은 보험업무상의 어려움에 봉착하게 되었는데, 단순히 선박의 톤수에 비례하여 보험료를 징수하던 당시의 보험인수관행으로 인하여 일부 우량선의 선주들은 불량선

---

204) Hill, C. et al., *Introduction to P&I*, 2nd ed., Lloyd' s of London Press, 1996, pp.2~5.

205) 영국 해상보험의 찬란한 역사가 보험자와 피보험자 간 끊임없는 소송의 산물이라고 할 수 있는 반면, P&I 보험의 태동지인 영국에서 P&I 보험과 관련한 판례가 많지 않다는 사실은 초기 클럽의 성격인 우호적 · 친목적 성격에 기초하고 있다.

의 선주에 비하여 상대적 손해를 감수하는 결과를 초래하였다.

일부 클럽의 경우 적정 수준의 선급보험료(advance call)를 산출하는 데 실패함으로써 가입선주들에게 예상치 못한 충격을 주었다. 즉 선주들은 전통적인 보험체계하에서는 1회의 보험료 납입으로 예상치 못한 충격을 회피할 수 있는 반면, 상호방식으로 운영되는 선체상호보험하에서는 클럽의 관리자가 적절한 선급보험료를 산출하지 못하는 경우, 회원인 선주가 부담해야 하는 높은 수준의 추가보험료(supplementary call)가 선주에게 커다란 충격으로 작용하였다. 결국 클럽의 양적 성장과정에서 소멸하게 된 우호주의 정신은 보험금지급 과정에서 소송을 초래하게 되고, 상호보험체계하에서 보험금지급이 지연된 선주는 여타 선주 개개인을 상대로 일일이 보험금지급 청구소송을 제기해야 하는 불합리한 면도 대두되었다.

영국 해상보험시장에서 독점을 초래하였던 포말법은 1824년 실질적으로 폐지되고, 새로운 보험회사의 설립이 자유로워지면서 두 개의 특허회사 및 로이즈 보험업자보다 유리한 보험인수조건을 제시하는 보험회사가 다수 등장하였다. 결과적으로 양호한 선박을 보유한 선주들은 경쟁이 보장되는 전통적인 해상보험시장에서 보다 낮은 비용으로 양질의 서비스를 제공받을 수 있다는 사실을 깨닫게 되었고, 점차 전통적인 시장으로 이동하였다. 결국 클럽에는 낡고 불량한 선박만 남게 되고,[206] 클럽의 유지가 어렵게 됨으로써 대부분의 클럽은 19세기 초 · 중반에 소멸되었다.

2. P&I 클럽의 기원

1) Protection 클럽의 생성

영국에서 선체상호보험클럽이 현대 P&I 클럽의 모체가 되었다는 사실에는 이견이 없으나, 현대의 P&I 클럽과는 달리 처음부터 선주의 법적 책임(legal liability)을 담보하기 위하여 형성된 책임보험의 형태가 아니고, 단지 당시 보험업자의 횡포에 대한 반작용으로 자연발생적으로 형성된 것으로서 당시의 선체보험을 대체하는 상호적 · 비영리적 보험조직이었다.

영국 해상보험시장에서 선체상호보험클럽이 퇴출되던 19세기 중반은 영국에서

206) 이러한 이유 때문에 당시의 클럽은 '녹슨 물받이 클럽(rust bucket club)' 이란 오명을 듣게 되었다.

선주책임법제가 형성 또는 선주책임이 강화되던 시기였다.[207] 18세기 말 이후 영국의 해운업계에서는 산업혁명의 산물로서 기선 및 철제선이 등장하고 선박이 대형화 · 항양선화된 반면, 당시의 선원들은 새롭게 출현한 기선에 대한 조종술이나 항해술이 미숙하였기 때문에 충돌과 같은 사고가 속출하게 되고 해난사고로 인한 인명과 재산의 손실이 상당히 컸으며, 이러한 경향은 1830년대에 특히 현저했다.

1745년 해상보험법(Marine Insurance Act 1745)에서는 피보험선박의 선가를 초과하는 가액에 대한 초과보험을 금지하였고, 1836년에는 선주가 충돌상대선에 대한 손해배상액은 선박보험하에서 보상받을 수 없다는 판례가 등장하였다.[208] 1845년에는 선주책임제한법이 시행되었지만, 이 법은 모든 선박의 가치를 실제 선박의 가치보다 아주 높게 책정함으로써 선주의 책임은 가중되었고, 1년 후인 1846년에는 캠벨법(Lord Campbell' s Act; Fatal Accidents Act 1846)[209]이 시행되어 영국에서

---

207) 18세기 말~19세기 초의 영국 사회는 세계 최초로 진행된 산업혁명의 영향으로 사회 전체의 생산성 향상과 더불어 산업화로 인한 사회가치관이 급속히 변화하던 시기였고, 이러한 변화는 해운업계도 예외는 아니었다. 즉 19세기 이전까지 선주와 선원은 출신지 및 거주지 등이 거의 비슷하여 양자의 관계는 가족과 같이 상호신뢰를 바탕으로 성립하였기 때문에 해난사고로 인하여 선원이 사망하더라도 가족적인 신뢰를 토대로 원만히 해결되었다. 그러나 산업혁명으로 인하여 기술적 · 경제적 변화와 더불어 사회적 가치관은 변하였고, 결국 해운업계에서 통용되던 선원들의 낡은 충성심이나 선주와 선원 간에 존재하던 신뢰관계는 점점 약화되었다.

208) De Vaux v. Salvador(1836) 4 Ad. & El. 420. 이 사건에서 'La Valeur' 호는 Hooly강을 운항하던 도중에 기선인 'Forbes' 호와 충돌하여 양선 모두 상당한 손해를 입었다. 'Forbes' 호의 선주는 'La Valeur' 호의 선주에 대하여 충돌손해배상을 청구하기 위하여 캘커타의 해사법원에 소송을 제기하였다. 소송은 중재에 붙여져, "각 선주는 각 선박의 손해액을 합산한 금액의 1/2을 부담해야 한다"는 판정이 내려졌다. 결국 중재판정에 따른 정산의 결과, 'La Valeur' 호의 선주는 'Forbes' 호의 선주에 대하여 손해배상액을 지급하였다. 'La Valeur' 호의 선주는 선박보험자에 대하여 'Forbes' 호의 선주에게 지급하였던 충돌손해배상금을 '해상고유의 위험에 기인하는 손해' 로서 보상을 청구하는 소송을 제기하였다. 이에 대하여 Denman 경은 "이 사건에서 'La Valeur' 호 선주가 지급한 충돌손해배상금은 해상고유의 위험에 의하여 발생한 것이 아니고, 또한 해상고유위험의 직접적 결과도 아니다. 그것은 법률의 중재규칙에 근거하여 발생한 것이다. 선박보험자는 보상할 책임이 없다"고 판결하였다. 이 판결에 대한 이유로써 충돌상대선에 대한 손해배상책임으로 인한 손해는 선박보험에서 담보되는 소유자이익이 아니기 때문에 보험자는 선주의 책임손해를 보상할 책임을 부담하지 않는다는 것이었다. 이 판결의 결과 당시 해상보험업자들은 선가에 한정하여 충돌상대선에 대한 손해배상액의 3/4을 보상하는 데 동의하고 나머지 1/4은 선주가 부담하는 충돌약관을 신설하게 되었고, 이 관행이 오늘날에도 협회기간약관(선체) 제8조 1항에 남아 있다.

209) 19세기 초 영국에서는 산업혁명의 영향으로 증기선 및 증기기관차가 발명되는 등 교통수단이 획기적으로 발전하게 된다. 한편 교통수단의 급속한 발달은 부수적으로 많은 교통사고를 초래하는데, 이러한 시대적 상황하에서 캠벨법은 원래 철도사고로 인한 인명사상을 주요 대상으로 제정되었다. 이 법의 제정으로 사망의 원인을 제공한 과실당사자에 대하여 무한책임을

는 최초로 선주의 고의 또는 과실에 의하여 사망한 선원의 유족에게 손해배상청구권이 인정되었다.

1847년에는 항만법(Harbours, Docks and Piers Clauses Act 1847)이 제정됨으로써 선주의 과실 유무와 상관없이 선박이 초래한 항만시설에 대한 손해배상책임이 선주에게 부여되었다. 1880년에는 고용기간 중에 상해를 입은 선원을 포함한 피고용자에 대하여 선주를 포함한 고용주의 의료비지급의무를 규정한 사용자책임법(Employers' Liability Act 1880)이 제정되었다.

전술한 바와 같이 19세기 중반 영국에서 책임법제의 정비로 인하여 선주들은 선박보험에서 보상되지 않는 1/4 충돌손해배상책임, 선가를 초과하는 초과책임 및 선원이나 기타 제3자의 사상에 따른 배상책임 등 다양하고 막대한 잠재적인 책임손해에 직면하게 됨으로써 그러한 위협에 대한 보호(protection)를 추구하게 되었다. 결국 선주들은 전통적 보험시장보다는 그 이전에 존재하였던 선체상호보험클럽과 동일한 보험형태로 책임손해를 커버할 수 있는 방법을 모색하게 되었다. 과거에 선체상호보험클럽의 관리자였던 보험중개인 John Riley와 Peter Tindall은 선박운항과 관련하여 발생하는 선주의 제3자에 대한 책임손해를 보상하는 보험의 필요성을 느끼고, 1854년 영국 런던에서 세계 최초의 P&I 클럽으로 알려진 The Shipowners' Mutual Protection Society[210]를 설립하여 1855년 5월 1일에 영업을 개시하였다.

2) P&I 클럽의 기원

19세기 초반 이후 영국에서 선주책임법제가 정비되었다고는 하나, 19세기 중반에 들어와서도 화주에 대한 선주의 화물손해배상책임에 대한 법제는 명확하게 정비되지 않은 상태였다. 즉, 그 당시 선주는 선하증권상에 해상고유의 위험에 대한 면책권을 행사한다는 규정을 두게 되면 이로와 같은 운송계약위반, 선원의 과실 또는 기타 원인에 상관없이 해상고유의 위험을 근인으로 적하에 발생한 손해에 대하여 면책되는 것으로 생각하였다.

부과하게 되고, 과실당사자에 대한 손해배상청구권은 사망자의 친족에게 승계되었다. 이 캠벨법에 의하여 영국 보통법의 오래된 원칙인 "대인소권(對人訴權)은 당사자의 사망과 더불어 소멸한다(actio personalis moritur cum persona)"는 원칙은 사라지게 되었다.

210) 이 클럽은 1876년 여러 개의 Protection Club을 합병하여 The Britannia Steam Ship Insurance Association Ltd.로 개칭하여 오늘에 이르고 있다.

그러나 19세기 중반 이후 선주와 화주의 분리가 가속화됨으로써 선주에 대한 화주의 손해배상청구 및 보험자의 대위청구소송이 증가하기 시작하였다. 화주와 선주 간 화물손해를 둘러싼 소송이 증가하고, 그와 관련되는 판례가 집적됨으로써 영국에서 화물손해에 대한 선주책임법제를 정비하는 계기가 되었다. 특히 1870년 남아프리카 연안에서 침몰했던 Westenhope호의 침몰 사건은 운송계약위반에 기인한 화물손해에 대한 선주책임법제 정비의 전환점이 된 사건이다. 이 사건에서 법원은 이로와 같은 운송계약의 위반 이후에 발생한 화물의 멸실과 관련하여 선주는 선하증권상의 면책약관에 의존할 수 없다고 판결하였다. 이 판결의 결과 Westenhope호의 선주는 멸실된 적하의 손해를 화주에게 배상한 후 선주가 가입하고 있던 Protection 클럽에 보험금지급을 청구하였으나, 화물에 대한 손해배상금은 당시 Protection 클럽의 규칙상 보상되는 것이 아니었다.

Westenhope호 사건을 계기로 선주들은 선하증권상의 면책약관만으로 운송화물에 대한 손해배상책임(indemnity risk)을 회피할 수 없다는 사실을 인식하였고, 결국 기존의 보호위험(protection risk)에 배상위험(indemnity risk)을 추가한 최초의 P&I 클럽인 The Steamship Owners' Mutual Protection and Indemnity Association이 1874년 뉴캐슬에 설립되었다.[211] 여기서 보호위험이라는 것은 선박의 소유주로서 선주가 선박의 운항에 따른 제3자에 대한 법적 책임 및 선원에 대한 고용주로서의 법적 책임을 의미하는 것이고, 배상위험이라는 것은 운송계약에 따른 운송인으로서 화주에 대한 계약상의 책임을 의미하나, 오늘날에는 양자 간에 실질적인 구분이 무의미하다.

211) 일본의 今泉敬忠 교수는 P&I 보험의 기원과 관련하여 당시 외항선 중심이었던 영국 남부와 연안의 석탄운반선 중심이었던 영국의 북동부를 구분하여 고려할 필요가 있다고 주장하고 있다. 즉 Westenhope호 사건이 발생하기 전에도 영국 남부의 Protection 클럽은 운송화물에 대한 선주의 불법행위책임 및 이로와 같은 운송계약위반을 포괄하는 광의의 운송화물에 대한 손해배상위험(indemnity risk)을 담보하고 있었다. 영국 북동부의 항구를 중심으로 연안 석탄운반선을 운항하던 선주의 경우 남부의 외항선과 달리 운항에 따른 위험도 크지 않은 반면 이익도 크지 않았기 때문에 운송화물에 대한 손해배상위험을 포괄적으로 담보하기 위한 보험료의 상승을 감당할 수 없었다. 결국 영국 북동부의 선주는 Westenhope호 사건을 계기로 화물손해배상위험을 인식하게 되고, 보호위험과 배상위험을 구분하여 선주가 선택적으로 가입할 수 있는 P&I 클럽이 영국의 북동부에 위치한 뉴캐슬에서 최초로 설립되었다(今泉敬忠, 『英國 P&I保険の研究』, 成文堂, 1993, pp.67~68).

제2절 P&I 클럽의 조직

1. 회원

선주의 보험가입신청에 대하여 클럽이 이를 승낙하면 해당 선주는 회원자격(member ship)을 취득하게 된다. 일반적으로 선주(선박의 일부 또는 공동소유자 및 나용선자 포함)에게 그러한 자격이 부여되고 있으나, 선박의 운항자 및 용선자도 회원의 자격을 취득할 수 있다. 기타의 자도 보험가입증명서(certificate of entry)에 공동피보험자(co-assured)로서 등재가 가능한데, 그러한 자는 다음과 같다.

- 클럽가입선의 관리자(manager of the ship)
- 클럽가입선의 건조자(builder of the ship)
- 클럽가입선의 저당권자(mortgagee of the ship)
- 기타 클럽가입선에 이해관계가 있는 용익권자 또는 선박의 점유자
- 회원 또는 공동피보험자와 관련이 있는 기업 또는 모기업

P&I 보험계약은 회원의 자격이 있는 자가 소정의 선박가입을 클럽에 신청하고, 클럽이 이에 승낙하게 되면 해당기간에 대한 보험계약이 성립한다. 가입신청서(application form)에는 보통 다음과 같은 사항을 기재하게 된다.

- 선명
- 등록항
- 선급
- 총톤수 또는 순톤수
- 건조 연월일
- 적재용적에 대한 명세를 포함한 선박의 종류
- 선박소유회사
- 선박운항관리자
- 선체 및 기관에 대한 보험
- 취항예정 항구 및 항로, 운송화물
- 선원의 수와 국적(고용계약서 사본 첨부)

클럽은 가입승낙을 하기 전에 가입신청서에 대한 심사를 실시하는데, 이 심사는

통상적으로 클럽의 관리자 또는 관리회사에 의하여 수행된다. 가입심사와 관련하여 관리자는 가입신청에 대하여 아무런 해명 없이 거부권을 행사할 수 있는 절대적인 재량권을 갖게 된다. 신청서가 수리되면 관리자는 가능한 한 신속하게 신규 회원에게 회원자격을 취득하였다는 가입증명서를 발급하게 된다. 이 증명서는 보험증권의 역할을 하는 것이 아닐 뿐만 아니라 반드시 담보조건이 명기되는 것도 아니다. 다만 회원은 클럽의 정관과 담보위험을 특정하고 있는 클럽의 규칙이 적용된다는 취지가 기재되어 있을 뿐이다.

클럽가입 또는 계약체결과 동시에 조합원은 클럽의 정관에 의하여 구속되고, 클럽의 정관은 계약의 기초가 되지만, 클럽의 회원은 비록 정관의 사본조차 보지 못했다고 하더라도 정관에 의하여 구속된다는 점에 유의할 필요가 있다.

2. 총회

P&I 클럽에서 총회(general meeting)는 전 회원으로 구성되는 최고의결기구로서 일반적으로 정기총회와 임시총회로 구분된다. 정기총회는 일반적으로 연차총회라고 불리는데, 보험회계연도의 종료 후 8개월 이내, 즉 10월 21일 전에 개최되어야 한다. 임시총회는 긴급사항과 관련하여 총회의 의결을 필요로 하는 경우, 이사회, 이사회의 회장 또는 일정수 이상의 의결권을 갖는 회원의 요청이 있으면 언제든지 소집된다.

총회는 클럽의 최상위 의결기구이고, 총회의 지위는 여러 가지 면에서 주식회사의 주주총회와 유사하고, 전 회원이 조합의 운영에 참여하고 발언할 권리를 갖는 공개토론장이라고 할 수 있다. 총회는 집행기관의 성격을 갖지는 못하지만, 다음과 같은 권한을 행사한다. 즉, 연차사업보고서 및 회계의 채택에 관한 의결, 이사의 선임, 회계감사의 선임, 규칙의 개정, 이사회에 의하여 상정된 특정사안의 의결, 정관의 결정, 보험료 · 분담금의 과징에 관한 결정, 잉여금분배에 관한 결정, 이사회에 의하여 의결된 클럽의 분리 및 합병에 관한 결정 등이다.

각 회원의 의결권은 일반 상호보험과는 달리 보험금액이 아닌 가입총톤수에 의하여 결정된다. 왜냐하면 P&I 보험에서는 일반 보험과는 달리 보험금액이 존재하지 않기 때문이다. 대부분 클럽에서는 막대한 가입톤수를 보유한 소수집단의 지배를 방지하기 위하여 의결권을 등급화시켜 놓고 있다.[212] 1년 미만의 가입자에 대해

---

212) 예컨대 Gard 클럽의 경우 가입톤수가 2만톤 미만인 경우에 1표, 2만톤 이상~5만톤 미만인 경우 2표, 5만톤 이상~10만톤 미만인 경우 3표, 10만톤 이상~20만톤 미만인 경우 4표, 20만톤

서는 일반적으로 의결권이 부여되지 않고, 이를 제외한 일반 회원들은 총회에서 의결권을 통하여 클럽의 운영에 직접 참여하게 된다.

3. 이사회

이사회(committee of director)의 구성원인 이사는 매년의 정기총회에서 선임되고, 보통 회원 중에서 선출된다. 이사회의 구성은 클럽마다 조금씩 상이하지만, 규모가 큰 클럽에서는 일반적으로 회원들이 속해 있는 다양한 분야(예컨대 부정기선, 정기선 및 유조선 분야)의 대표자로 구성되거나, 국별, 지역별 또는 회원의 가입톤수 등을 고려하여 선출한다.

원칙적으로 클럽의 모든 회원은 이사로 선임될 자격이 있고, 또한 이사를 추천할 권한이 있으나, 일반적으로 피추천인은 특정의 최소가입톤수(예컨대 10,000 G/T)를 보유한 회원이어야 하고 70세 미만이어야 한다. 이사선임과 관련한 각 회원의 의결권은 가입톤수에 비례하여 부여되는 것이 아니고, 클럽가입 선박수(예컨대 가입선박 1척당 1의결권)에 비례하여 부여된다.

이사회는 매달 또는 두 달에 한 번 정도 개최되고, 이사회는 클럽의 일반적 정책사항을 결정하고 클럽의 규칙에 따라 보험금지급청구의 승인 여부를 결정하게 된다. 이사회의 구체적인 기능은 다음과 같다. 즉 ① 클럽규칙에 의하여 이사회의 승인을 요하는 보험금지급의 승인절차, ② 중재에 회부되기 전에 클럽과 회원 간의 분쟁 해결, ③ 클럽적립금의 관리, ④ 보험료 징수액과 징수회수 결정, ⑤ 보험연도의 개시 및 종료에 관한 결정, ⑥ 재무제표 작성, ⑦ 재보험 계약, ⑧ 관리사원의 고용 및 해고, ⑨ 관리자 및 임원급 관리사원의 급여에 관한 결정, ⑩ 총회에 대한 규칙개정안의 상정 등이다.

일반적으로 클럽규칙에서는 이사회가 하부이사회 또는 클럽관리자에게 이사회의 일부 권한 및 재량권을 위양할 수 있다고 규정하고 있기 때문에 이사회는 업무의 효율적인 처리를 위하여 일부 기능을 클럽관리자에게 위임하기도 한다.

4. 관리자

관리자(manager)의 주요 기능은 이사회의 결정과 정책을 수행하는 것이다. 초기

이상인 경우에는 초과 20만톤당 1표를 추가하게 된다.

선체상호보험클럽의 경우 클럽의 관리는 보통 기껏해야 5명 내외의 회원이 담당하였으나, 현재는 독립적인 전문법인에 의하여 관리된다. 클럽과 전문적인 관리회사 간에는 보통 매년 관리계약이 체결되고, 관리회사는 관리계약하에서 클럽의 일상적 관리업무 및 보험금처리 문제 등을 담당한다.

관리자의 구체적 기능은 다음과 같다. 즉 보험료의 수령업무, 클럽기금의 투자운용, 보험금정산 및 지급업무, 이사회에 대한 보고서 작성 및 제출, 클럽 회원자격의 심사 및 가입절차의 처리 그리고 P&I 보험과 관련되는 소식지의 작성 및 배포 등이다.

관리자가 담당하고 있는 가장 중요한 기능 중의 한 가지는 클럽회원자격의 심사 및 가입절차에 관한 업무이다. 특히 신규 회원의 가입신청에 대한 승낙 여부의 결정과 관련해서는 절대적인 재량권을 갖는다. 한편 계약 및 분쟁해결과 관련한 관리자의 자격은 일반기업의 관리이사와 유사한데, 즉 계약과 분쟁해결과 관련한 관리자의 행동은 클럽회원을 구속하게 된다.

5. 해외 연락사무소

P&I 클럽의 회원은 전 세계의 선주들로 구성되기 때문에 범세계적 차원의 서비스 제공은 P&I 클럽의 운영에 필수적이다. 주요 P&I 클럽들은 전 세계의 주요 항구에 연락사무소(correspondent)를 두고 있기 때문에 클럽가입선박의 선장은 세계의 각 항구에서 필요한 해사정보 및 법률서비스를 향유하고 있다.

연락사무소는 세계의 주요 항구에 위치하면서 해당 항구에서 클럽관리자의 클레임처리에 필요한 정보를 제공하거나, 화물클레임인 경우 손해사정인 또는 변호사를 선임하는 데 도움을 주거나, 또는 개인의 상해가 발생하는 경우 의학적인 조언을 제공하는 데 도움을 준다. 그 외 연락사무소는 클럽의 최근 관심사에 관한 자료를 수집하는 역할을 하게 되는데, 예컨대 현지 국가의 신규 해사법, 세관규정의 변화, 이민통제 및 고용계약에 관한 법률개정에 관한 정보 등이다.

연락사무소는 항구에 소재하는 법률회사 또는 현지의 상인이 담당한다. 법률회사의 법률지식보다는 해사관련직종에 종사하는 현지 상인의 실무적 지식이 낯선 항구에서 클럽회원이 직면하는 어려움의 해결에 도움이 되는 경우가 많다. 왜냐하면 세계의 각 항구에 소재하는 상인의 경우 일반적으로 항만당국, 이민당국, 세관공무원, 경찰, 도선사, 손해사정인 또는 클럽회원의 분쟁해결과정에서 중요한 역할을 하는 기타 자와 친분을 갖고 있을 뿐만 아니라 신속하고 저렴하게 분쟁을 해결하는 방법을 알고 있기 때문이다. 실제로 대부분의 연락사무소는 법률회사보다는 상인이 많고, 선박대리점이나 선급업무 등 별도의 해사관련사업을 영위하고 있는 상인이다.

실무적으로 클럽가입선박의 선장은 취항항구에서 발생하는 각종 문제에 대하여 신속하게 대처하기 위해서는 해당 항구에 위치하는 클럽의 연락사무소에 관한 정보를 갖고 있어야 하기 때문에 클럽은 보통 전 세계의 연락사무소 목록을 작성하여 회원에게 배포하고 있다. 따라서 선장은 취항항구에서 P&I 보험과 관련한 문제뿐만 아니라, 입출항 관련문제 및 선박의 운항과 관련한 문제 등이 발생하는 경우 목록에 기재되어 있는 현지 연락사무소에 연락하여 조언을 구할 수 있다.

연락사무소의 지위와 관련하여 한 가지 주의할 점은 연락사무소가 클럽회원의 분쟁과 관련하여 조언 및 서비스를 제공할지라도, 클럽과 연락사무소 간에는 일체의 대리권이나 지속적인 계약관계가 존재하지 않는다는 사실이다. 즉, 연락사무소는 클럽이나 회원의 대리인이 아니기 때문에 클럽을 대신하여 사법적 절차를 진행하거나, 제소권을 갖지 못한다.

6. 해외치적클럽

영국에 기원을 두고 있는 다수의 클럽들이 1970년대에 클럽의 소재지를 버뮤다 또는 룩셈부르크로 이주하였는데, 이는 세금을 포함한 여러 가지 목적 때문이다. 예컨대 버뮤다의 과세당국은 버뮤다로 이주한 클럽에 대하여 면책지위를 부여함으로써, 클럽의 투자수익 및 자산매각의 차액분에 대해서는 과세대상에서 제외하고 있다. 그럼에도 불구하고 클럽이 해외이주를 결심한 최초의 동기는 세금피난처의 모색이 아니라, 1960년대 파운드화의 급락으로 인한 환위험으로부터 회원의 자산을 보호하려는 목적 때문이었다.

1960년대 대부분 영국 P&I 클럽의 다수 회원은 영국인 이외의 외국인으로 구성되어 있었던 반면, 당시 영국 정부는 환통제를 실시하고 있었기 때문에 클럽의 자산과 적립금을 영국 파운드화로만 보유하도록 강제하였다. 이러한 상황에서 1967년 11월 19일, 파운드화는 미국 달러에 대하여 14.3%나 평가절하된 반면, 클럽은 많은 보험금을 미국 달러로 지급하였기 때문에 파운드화의 평가절하는 절하분만큼 클럽자산 또는 적립금의 감소를 초래하였다.[213] 당시 P&I 클럽들은 영국 정부에 클럽의 특성을 고려하여 외환보유의 자유를 보장하는 특별지위를 인정하도록 요구하였으나 실패하였다. 결국 P&I 클럽들은 외환보유가 자유로운 국가로 이전할 수밖에 없었고, 버뮤다 등에서 새로운 클럽을 설립하였다.

한편 클럽 소재지의 해외 이전은 클럽과 회원의 관계에 대해서는 큰 영향을 미치지 못하였다. 왜냐하면 클럽의 해외이전과 함께 기존의 관리자 또는 관리회사도 해외로 이전하였지만, 대리점의 형태로 과거의 보험영업 및 보험금지급 관련부서는 영국에 남겨 놓았을 뿐만 아니라, 과거 영국에 소재했던 클럽과 회원 간의 관계에 적용하기 위하여 선택되었던 준거법으로서 여전히 영국법이 적용된다는 규정을 클럽규칙에 남겨 두었기 때문이다.

제3절 P&I 보험의 특성

1. P&I 보험의 법적 성격

1) 공제성

P&I 클럽의 모체인 선체상호보험클럽은 지역 선주 간 상호구제를 목적으로 결성되었다. 초기에는 단순히 선주 상호 간 선체보험단체의 조직이 목적이 아니었고, 각 선주의 길흉사가 있을 때에도 분담금을 지급하는 상호부조 또는 공제조합의 성격이 강하였다.

공제는 같은 직장, 직업 또는 지역에 속하는 사람들이 조합을 만들어 회원 또는 회원의 가족 등의 길흉사가 있는 경우에 공제금을 지급하는 상호구제를 목적으로 하는 제도이다. 공제제도는 다수의 구성원이 단체를 구성하고 우연한 사고를 당한 사람에게 공제금을 지급한다는 점에서는 보험제도와 유사하나, 일정한 직장, 직업 또는 지역에 한정하여 회원에게 가입자격을 부여한다는 점에서 보험과 상이하다.

현대적인 P&I 보험은 본질적으로 선주들의 상호구제를 목적으로 각 선주의 손해발생 시 분담금 또는 보험료를 갹출하여 재해를 당한 선주에게 보험금을 지급한

213) 당시 영국 파운드화의 평가절하로 인하여 U.K. P&I 클럽의 경우에는 1965년, 1966년 및 1967년분 보험금지급액이 약 5백만 파운드 증가하는 결과를 초래하였고, West of England Club의 경우 1967년 11월 19일 당시에 즉각적인 손해액이 약 3백만 파운드에 이르는 것으로 산정되었다.

다는 점에서 우리나라의 공제제도와 유사한 성격을 갖고 있다.

2) 상호보험성

상호보험은 구성원 상호의 이익을 위한 상호부조를 목적으로 영위되는 보험으로서 동종의 보험이익을 가진 다수의 구성원이 상호회사를 구성하고서 일정한 금액을 보험료와 같은 형식으로 출자하고서 만일 구성원 중의 한 명이 약정된 보험사고를 당하면 상호부조의 정신을 바탕으로 하여 상호보험회사가 보상하여 주는 형태의 비영리사영보험의 성격을 갖는다.

상호보험회사의 사원은 회사의 구성원인 동시에 보험계약자로서의 지위를 갖게 되고, 보험관계는 회사에 입사함으로써 생기기 때문에 사원관계와 보험관계가 병존하게 된다. 그리하여 개별적인 보험관계가 소멸하면 보험계약자인 사원은 퇴사하게 된다(보험업법 제73조 1항). 그리고 상호보험회사의 기금은 회사의 채권자인 기금갹출자에 의하여 갹출되며, 최고의사결정기구는 전체 사원으로 구성된 사원총회이다.

현재 우리나라에서는 상호보험의 형태가 존재하고 있지 않으나, 보험업법의 규정상 P&I 보험은 상호보험의 일종이라고 할 수 있다. 왜냐하면 P&I 보험은 영리보험과는 달리 구성원 간의 상호보험료 방식에 의하여 운영되는 비영리보험이며, 구성원은 클럽에 가입함으로써 피보험자인 동시에 보험자의 자격을 갖게 되는 회원자격을 취득하게 됨으로써 보험관계가 성립하고, P&I 보험의 최고의사결정기구는 회원으로 구성된 총회로서 사원총회와 유사한 기능을 하기 때문이다.

3) 책임보험성

P&I 보험은 생성 초기부터 선주의 잠재적 책임증가에 대하여 선주들 스스로 자금을 분담하여 자신을 보호할 목적으로 생성된 보험제도이다. 선주 자신, 즉 피보험자의 보호라는 보험의 기능적 성격은 지금도 변하지 않고 있고, 이러한 성격은 아직도 P&I 클럽에 대한 제3자의 직접청구권을 인정하고 있지 않다는 점에서 잘 입증된다.[214)]

P&I 보험은 엄밀히 말해서 보험사고에 의하여 피보험자의 책임이 확정된 경우에 클럽이 직접 피해자에게 보험금을 지급함으로써 피보험자의 책임을 면하게 하

---

214) 이 규칙을 'indemnity rule', 'pay first rule' 또는 'pay to be paid rule' 이라고 하며, 미국에서는 'no action rule' 이라고 한다.

는, 바꿔 말하면 피해자가 보험자에게 직접 피보험자의 손해배상책임액을 청구할 수 있는 배상책임보험(liability insurance)이 아니다. 다만 보험사고로 인하여 피보험자가 피해자에 대하여 손해배상책임을 부담하고, 그 결과 피보험자가 자신의 자금으로 그 책임을 이행한 경우에 한하여 피보험자의 손해를 보상하는 보상보험(indemnity insurance)이다. 결국 P&I 보험은 피보험자의 책임부담 자체를 보험사고로 간주하는 것이 아니고, 피보험자의 손해발생을 전제로 하여 그러한 손해를 보상해 준다는 의미에서 손해보험으로서의 성격이 강하고, 손해배상책임의 존재 자체가 보험사고로서 인정되지 않기 때문에 보험계약의 제3자인 피해자의 클럽에 대한 직접청구를 인정하지 않고 있다.

P&I 보험하에서 보험금의 지급이 제3자에 대한 피보험자의 손해배상책임 발생을 전제로 하는 것은 사실이고, 이러한 성격상 우리 상법 제719조 및 제724조에서 규정하는 책임보험과 유사하다고 할 수 있지만, 피보험자의 책임발생이 보험금지급을 위한 필요충분조건이 아니라는 점에서 우리 상법에서 규정하는 책임보험과 상이하다. 결국 P&I 보험은 우리 상법에서 인정하고 있지 않은 피보험자의 배상의 무이행을 전제로 하는 책임보험, 즉 선이행형 책임보험으로 정의할 수 있다.

2. P&I 보험계약의 내용

P&I 보험은 선주의 해상사업에 관련하여 수반되는 위험을 담보하기 위하여 고안된 보험으로서 영국에서는 해상보험의 일종으로 분류되고 있다. 그러나 P&I 보험은 성격상 피보험자의 직접적인 재산손해를 보상하려는 목적으로 성립되는 적하보험이나 선박보험과는 본질적으로 상이하고, 보험계약의 내용 또한 많은 차이점을 내포하고 있다.

1) 보험계약의 성립 및 계약내용의 증빙

보험계약의 성립시기: P&I 클럽에 대한 회원의 자격취득은 클럽에 의한 승낙일로부터 유효하게 되고, 그 시점부터 보험계약이 성립한 것으로 간주한다. P&I 클럽에 가입하고자 하는 회원은 그러한 의사표시를 클럽가입신청서(Entry or Application Form)의 작성 및 제출로써 하게 되고, 클럽이 심사 후 승낙하게 되면 계약이 성립하게 된다. 여기서 가입신청서는 본질적으로 보험계약의 신청(proposal)이나, 결과적으로 클럽에 대하여 미래의 회원이 되고자 하는 청약에 해당한다.

한편 영국 MIA에서 해상보험계약의 성립시기는 보험증권의 발행 여부와 무관하지만, 그 시기는 보험인수증(slip) 또는 기타 관습적인 계약각서를 참조하도록 규정하고 있다. P&I 보험에서 계약의 성립시기를 입증할 만한 서류가 존재하지 않기 때문에 선박이 실제로 위험에 처하게 되는 시점을 보험계약의 성립시점으로 간주한다.

보험계약의 내용: 해상보험에서 보험계약의 내용은 보험증권에 의하여 추정적으로 입증되지만, P&I 보험에서는 보험증권이란 개념이 존재하지 않는다. 보험증권과 유사하다고 할 수 있는 가입증명서가 존재하지만, P&I 클럽이 발행하는 가입증명서는 가입에 관한 기본적인 사항을 포함하고, 또한 너무 간단하게 작성되기 때문에 보험계약내용의 증빙으로서 기능하기는 어렵다. 즉, 가입증명서는 계약서라기보다는 클럽과 가입증명서상에 기명된 회원 간에 보험계약이 존재한다는 사실을 입증하는 것에 불과하다.

전통적인 해상보험과 달리 P&I 보험에서 회원과 클럽 간의 계약내용은 단지 한두 가지의 문서로 구성되는 것이 아니라, 기본적으로 클럽의 정관, 각서 및 가입증명서를 포함하여 클럽규칙, 규약, 부칙 및 개별회원에 대하여 체결되는 특정약정으로 구성된다.

2) 보험료

보험료의 산정: 각 선박의 보험료는 위험과 관련하여 클럽이 측정할 수 있는 모든 항목을 고려하여 산정된다. 각 선박의 보험료를 산정할 때 주로 고려되는 항목은 다음과 같다.

- 선박의 물리적 특징(예컨대 선박의 크기 및 선령)
- 취항예정 항구 및 운항목적
- 예정된 항해에 사용되는 운송계획서의 조건
- 고급선원 및 일반선원의 수, 선원의 국적 및 고용조건
- 선박보험 및 기타 보험에 의하여 제공되는 책임보험의 범위
- 재보험 비용
- 회원이 부담하는 공제액
- 회원의 손해기록

실제로 손해기록을 작성하기 위하여 과거 5개 보험연도 동안 각 회원의 통계자료가 사용된다. 선박이 상기 기간 동안 다른 클럽에 가입하고 있었던 경우 클럽은 여타 클럽이 작성한 통계자료를 이용하게 된다.

보험료의 종류: 회원이 특정 보험연도에 대하여 상호방식으로 지급하는 총보험료는 해당 연도에 대한 클럽의 총보험금지급 및 제반관리비용을 충당하기 위한 것이다. 총보험료는 다음과 같이 구분된다.

- 선지급보험료(advance call): 선지급보험료는 총보험료 중에서 클럽이 사전에 징수해야 할 것으로 인정된 부분
- 분담금(contribution) 또는 추가보험료(supplementary call): 해당 보험연도의 총수입과 총지출의 균형을 맞추기 위하여 필요한 금전을 후에 부과하는 것
- 대재해분담금(catastrophe contribution) 또는 대재해보험료(catastrophe call; overspill call): 대재해가 발생한 경우, 클럽이 회원에 대하여 1회 또는 수회 이상의 추가보험료를 징수하는 것
- 탈퇴분담금(release contribution; release): 가입이 포기되거나 또는 종료된 경우 클럽은 분담금이 최종적으로 확정되지 않은 상태에서 각 보험연도의 분담금 예상률에 의거하여 미정산 보험연도에 대한 할증보험료를 징수하고 회원의 탈퇴를 인정하게 되는데 이 경우 징수하는 보험료

3) 보험기간

과거의 선체상호보험 시대로부터 현대의 P&I 보험으로까지 계승된 특이한 관행 중의 한 가지는 보험연도의 개시 및 종료일자이다. 모든 회원에 대한 P&I 보험의 개시는 2월 20일 정오에 개시한다. 이러한 특이한 보험개시일은 과거 선체상호보험클럽에 가입하고 있었던 다수 선박이 대부분 발트해 연안무역(Baltic trade)에 종사하였고, 이들 선박은 발트해 연안의 대부분 항구가 결빙되는 겨울동안 휴항하고, 해빙되는 2월 20일을 전후하여 운항을 재개하였던 역사적 사실에 기원을 두고 있다.

P&I 보험의 개시 및 종료 시기는 특별가입의 경우를 제외하고 클럽에 가입된 선박의 보험기간은 가입증명서에 명시된 일시에 개시하여 다음 해 2월 20일 정오(GMT 기준)까지 지속되고, 그 이후의 보험기간은 클럽규칙에 의하여 종료되지 않는 한 연단위로 갱신된다.

영국의 보험개시일과 상관없이 상대적으로 최근에 설립된 스칸디나비아대륙의 P&I 클럽은 전통적으로 보험연도를 한정하려고 하지 않았고, 그들은 원래부터 달력을 기준으로 보험연도를 계산하였다. 그러나 P&I 클럽의 국제그룹 결성 당시 노르웨이 및 스웨덴의 클럽들은 보험기간과 관련하여 영국 클럽들과 규칙을 일치시킬 필요가 있었고, 결국 그러한 국가의 보험기간도 현재는 2월 20일을 기준으로 한다.

전 회원의 보험이 동시에 개시된다는 사실이 보험연도의 중간에 회원의 가입을 금지한다는 사실을 의미하는 것은 아니다. 선주는 보험연도의 중간에 가입 및 탈퇴를 할 수 있고, 잔여기간에 비례하여 보험료를 지급 또는 회수하면 된다.

클럽규칙상 일반적으로 회원 또는 클럽이 규칙에 명시된 방식 및 시기에 담보종료를 위한 통지를 하지 않은 경우에 보험은 연단위로 자동 갱신되는 것으로 규정하고 있다. 보통 규칙상 10일 전에 회원의 반대 통지가 없다면 보험은 보험기간의 만기 시에 자동적으로 갱신된다.

제4절 P&I 보험의 담보원칙

1. P&I 보험과 선박보험의 관계

전통적인 선박보험은 피보험자의 재산에 대한 직접적인 손해를 보상하는 재산보험이다. 물론 예외적으로 피보험자의 직접적인 재산손해가 아닌 구조료나 손해방지비용과 같은 비용손해 및 충돌상대선박에 대한 3/4손해배상책임과 같은 책임손해를 선박보험자가 보상하는 것은 사실이지만, 원칙적으로 선박보험은 피보험자의 재산손해만을 보상하는 재산보험이다.

P&I 보험은 선박보험과 마찬가지로 선박의 운항에 부수하여 발생하는 선주의 손해를 보상하는 해상보험의 일종인 것은 분명하지만, P&I 보험에서 보상되는 손해는 선박보험에서 보상되지 않는 책임손해 및 비용손해이다. 즉, P&I 보험은 선박의 운항에 부수하여 선주가 부담하게 되는 선주의 책임손해(예컨대, 선박이 어장을 침범함으로써 양식업자 또는 어민이 입은 손해에 대한 책임손해 등) 및 비용손해(예컨대, 난민을 구조하기 위하여 발생하는 비용 또는 부상당한 선원을 하선시키기

위하여 발생하는 우회비용 등)를 보상하는 보험으로서, 원칙적으로 선박보험과는 성격상 구분되는 보험이다.

2. P&I 보험담보의 일반원칙

P&I 보험에 의하여 커버되는 각각의 위험은 보험전문가 또는 법률가에 의하여 기술적으로 작성된 것이 아니라, 커다란 소송사건이나 중대한 법률상의 변화에 따라 필요할 때마다 새로운 담보위험이 추가됨으로써 오랜 세월을 두고 서서히 발전되어 왔다.

클럽이 제공하는 보험담보는 원칙적으로 클럽규칙에 명시되어 있는 책임손해 및 비용손해이다. P&I 보험이 해상보험에서 담보하지 않는 위험을 커버하는 보험인 것만은 분명하지만, 해상보험에서 커버되지 않는 모든 위험을 커버하는 것은 아니다. P&I 보험은 일종의 열거책임주의로서, 원칙적으로 클럽규칙 또는 정관에 규정되어 있는 책임손해 및 비용손해만을 보상한다.[215)]

여기서 '책임'은 제3자에 대한 회원의 법적 책임(legal liability) 및 계약상 책임(contractual liability)을 의미한다. 결국 회원이 부담하지 않아도 되는 법적 책임에도 불구하고 거래상대방과의 우호관계를 유지하기 위하여 지출한 손해는 보상되지 않는다. 계약상 책임의 경우, 해사법에 따라 발생하는 책임보다 과중한 책임을 부담하는 계약을 체결함으로써 발생한 초과책임(다만 그러한 조건이 해당 거래에서 관습화되어 있는 경우는 예외) 또는 클럽이 금지하고 있는 계약조건을 사용함으로써 발생하는 초과책임에 대하여 클럽은 초과분에 한하여 면책이다.

---

215) 이러한 원칙에도 불구하고 P&I 보험이 해상보험에서 담보되지 않는 모든 위험을 담보하는 보험으로 오해되는 것은 아마도 옴니버스(Omnibus) 규칙 때문일 것이다. 옴니버스 규칙은 P&I 보험의 열거책임주의에 대한 유일한 예외로서, 규칙에 명시되어 있지 않은 책임 및 비용손해일지라도, 이사회의 재량에 의하여 특정손해를 보상하는 것이 자연스럽고 바람직하다고 인정되는 경우에 보상해야 한다는 규칙이다. 즉 이 규칙은 회원에 대한 보상 여부를 클럽의 규칙에 따르는 것이 아니라, 규칙의 정신에 비추어 판단하는 것이다. 이러한 정신은 보험금지급과 관련하여 "동일한 선주 입장인 우리들이 공동으로 보상하는 것이 타당하지 않을까?"라는 반문에서 출발하여, 1970년대 베트남 난민을 구조한 선박이 지출한 이상비용을 보상한 것이 대표적인 실례이다.

3. 옴니버스규칙

클럽의 이사회는 클럽규칙에 의하여 담보되지 않는 위험이라 하더라도 이사회의 절대적 재량으로 선박의 소유, 운용 또는 관리사업에 부수하고, 이사회의 견해로 볼 때 넓은 의미에서 클럽담보의 영역 내에 속한다고 판단하는 책임, 비용 또는 경비에 대한 손해액을 지급할 수 있는 권한을 갖게 되는데 이를 '옴니버스규칙(Omnibus Rule)' 이라고 한다. 옴니버스규칙에 의한 보험금지급은 출석 이사 전원의 만장일치를 전제로 하고, 기타 클럽규칙하에서 보상되지 않는 금액에 한정한다. 이 결정에 대하여 이사회는 결정에 대한 이유를 설명하거나 공식적으로 발표할 필요는 없다.

옴니버스규칙에 의하여 지급되는 보험금은 P&I 보험의 총보험금 중에서 아주 적은 부분을 차지하지만, 이 규칙의 유용성은 P&I 보험의 유명한 특징으로 알려져 있다. 회원이 본 규칙에 의한 보상을 청구하는 경우, 이사회는 그 회원의 과거 보험금청구기록만을 검토하여 결정하고, 여타 회원과의 형평성 등은 고려하지 않는다. 다만 여타 회원의 보험금청구에 대한 선례로서 적용될 여지를 배제하기 위하여 이사회가 재량권을 발휘한 근거 또는 이유는 공표하지 않는다.

옴니버스규칙은 개별 사건에 있어서 회원에게 엄격한 담보조건 외의 보상을 제공함은 물론이고, P&I 보험의 담보에 탄력적 · 동태적인 성격을 제공하는 수단이 됨으로써 변화하는 선주의 요구에 신속하게 부합할 수 있는 역할을 한다. 본 규칙하에서 수많은 담보주제가 대두되었고, 현재 표준적인 클럽규칙의 일부를 형성하는 것으로 발전되었다.

본 규칙하에서 담보되는 클레임의 예는 다음과 같다. 즉 ① 선주의 통제권이 미치지 못하는 상황에서 선원이 자신의 의무이행을 거절함으로써 초래된 경비, ② 공동해손의 경우, 선박이 안전항에 피난한 이후에 발생했다는 이유로 회수할 수 없는 재적부비용, ③ 선박이 항구에 머무르는 동안 선원을 감옥에서 석방시키거나 손해배상청구액을 결제함으로써 발생하는 경비 등이다. 그러나 이러한 대표적인 예의 경우라고 하더라도, 이들 비용이 옴니버스규칙하에서 항상 보상되는 옴니버스형 클레임으로 간주되어서는 안 되고, 이들 클레임이 자주 발생하는 경우에는 이사회가 재량권을 호의적으로 행사하지 않을 가능성이 높다.

제5절 P&I 보험의 담보위험과 면책위험

1. 담보위험의 분류

P&I 클럽이 제공하는 보험담보는 '다소 잡다한 잉여집단(somewhat miscellaneous group of left-overs)' 으로 묘사될 정도로 무계획적이고 경험적 · 단편적으로 발전되어 왔다. 즉 P&I 클럽이 결성된 이후 150여 년 동안 법률적 · 사회적 · 기술적 변화를 반영하여 그때 그때의 필요에 따라 담보위험을 추가 및 삭제해 왔고, 현재도 변하고 있으며 미래에도 선주의 요구를 신속하게 반영하여 변할 것이다. 한편 P&I 클럽은 법률적 변화 또는 회원의 요구에 따라 담보위험과는 별개로 다양한 담보부분(class)을 추가해 왔다. 현재 P&I 클럽이 담보하는 분야는 다양하고, P&I 부문은 그 중 한 가지 분야에 불과하다. 담보분야의 수는 클럽마다 다양하고, 해당 클럽의 역사적 발전과정을 반영한다.[216) 한 가지 주의해야 할 점은 동일한 클럽 내에 다양한 분야가 동일한 관리자에 의하여 관리되고 있더라도, 각 부문은 서로 별개의 금융 · 법적 지위를 유지하는 것이고, 각 클럽에서 P&I 이외의 담보부문은 P&I 거래에 부수적일 뿐만 아니라 종종 'loss-leader' 로서 운영된다는 점이다.

한편 선박보험이 주로 선체의 손해에 대하여 피보험자를 보호하기 위하여 고안된 반면, P&I 보험은 선박의 운항으로 인하여 선주에게 초래된 법적 책임의 이행에 관하여 선주를 보상하기 위한 보험이다. P&I 클럽의 역사에서 언급하였듯이, 과거 선체상호보험클럽이 Protection 클럽으로 발전하였고, 그 이후 보상위험(indemnity risk)이 추가되어 오늘날의 P&I 클럽이 형성되었다. 여기서 Protection 부문은 선주가 선박의 소유자로서 부담해야 하는 책임과 관련이 있는 반면, Indemnity 부문은 선박으로 사용으로 인하여 초래된 책임과 관련이 있다. 이는 역사적으로 선주가 화물의 소유주인 화주에게 부담하는 책임은 Indemnity 부문에 귀속되고, 기타 선박의

216) 예컨대 세계에서 가장 오래된 브리타니아클럽의 경우, Class 1은 목재선 및 기선을 운항하는 회원만 가입할 수 있고, Class 2는 기타 모든 선박의 선체 및 기관 담보를 위하여 설치되었다. 현재 이들 분야는 불필요하게 되었고, 가장 활발한 사업분야는 Class 3의 P&I 부문이고, 기타 브리타니아클럽에서 취급하는 담보분야는 Class 4(War Risks), Class 5(Strikes), Class 6(Freight, Demurrage and Defence)이다. 한편 스칸디나비아클럽(Gard 또는 Skuld)의 경우 이러한 담보부분의 추가 또는 분리가 행하여지지 않고 있기 때문에 이들 클럽에서 'P&I' 라는 용어는 단순히 클럽에서 담보하고 있는 모든 위험을 총칭한다는 사실에 주의할 필요가 있다.

관리 및 항해에 관련되는 일체의 책임은 Protection 부문에 귀속된다는 것을 의미하였다. 그러나 오늘날에는 양자 간에 명백한 구분이 존재하지 않고, 양자의 구분에 대한 실익이 없으며, 영국 법원에서도 "양자 간에 명백한 경계선은 존재하지 않는다."라고 판결되었다.[217)]

P&I 클럽이 제공하는 담보범위는 회원의 책임손해 및 비용손해이고, 책임은 다시 불법행위책임(liability in tort)과 계약상 책임(liability in contract)으로 분류된다.[218)] 여기서 계약에 의한 책임은 선주의 책임이 특정계약(예컨대 운송계약, 선원고용계약, 여객운송계약 및 예인계약)에 의하여 발생하는 것을 의미하고, 불법행위책임은 가해자와 피해자 간의 사전계약 없이 선주 또는 그의 사용인의 고의나 과실에 의한 불법행위 결과로서 발생한 타인의 손해에 대하여 부담하는 손해배상책임을 의미한다. 다만 한 가지 주의해야 할 점은 담보위험의 분류와 관련하여 특정위험의 발생이 단일의 특정손해에 대해서만 연계되는 것은 아니고, 책임손해 및 비용손해 모두를 초래하는 경우도 있다는 점이다.

2. 계약상 책임

1) 선원고용계약 및 여객운송계약으로 인한 책임 및 비용

선박보험 및 해상적하보험은 근본적으로 생명보험이 아니기 때문에 인명의 사상이나 질병에 관해서는 담보하지 않는다. 결국 선원이나 기타 자(대표적으로 여객)의 사상 및 질병 또는 그로 인하여 발생한 비용손해에 대하여 선주가 법적 책임을 부담하는 경우, 그러한 책임은 P&I 보험에 의하여 담보된다. 구체적으로는 선원 및 기타 자의 사상 및 질병에 관한 책임, 선원의 사상 및 질병에 부수하여 발생하는 선원의 본국송환비 및 대체선원의 대체비용, 선박의 난파로 인한 선원실업보상책임 그리고 선원 및 기타 자의 소지품에 대한 책임이 해당된다.[219)] 여기서 선원 이외의

217) Court Line Ltd. v. Canadian Transport Co., Ltd. (1939) 64 Ll.L.Rep. 57.

218) R. H. Brown은 책임을 법정책임(statutory liability), 계약상 책임(contractual liability) 및 제3자에 대한 책임(third party liability)으로 분류하고 있다(Brown, R. H., op. cit., Vol.3, 1993, pp.568~569). 이 분류방식에서 법정책임 및 계약상 책임은 책임의 발생 원인을 기준으로 분류한 것이지만, 제3자에 대한 책임은 보험사고의 결과로서 발생한 책임이기 때문에 분류방식에 있어서 모순되는 점을 내포하고 있고, R. H. Brown 자신도 인정하듯이 각각의 위험이 2~3가지의 책임을 초래하는 중복의 경향을 피할 수 없다.

219) 세계 최대의 클럽인 U.K. P&I Club의 조사에 의하면 1992년 전체 클레임 중에서 화물클레임이

자로는 여객, 도선사, 순회수선업자 및 화물의 검수인 등이 해당된다.

2) 예선계약에 의한 책임 및 비용

예선(towage)이란 다른 선박 또는 해상항행물의 항진을 촉진하기 위하여 사용되는 선박의 작업을 말하며, 예선계약이란 예인선(tug)이 피예인선(tow)에 동력을 제공하거나 피예인선의 운항에 도움을 제공하는 것을 내용으로 하는 용선계약이다. 예선계약은 보통 많은 국가에서 사용되는 표준예선계약조건이 존재하지만, 예인상황의 다양성 때문에 예선계약조건 및 보상액은 당사자 간의 합의에 의하여 결정하는 경우가 대부분이다.

P&I 보험은 관습적인 예선을 위한 계약조건하에서 회원에게 초래된 책임을 담보하지만, 선박보험하에서 담보되지 않는 책임만을 담보한다. 여기서 관습적 예인이란, 통상적 운항과정의 일부로서 특정 항구에 입항하거나 출항하기 위한 목적의 예인 또는 통상적 운항과정의 항구 간 또는 특정 장소 간 클럽가입선의 예인이 상습적으로 행하여지는 경우의 예인을 의미한다.

예인 중에 발생하는 손해는 다양하다. 즉, 예인선과 피예인선 간의 접촉에 의한 손해, 예인선이나 피예인선 내의 재화에 대한 손해, 예인선과 피예인선의 난파로 인한 선해제거 또는 난파표식에 대한 비용 손해 또는 오염으로 인한 손해 등 다양하다. 이러한 손해에 대한 배상책임은 클럽가입선의 과실유무를 불문하고, 그것이 관습적 예선을 위한 표준예선계약조건하에서 클럽가입선의 책임으로 판명되는 경우에는 클럽에 의하여 담보된다.

한편 합의된 계약내용이 회원에게 너무 과다한 책임을 부담하는 내용으로 되어 있는 경우에는 초과책임부분에 대하여 담보를 제공하지 않는다. 다만 그러한 계약조건이 관련 업계에서 관습적인 것으로 인정되는 경우 또는 사전에 계약조건이 관리자에 의하여 승인된 경우 또는 관리자의 승인을 취득하기 위한 시간이 부족했던 경우에는 이사회의 재량으로 보상을 결정하는 예외적인 경우도 있다.

3) 화물운송계약에 의한 책임 및 비용

해상운송인은 운송계약의 형태에 따라 다양한 책임을 부담하게 된다. 즉, 선하증권

41.76%, 인명사상에 관한 클레임이 24.4%, 선원의 질병과 관련한 클레임이 4.88%이고, 1993년의 경우 화물에 대한 클레임이 29.09%, 인명사상에 관한 클레임이 27.12%, 선원의 질병에 관한 클레임이 4.01%인 것으로 집계되었다(Fairplay, 1993. 9. 30, p.23).

에 의한 운송계약, 용선계약서에 의한 운송계약, 복합운송증권에 의한 운송계약 그리고 해상화물운송장에 의한 운송계약과 각각에 적용되는 준거법에 따라 운송인의 책임은 다양하게 규정될 수 있다. 해상운송과 관련하여 특히 중요한 선하증권의 경우 대부분 국가에서 운송되는 화물의 멸실이나 손상에 대한 운송인의 책임을 법률에 의하여 규정하고 있고, 현재 대부분의 국가는 해상운송에 적용되는 국내법으로서 1924년 선하증권통일조약(International Convention for the unification of certain rules of law relating to bills of lading Hague Rules) 또는 Hague 규칙을 개정한 Hague-Visby 규칙을 준용하고 있다.

클럽규칙에서는 회원이 Hague 규칙 또는 Hague-Visby 규칙에 의거하거나 이와 유사한 또는 이들 규칙보다 운송인에게 유리한 조건으로 운송계약을 체결하도록 규정하고 있으며, 이보다 과중한 책임으로 인한 초과책임부분에 대해서는 클럽이 보상하지 않는다고 규정하고 있다.

P&I 보험에서는 어느 정도 회원의 과실이 개입된 책임을 보상하기 때문에 회원의 부주의나 태만의 결과로서 Hague 규칙 또는 Hague-Visby 규칙에 의하여 운송인이 부담해야 하는 감항능력[220]담보책임, 상업과실에 의한 책임[221] 및 그로 인하여 발생된 비용 등을 담보한다.

3. 불법행위책임

1) 충돌 및 비접촉손해에 대한 배상책임

클럽가입선박과 타 선박 간 충돌로 인한 클럽가입선의 손해배상책임은 P&I 보험과 선박보험 간 상호보완 정도를 잘 예시하는 것이다. 한편 회원이 가입한 선박보험의 담보체계가 P&I 보험의 담보범위를 결정하는 것은 아니고, 다만 회원이 완전한 선박보험담보를 취득한 후에도 여전히 존재하는 충돌로 인한 잠재적 책임에 관한 공

---

220) 선박의 감항능력(seaworthiness)은 구체적으로, 첫째, 선박 그 자체가 항해를 감당할 수 있는 능력, 둘째, 해당 항해를 수행하는 데 지장이 없도록 일체의 인적 · 물적 준비를 해야 하는 운항능력, 셋째, 선박이 운송용구 내지 유동창고(floating warehouse)로서 화물을 운송 및 보존하기 위하여 적합한 감화능력(cargoworthiness)을 포괄하는 개념이다.

221) 운송인 및 그의 사용인은 화물의 선적, 취급, 적부, 운송, 보관 및 양하를 적절하고 신중하게 해야 하는 의무가 있으나, 이를 태만히 하는 것을 상업과실이라고 하고, 이는 항해과실과는 대립되는 개념이다.

백을 메우기 위한 것이다. 영국에서 사용되는 선박보험증권의 경우 피보험자는 충돌상대선에 대한 손해배상책임액의 3/4까지만 보상받을 수 있는 반면,[222] 미국이나 노르웨이와 같은 일부 국가의 선박보험증권에는 충돌손해배상책임의 4/4까지 보상하는 약관을 사용하기도 한다. 따라서 선주들은 이러한 유형의 충돌약관하에서 전체적인 담보에 공백이 생길 가능성을 배제하거나 불필요한 중복보험으로 인하여 초래되는 비용을 회피하기 위해서는 선박보험을 염두에 두고 세밀하게 담보범위를 클럽과 협상하는 것이 필요하다.

P&I 보험은 전통적으로 선박보험증권의 충돌손해배상책임약관하에서 담보되지 않는 충돌상대선에 대한 1/4충돌손해배상책임을 비롯하여 다음과 같은 충돌손해배상책임을 담보한다.

- 장해물, 난파선, 화물 또는 기타 물건의 제거 또는 처분의 책임
  - 충돌상대선 및 그 선박상의 재산을 제외한 기타 동산 또는 부동산 또는 기타 물건의 손해배상책임
  - 충돌상대선 및 그 선박상의 재산을 제외한 기타 동산 또는 부동산의 오염 또는 오탁에 대한 책임
  - 피보험선박상의 화물 또는 기타 재산에 대한 손해, 또는 공동해손분담금, 특별비용 또는 그러한 화물 또는 재산의 소유자에 의하여 지급된 구조료
  - 충돌로 인한 인명의 사망, 상해 또는 질병에 대한 책임
  - 비선박과의 충돌 및 비접촉손해에 대한 배상책임

특히 선박보험증권의 충돌손해배상책임약관하에서 담보되는 '충돌'은 피보험선박과 타 선박 간의 '충돌'에만 적용된다는 사실에 주의할 필요가 있다. 즉, 선박보험의 충돌약관하에서 '충돌'은 두 선박의 선체가 현실적으로 접촉하는 것을 의미하고, 한 선박의 선체 일부분이 타 선박의 선체 일부분과 접촉하여 생긴 손해까지 포함하는 개념이다.[223] 결국 타 선박과의 현실적 접촉이 발생하지 않았거나, 선박 또는 선박의 일부로 볼 수 없는 구조물 또는 난파선과의 충돌로 인한 손해는 선

---

222) 협회기간약관(1995) 제8조 3/4충돌손해배상책임 참조.

223) 영미의 판례들을 검토해 보면 선박이 타 선박의 닻(anchor)과 충돌한 경우에는 충돌약관의 범주 내에서 충돌이라고 판결되었으나, 선박이 어선에 부착된 그물과 접촉하여 스크류가 얽힌 경우에는 충돌로 인정되지 않았다. 한편 침몰선과의 충돌은 단지 난파선과의 충돌일 뿐 선박과의 충돌은 아니라고 판결되었고, (침몰선 인양용) 부양함의 이동식 크레인 및 비행정은 선박이 아니라고 판결되었다.

박보험에서 담보되지 않는다. P&I 보험에서는 가입선박이 법적으로 선박(ship 또는 vessel)으로 인정될 수 없는 구조물과 접촉으로 인한 손해배상책임은 물론이고, 소위 비접촉손해(non-contact damage),[224] 즉, 두 선박 간의 현실적 접촉(actual contact) 없이 클럽가입선의 과실로 인하여 초래된 타 선박 또는 타 선박상의 재산에 대한 손해배상책임을 담보한다.

2) 클럽가입선상 재산에 대한 책임 및 비용

P&I 보험은 기타 클럽규칙(예컨대, 선원 및 기타 자의 소지품에 관한 클럽규칙, 충돌 · 오염 · 예선계약하에서의 책임에 관한 클럽규칙, 난파책임, 가입선의 갑판상 화물 및 재산에 관한 클럽규칙 등)하에서 담보되는 가입선의 갑판적재 화물 및 선원의 소지품을 제외한 클럽가입선의 갑판적재 컨테이너, 장비, 연료 또는 기타 재산의 멸실 또는 손상에 대한 책임을 담보한다. 다만 선박의 일부를 구성하거나, 회원 또는 회원과 제휴하거나 동일 관리하에 있는 회사가 소유하거나 임대한 재산의 멸실 또는 손상에 대한 책임은 담보하지 않는다.

3) 벌금

P&I 보험에서는 회원이 선박의 운항과 관련하여 지급해야 하는 각종 벌금에 대해서도 담보를 제공하는데, 구체적인 경우는 다음과 같다.

- 선상 작업안전체제 또는 작업환경에 관한 법률이나 행정규제의 위반
- 화물의 과부족인도 또는 물품신고 또는 화물과 관련한 제반서류에 관한 규정을 충족하지 못한 경우
- 선원의 밀수 또는 세관규정의 위반
- 출입국관리법, 이민법 또는 외국인 거주규정의 위반
- 가입선으로부터 유류 또는 기타 유독성물질의 유출

여기서 벌금(fine)이란, 민사상의 제재금(civil penalty), 형사상의 범칙금(penal damage) 및 기타 벌금의 성격을 갖는 과징금을 의미하고, 형벌의 성격을

224) 예컨대 좁은 해협에서 과속으로 항해하는 선박으로 인하여 초래된 역류(backwash)에 기인한 유실손해(wash damage) 또는 클럽가입선의 부주의한 항해로 인하여 충돌위협을 느낀 타 선박이 클럽가입선을 피하려다가 교사(run aground)되거나 제3의 선박과 충돌하는 소위 간접충돌(indirect collision)의 경우이다.

띠지 않는 요금 또는 세금은 벌금의 범주에 속하지 않는다. 한편 벌금은 가입선박의 운항과 관련하여 법원, 행정심판소 또는 행정당국이 특정 사안에 대하여 부과한 것이다.

4) 유류오염으로 인한 책임 및 비용

해난사고로 인하여 유류오염이 발생하는 경우, 운송계약의 당사자인 선주 및 화주는 물론이고, 제3자에 대하여 심각한 손해를 입힌다. 선박의 충돌 등의 이유로 적하상태의 기름이 해상에 유출되는 경우 화주는 자신이 가입한 적하보험에서 화물의 멸실에 대한 보상을 모색하고, 선주는 선박의 멸실에 대한 보상을 모색하게 된다. 한편 기름의 유출로 인하여 손해를 입게 되는 제3자에 대한 선주의 배상책임은 일반적으로 P&I 보험에 의하여 담보된다.

선박보험은 해난사고에 의하여 피보험선박에 발생한 물적 손해 또는 충돌약관에 의하여 충돌상대선의 손해에 대한 배상책임만을 담보한다. 그러나 선주가 선박 운항상의 과실에 의하여 제3자에게 손해를 입혔거나, 충돌약관에서 제외되는 배상책임, 선원의 사상 등에 대한 배상책임 및 유출유의 오염으로 인하여 발생한 제3자(예컨대 양식업자나 어민 등)의 손해 등은 선박보험에서 담보되는 것이 아니고, P&I 보험에서 담보된다.

P&I 보험은 가입선박으로부터 기름 또는 기타 유해물질의 배출이나 유출에 기하거나 또는 그러한 유·배출의 결과로 초래된 회원의 배상책임을 담보한다. 한편 오염의 결과로 초래된 손해를 방지 또는 감소하기 위하여 합리적으로 취한 조치에 따라 발생한 비용에 대해서도 담보를 제공한다.

5) 클럽가입선박의 난파와 관련한 책임

선박의 난파와 관련하여 일반적으로 선박보험에서는 구조비 및 수선비를 보상하지만, P&I 보험에서는 잔해제거에 관한 비용을 보상한다. P&I 보험은 충돌의 결과로서 발생하는 난파물의 제거와 관련한 책임, 즉 난파와 관련하여 발생하는 선박의 인양, 제거, 파괴, 등화 또는 난파표식과 관련되는 비용 또는 경비에 대하여 회원에게 보상을 제공한다. 또한 난파된 가입선의 인양, 철거 또는 파괴의 결과 또는 그러한 행위의 시도 결과 회원에게 초래되는 배상책임에 대해서도 담보를 제공한다.

4. 비용손해

1) 손해방지비용 및 법적 방어비용

클럽가입선이 클럽에 대하여 보험금청구를 할 수 있는 보험사고가 발생한 경우, 회원은 이러한 사고를 클럽에 신속하게 통지해야 할 의무를 부담할 뿐 아니라, 손해를 방지 또는 경감하기 위한 합리적인 조치를 취해야 한다. 즉, 보험사고가 발생한 경우 회원은 클럽에 가입하지 않은 무보험상태와 같이 손해를 방지 또는 경감하기 위하여 신중하고 합리적인 조치를 취해야 한다. 회원의 손해방지의무는 MIA에 명시적으로 규정되어 있고, 또한 보험법의 일반적인 원칙과 일치한다.

P&I 보험은 가입선박의 멸실 또는 재난에 관한 공식조사를 하기 전에 회원이 자신의 이익보호를 추구함으로써 발생되는 특별비용, 경비 및 사고에 기인한 형사소송에 대한 방어비용을 보상한다.

한편 '손해를 방지하거나 경감하기 위한 조치' 는 다음의 요건을 충족해야 한다. 즉 첫째, 손해가 아직 발생하지 않았더라도 긴급한 사고발생의 위험이 존재해야 한다. 둘째, 손해방지조치는 손해의 회피 또는 경감의 의도로 취해져야 한다. 셋째, 손해방지조치는 합리적으로 필요한 것이어야 한다. 넷째, 손해방지조치는 예측불가능하거나 이상적인 성격의 것이어야 한다.

2) 인명구조비용

해난구조는 원래 재산의 구조가 중심이고, 인명구조는 해난구조의 직접적인 대상이 아니다. 왜냐하면 인명구조는 법률적 · 경제적 문제가 아니고, 단지 도덕적 명령에 의한 것으로서 보상의 대상이 될 수 없기 때문이다. 그러나 과거의 이러한 법리로 인하여 선박이 해상에서 인도적 차원의 인명구조를 기피하는 경향이 있었기 때문에 인도적 차원에서 1910년 브뤼셀 해난구조협약(Convention for the Unification of Certain Rules of Law Relating to Assistance and Salvage at Sea 1910) 등의 국제협약과 각국의 국내법은 인명구조에 대해서도 일정한 보수지급을 규정하게 되었다.

한편 1995년 ITC 제10조 제4항에서는 MIA 제66조 제6항[225]의 취지를 반영하여,

225) MIA 제66조 제6항: 명시적인 특약이 없는 한, 보험자는 피보험위험을 회피하기 위하여 또는 이를 회피하는 것에 관련하여 손해가 발생한 것이 아니면 공동해손손해 또는 공동해손분담금에 대하여 그 책임을 부담하지 아니한다.

담보위험을 방지 또는 회피하기 위하여 지출된 구조 · 구조비가 아니면 보상하지 않는다고 규정하고 있기 때문에 ITC하에서 보험자가 보상하는 구조 및 구조비는 선박 자체의 손해와 연계된 것일 뿐, 선상의 선원 또는 기타 인명에 관한 것은 아니다. 결국 P&I 보험에서는 피구조선박의 선주, 화주 또는 보험자로부터 보상받지 못하는 인명구조비용에 대한 보상을 제공한다. 또한 구조작업 중에 회원의 과실로 인하여 피구조자가 사망 또는 상해를 입은 경우에 피구조자에 대한 회원의 손해배상액을 보상한다.

3) 공동해손분담금

고대나 중세에는 선박이 항해 중 폭풍우를 만나면 선박의 중량을 줄임으로써 선박이 전복되는 것을 막기 위하여 투하가 인정되었으며, 이로 인하여 항해를 무사히 완료했을 때에는 투하된 화물의 소유자가 선주 및 타 화주에 대하여 분담금을 청구할 권리를 가졌다. 그러나 오늘날에는 항해기술 및 조선기술의 발달로 공동해손의 형태가 다양해지는 경향이 있다. 즉 피난항에서 발생한 비용, 항해의 지속을 위하여 필요한 수선비, 해난구조비 등이 공동해손의 주요 항목으로 되고 있다. 따라서 공동해손의 현대적 의미는 선주가 해난에 조우하여 지출한 비용을 화주에 대하여 화물가액에 비례하여 청구할 수 있다는 점이다. 즉, 공동해손의 원래 목적은 일부 손해를 이용하여 선주와 타 화주가 부당이득을 취득하는 것을 회피하기 위한 것이었지만, 근래에 와서는 선주가 해난에 조우하였을 때 차후의 공동해손분담에 관하여 염려할 필요 없이 신속하게 선박 또는 적하를 처분할 수 있게 함으로써 선주의 위험부담을 줄이는 일종의 보험으로서 역할이 더욱 강조되고 있다.

해상위험을 극복하기 위하여 선박 또는 적하의 손해를 스스로 초래한 당사자는 해상사업 관련자 모두에게 이익을 발생하게 하였으므로 이들 관련자로부터 피해자의 손해를 분담하는 것이 공평하며, 이것이 공동해손의 원칙이다.

P&I 보험에서는 회원이 화주 또는 기타 항해사업 관계자에게 청구할 권한이 있는 공동해손, 특별비용 또는 구조료로서 단지 운송계약의 위반이 존재하였다는 이유로 인하여 법적으로 회수불가능한 공동해손비용, 특별비용 및 구조료를 보상한다. 여기서 특별비용이란 화물의 안전 및 보존을 위하여 지출되는 비용으로서 공동해손으로 용인되지 않는 비용을 의미하고, 구조료란 화물, 그 밖의 재화를 구조하기 위하여 지출된 비용으로서 역시 공동해손으로 용인되지 않는 비용을 의미한다. 예컨대, 공동해손의 결과로 선박이 안전항에 피난하고 그 피난항에서 화물만의 안

전을 위하여 화물을 양하했다가 다시 선적하고 적 · 양하비를 선주가 부담한 경우이다. 이 경우 화물의 적 · 양하비는 선박의 안전과는 무관한 비용이고, 또한 공동의 위험이 존재해야 한다는 공동해손의 기본적 요건을 충족하지 못하기 때문에 화물이해관계자 또는 선박보험자로부터 화물의 적 · 양하비를 회수하는 것은 불가능하다. 결국 선주에 의하여 지출된 이러한 비용은 P&I 클럽에 의하여 보상된다.

4) 기타 비용

P&I 보험에서 보상되는 비용에는 앞서 언급한 비용 외에 다음과 같은 비용이 포함된다.

- 밀항자 또는 난민과 관련한 비용[226)]
- 우회비용
- 클럽의 지시에 따름으로써 발생하는 비용
- 검역비용

P&I 보험에서는 밀항자나 난민이 클럽가입선에 승선함으로써 합리적으로 발생된 책임 및 비용, 즉 밀항자나 난민이 선내에 체류하는 동안의 숙식비, 송환비 및 벌금 등을 보상한다.

P&I 클럽은 가입선박의 우회비용을 보상한다. 다만 그러한 비용은 ① 상해나 질병을 입은 사람의 치료를 위하거나 또는 그 부상자에 대한 대체선원을 기다리는 동안, 또는 밀항자나 망명자를 하선시키기 위하여 이로가 발생한 경우에 한하고, ② 이로가 발생하지 않았더라도 발생하는 비용을 초과하여 선주에게 발생된 연료비, 보험료, 임금, 선용품, 식량 및 항세를 포함하는 순손해에 한정된다.

제3자의 손해배상청구에 직면하는 회원은 이를 회피하기 위하여 클럽에 조언을 구할 수 있고, 또한 실제로 조언을 구해야만 하는 것이 회원의 의무이다. 결국 제3자의 손해배상액 결정이나 소송의 처리와 관련하여 회원이 관리자의 지시에 따라서 정산, 협상해결, 처리나 조치를 취하지 아니한 경우 그 회원이 종국적으로 클럽으로부터 보상받을 수 있는 보험금은 그 회원이 관리자의 지시대로 행동했을 때 지급해야 하는 금액으로 제한되고, 그 초과액에 대해서는 이사회의 재량으로 감액이

---

226) 난민과 관련한 비용의 보상은 과거 옴니버스규칙하에서 보상되던 비용이지만, 1970년대 이후 베트남 난민의 해상구조활동이 증가함으로써 추가된 규칙이다.

가능하다.

한편 P&I 클럽은 선상 전염병 발생의 직접적인 결과로서 초래된 회원의 추가적·이례적 경비를 보상한다. 이 경비는 일반적으로 검역 및 소독비용과 전염병이 발생하지 않았더라도 초래되었을 경비를 초과하는 순손실, 즉 연료비, 보험료, 임금, 선용품, 식량 및 항세를 포함한다.

5. 면책위험

MIA 제55조 제1항은 "본 법에 별도의 규정이 있는 경우와 보험증권에 별도의 규정이 있는 경우를 제외하고, 보험자는 피보험위험에 근인하여 발생하는 일체의 손해에 대하여 책임을 부담한다. 그러나 앞의 두 경우를 제외하고 보험자는 피보험위험에 근인하여 발생하지 아니한 일체의 손해에 대하여 책임을 부담하지 않는다."라고 규정하고 있다. 예컨대 보험자는 담보위험에 근인하여 발생한 손해가 아닌 경우 또는 피보험자의 고의적 악행 또는 지연에 대하여 책임을 부담하지 않는다.

한편 P&I 클럽의 면책위험은 회원이 추가(할증)보험료를 부담하고 클럽관리자의 사전승인을 받거나 또는 이사회의 재량에 의하여 담보가능한 상대적 면책위험과 클럽관리자의 사전승인 또는 이사회의 재량이 배제되는 절대적 면책위험으로 분류할 수 있다. 이러한 기준으로 볼 때 상대적 면책위험은 다음과 같다.

- 구조선, 청공선, 준설선 및 기타 유사선박의 책임 및 비용
- 핵위험
- 과도한 계약책임
- 육상에서의 사고로 인한 책임
- 이로로 인한 화물손해배상책임
- 항해변경으로 인한 화물손해배상책임
- Hague 규칙 또는 Hague-Visby 규칙보다 불리하게 체결된 운송계약에 기인한 책임
- 계반비용
- 과적으로 인한 화물손해배상책임
- 냉동화물에 대한 책임
- 희귀품, 고가품 또는 생동물에 대한 책임

한편 절대적 면책위험의 예는 다음과 같다.

- 불법적, 위험한 또는 부적절한 항해에 기인한 책임
- 가입선 및 선상장비의 손해에 대한 책임
- 전쟁위험
- 회원의 고의적 악행에 기인한 책임
- 선박보험 등 타 보험에서 담보되는 책임
- 공제액
- 적법한 선하증권과의 상환 없이 인도한 화물에 대한 배상책임
- 실제 선적일과 일치하지 않는 선적일이 기재된 선하증권하에서 초래된 책임
- 보상장과 상환으로 발생한 무고장 선하증권하에서 초래된 책임

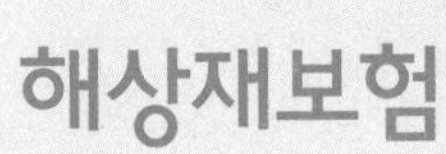

해상재보험

제1절 재보험의 의의 및 기능

1. 재보험의 의의

재보험(reinsurance)이란 보험자가 피보험자 · 보험계약자와 계약을 체결하고, 그 인수한 보험의 일부 · 전부를 다른 보험자에게 인수시키는 것을 말한다. 여기서 피보험자 · 보험계약자와 계약을 체결한 보험자를 '원(수)보험자(ceding company or primary insurer)' 라 하며, 원래 계약된 보험의 일부 또는 전부를 재보험자에게 넘기는 행위를 출재라고 하여 '출재보험자' 라고도 한다. 또한 원(수)보험자로부터 보험의 일부 또는 전부를 넘겨받는 자를 '재보험자(the reinsurer)' 라고 하며 인수받는 행위를 수재라고 하여 '수재보험자' 라고도 한다. 그리고 원수보험자가 보유하는 보험금액을 '보유한도(retention)' 라고 하며, 재보험자에게 전가되는 보험금액을 '재보험금액(cession)' 이라 한다. 또한 재보험자가 다른 보험자에게 재보험을 전가시킬 수 있는데 이를 '재재보험(retrocession)' 이라 한다(〈그림 14-1〉참조).

재보험은 보험기업경영에 중요한 역할을 한다. 특히 최근 산업발전과 함께 위험이 대형화됨에 따라 재보험의 역할은 날로 중요해지고 있는 실정이다.

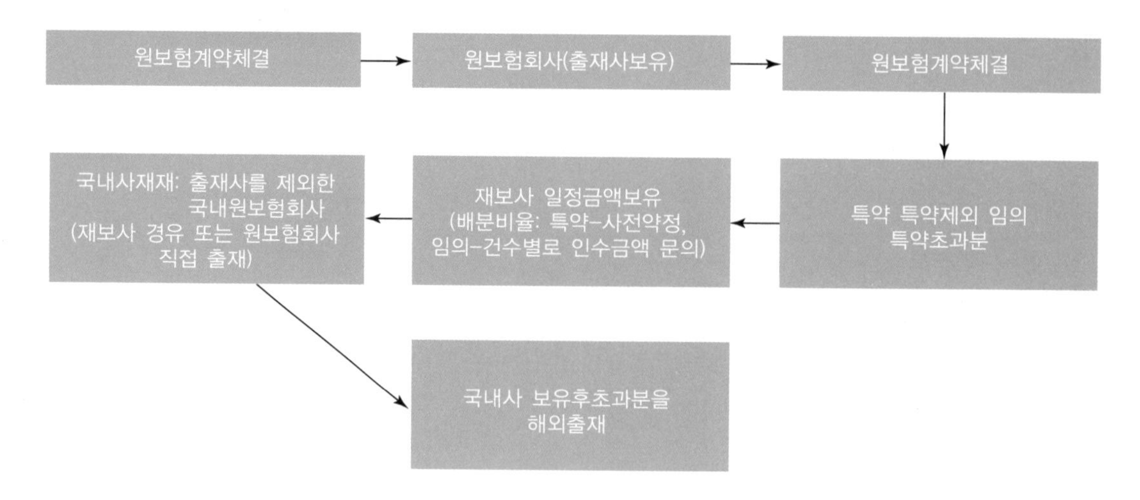

그림 14-1 재보험 처리절차

2. 재보험의 기능

1) 보험자의 인수능력 강화

재보험은 보험자의 인수능력을 증가시킬 수 있다. 보험자는 자신의 인수능력범위를 벗어나서 위험을 인수할 수 없다. 따라서 인수능력(underwriting capacity)을 벗어나는 대형위험이 있을 경우 이를 인수하지 못하거나 보험자들이 나누어서 인수해야 하는 번거로움이 따를 것이다. 그러나 재보험을 이용하면 아무리 규모가 큰 위험이라 하더라도 하나의 보험자가 인수하여, 자신의 인수능력범위에 해당하는 위험은 자신이 보유하고 나머지 부문에 대해서는 재보험처리를 하면 된다. 이와 같이 재보험은 보험자의 인수능력을 증가시킬 뿐 아니라, 아무리 규모가 큰 위험이라 하더라도 보험자들이 나누어서 인수하는 번거로움 없이 하나의 보험자가 인수할 수 있게 한다.

2) 대형재해로부터 보험자의 보호

보험자는 대형재해가 발생하였을 경우 보상능력을 초과하는 부담을 질 수 있으나 재보험계약을 체결하면 재보험자와 대형손해를 나누어서 부담함으로써 대형재해로부터 보호받을 수 있다. 특히 최근 산업의 고도화 및 기상이변에 따른 홍수, 태풍 등의 자연재해 등에 따른 대형위험을 처리하기 위해서는 재보험을 통한 위험분산이 필수적이다.

3) 보험수익의 안정

재보험은 원(수)보험자의 보험수익을 안정시킬 수 있다. 원(수)보험자의 수익은 사회적 · 경제적 조건, 자연재해 등과 같은 대재해의 발생여부에 따라 큰 폭으로 변동할 수 있다. 그러나 재보험을 적절히 이용하면 이러한 변동폭을 일정범위 내로 줄일 수 있어 궁극적으로 전체적인 수익의 안정을 가져올 수 있다. 예를 들어 원(수)보험자가 일정금액 이하의 손실에 대하여만 책임을 부담하는 재보험계약을 체결하였다면, 아무리 규모가 큰 손실이 발생하여도 원(수)보험자의 부담은 일정금액 이하로 제한되므로 수익에 대한 예측과 통제가 가능하게 된다.

4) 영업종목 중지 시 이용

재보험은 원(수)보험자가 현재 영업 중인 보험종목의 일부나 전부를 중지할 경우, 기존의 보험계약자를 보호하기 위해 재보험의 형식으로 중지하고자 하는 보험종목의 일부나 전부를 다른 보험자에게 인수시키는 데 사용된다. 이와 같이 재보험은 보험영업의 일부 또는 전부를 중지할 경우, 기존 보험계약자에게 보험자의 변동에 따른 피해를 주지 않고 다른 보험자에게 인수시키는 데 유용하게 사용된다.

5) 위험인수에 따른 정보획득

새로이 신설되거나 경험이 부족한 보험회사의 경우 위험인수에 따른 여러 가지 판단이 부족할 경우가 있다. 이 경우 경험이 많고 노련한 재보험자를 이용하면 요율, 보유한도, 보상한도 등 위험선택에 따른 여러 가지 판단을 얻을 수 있다.

제2절 재보험자의 형태

재보험자의 형태는 기준에 따라 다양하게 분류할 수 있지만 규제상의 특성에 비추어 분류해 보면 다음과 같은 네 가지 형태를 들 수 있다.

1. 원(수)보험자의 재보험부서

원(수)보험자는 재보험을 담당하는 부서로 교환재보험 또는 특약재보험을 다룬다.

우리나라에서 손해보험회사는 재보험도 취급할 수 있으며 외국의 경우에도 일정한 조건을 갖춘 원(수)보험자는 대부분 재보험거래도 할 수 있다.

2. 전업재보험자

전업재보험자는 재보험과 재보험관련 서비스만 취급하는 회사이다. 특히 이러한 재보험자 중에는 정부가 요구하는 면허를 취득한 전문재보험자(admitted professional reinsurer)가 있는 반면, 면허를 취득하지 않고 재보험사업을 영위하는 무면허재보험자(nonadmitted reinsurer)도 있다. 전업재보험자의 경우 Munich 재보험이나 Swiss 재보험과 같이 대규모인 경우도 있지만 프런팅(fronting) 위주의 영업을 하는 소규모 전업회사도 무수히 많다.

3. 재보험 풀

재보험 풀은 특히 위험도가 높거나 위험의 금액이 크기 때문에 재보험의 소화가 곤란한 특수한 위험에 대하여 다수의 보험자가 공동으로 재보험을 인수하는 집합적 재보험의 방법이다. 원(수)보험자는 인수한 위험의 전액 또는 우선 보유 후의 잔액을 풀(공동인수조직)에 제공하고 풀로부터 미리 정한 비율에 따라 배분된 재보험을 인수하는 방식을 취한다. 풀에의 출재는 비례재보험 또는 초과액재보험의 형태를 취하며 이렇게 모인 재보험은 일정한 비율로 가맹보험회사에 재분배(cede back)된다. 이 경우 풀의 회원사인 원(수)보험자에게 출재된 재보험을 모두 배분하는 방법과 일정한 금액을 초과하는 금액에 대해서는 회원이 아닌 재보험자에게 모두 출재하고 그 이하의 자체보유분에 대해서만 회원사들에게 배분하는 방법이 있다.

풀 형태의 재보험은 풀에 가입한 보험회사들이 일정한 비율로 다양한 위험을 인수함으로써 위험분산을 달성할 수 있으며, 기존의 보험조직으로 대규모 위험의 인수를 가능하게 해 줌으로써 상대적으로 낙후된 보험산업을 가지고 있는 시장이 재보험 수요에 손쉽게 대응할 수 있는 수단을 제공해 준다.

4. 로이즈 보험조합

로이즈(Lloyd' s)조직에서 보험인수의 주체는 개인 언더라이팅 회원(underwriting

member)이지만 통상적으로 이들은 보험 종류별로 신디케이트(보험인수단)를 구성한다. 각 신디케이트는 언더라이팅 대리인에 의해 운영된다. 그러나 이 대리인은 인수업무를 하지 않으며 대리인이 선임한 보험전문가인 영업인수인(active underwriter)이 인수업무를 맡는다.

로이즈는 영국보험시장의 중심적 위치를 차지하고 있으며 특이한 언더라이팅에 기초하여 거대위험의 담보력, 신속한 상품화에 의해 원(수)보험시장과 재보험시장에서 상당한 위치를 점하고 있다.[227)]

227) 김두철 외, 전게서, pp.265~268.

참고문헌

구종순, 『해상보험』 개정판, 박영사, 2000.
구하서 · 권금택, 『보험학요론(전정판)』, 법문사, 1996.
김동훈, 『보험론』, 학현사, 1996.
김두철 외, 『보험과 위험관리』, 문영사, 1999.
김병기, 『해상보험-이론 · 실무 · 약관해설』, 두남, 2001.
김억헌, 『보험의 이론과 실제』, 삼영사, 2002.
김주동, 『손해보험론』, 형설출판사, 1997.
대한상공회의소, 『기업의 전략적 리스크 관리』, 대한상공회의소, 1987.
박상범 외, 『e-보험학』, 아진, 2002.
방갑수, 『최신보험학』, 박영사, 1999.
서돈각 · 정완용, 『상법강의(하권)』, 법문사, 1996.
양승규, 『보험법(제3판)』, 삼지원, 1999.
오원석, 『국제운송론』, 박영사, 1995.
오원석, 『해상보험론』, 삼영사, 1996.
오원석 · 박성철, 『국제운송 · 보험론』, 법문사, 2000.
이원근 외, 『최신보험학 입문』, 두남, 2000.
이원근 외, 『최신 무역보험입문』, 두남, 1999.
이은섭, 『해상보험론』, 신영사, 1996.
인형무, '고지의무의 법리에 관한 고찰', 『변호사』 제19호, 1989. 1.
전무부, 『해상보험론』, 형설출판사, 1997.
조해균, 『최신보험경영론』, 박영사, 2000.
최종현, '영국법상의 고지의무(하)', 『보험법률』 통권 제2호, 1995. 4.
한동호, 『해상보험요론』, 박영사, 1983.

홍성화, '해적행위로 인한 피해보상에 관한 연구', 『2002년도 한국해사법학회 정기학술발표회지』, 2002.

허연, 『생활과 보험』, 문영사, 2000.

허재창, 『積荷保險의 始終時點에 관한 硏究』, 부산대학교 박사논문, 1995.

今泉敬忠, 『英國 P&I保險の硏究』, 成文堂, 1993.

今村有, 『海上保險契約法論』 (下卷), 損害保險事業總合硏究所, 1978.

大谷孝一, 『フランス海上保險契約史硏究』, 成文堂, 1999.

葛城照三, 『イギリス船舶保險契約論』, 早稻田大學比較法硏究所,1967.

葛城照三, 『1981年版 英文積荷保險證券論』, 早稻田大學出版部, 1981.

加藤 修, 『貿易貨物海上保險改革』, 白桃書房, 1998.

加藤由作, 『海上危險新論』, 春秋社, 1961.

龜井利明, 『海上保險總論』, 成山堂, 1975.

木村榮一, 『海上保險』, 千倉書房, 1978.

木村榮一, 『ロイズ保險證券生成史』, 海文堂, 1979.

木村榮一 外, 『保險入門』, 有斐閣, 1993.

谷川久監修, 東京海上火災保險株式會社 海損部編, 『イギリス船舶保險約款の解說』, 損害保險事業總合硏究所, 1994.

近見正彦, 『海上保險史硏究』, 有斐閣, 1997.

東京海上火災保險株式會社海損部編著, 『共同海損の理論と實務』, 有斐閣, 1995.

林忠昭, 『貨物海上保險』, 有斐閣, 1993.

韓洛鉉, 『海上保險における危險の變動』, 成文堂, 1997.

松島惠 · 大谷孝一, 『海上保險論』, (改訂第5版), (財)損害保險事業總合硏究所, 1993.

松島惠, 『船舶保險約款硏究』, 成文堂, 1994.

山本草二, 『海洋法』, 三省堂, 2001.

Alauzet, Traité général des assurances-Assurances maritimes, terrestres, mutuelles et sur la vie, T. I , 1843.

Badger, D. et al., Intern*ational Physical Distribution and Cargo Insurance*, Woodhead-Faulkner, 1993.

Baratier, E. et Reynaud, F., Histoire du commerce de Marseille, T. II, Paris, 1951.

Bennett, H. N., "The Duty to Disclose in Insurance Law", *Law Quarterly Review*, Vol. 109, 1993.

Bennett, H. N., *The Law of Marine Insurance*, Oxford University Press, 1996.

Bensa, E., Il Contratto di Assicurazione nel Medio Evo, Genova, 1884.

Boiteux, L. A., La fortune de mer, le besion de sécurité et les débuts de l' assurance maritime, Paris, 1968.

Brice, G., *Maritime Law of Salvage*, 3rd ed., Sweet & Maxwell, 1999.

Brown, R. H., *Marine Insurance, Cargo Practice*, Vol 2, 5th ed., Witherby & Co. Ltd.,

1998.

Brown, R. H., *Marine Insurance, Hull Practice*, Vol.3, Witherby & Co.Ltd., 1993.

Buglass, L. J., *Marine Insurance and General Average in the United States*, 3rd ed., Cornell Maritime Press, 1991.

Clarke, M. A., "Insurance Contract and Non-Disclosure", *LMCLQ*, 1993.

D' Arcy, L., et al., *Schimitthoff' s Export Trade ;The Law and Practice of International Trade*, 10th ed., Sweet & Maxwell, 2000.

De Fréville, E., Mémoire sur le commerce maritime de Roune, T.1, 1857.

De Roover, F. E., 'Early Examples of Marine Insurance,' *The Journal of Economic History*, V, 1945.

Dorfman, M. S., *Introduction to Risk Management and Insurance*, 6th Ed., Prentice Hall, 1998.

Emérigon, B-M, Traité des Assurances et des contrats à la grosse, T. I , Paris, 1783.

Gilman, J. C. B., *Arnould' s Law of Marine Insurance and Average*, Vol III, 16th ed., Sweet & Maxwell, 1997.

Goodacre, J. K., *Marine Insurance Claims*, 3rd ed., Witherby & Co. Ltd., 1996.

Hill, C. at al., *Introduction to P&I*, 2nd ed., Lloyd' s of London Press, 1996.

Hodges, S., *Law of Marine Insurance*, Cavendish Publishing Ltd., 1996.

Hodgson, G., *Lloyd' s of London*, Allen Lane, 1984.

ICC, Icoterms 2000, 1999.

Ivamy, E. R. H., *Marine Insurance*, 4th ed., Butterworths & Co. Ltd., 1985.

Ivamy, E. R. H., *Chalmer' s Marine Insurance Act 1906*, 10th ed, Butterworths & Co. Ltd., 1993.

Lloyd' s, *A Sketch History*, London, 1982.

Lambeth, R.J., *Templeman on Marine Insurance*, 6th ed, Pitman Publishing Ltd., 1986.

Keyuan, Z., "Piracy at sea and China' s response", *Lloyd' s Maritime and Commercial Law Quarterly*, 2000.8.

Manes, A., Versicherungswesen-System der Versicherungswirtschaft, Bd.1, Verlag und Druck von B. G. Teubner, 1930.

Masson, P., "L' Origina des Assurances Maritimes, spécialement en France et à Marseille", Bulletin du Comité des Travaux Historiques et Scientifiques, 1923.

Melis, F., Origini e sviluppi delle assicurazioni in Italia, I , Rome, 1975.

Miller, M. D., *Marine War Risks*, 2nd ed., Lloyd' s of London Press, 1994.

Mollat, M., Le commerce maritime normand à la fin du moyen age, Paris, 1952.

Mustill, M. J. & Gilman, J. C. B., *Arnould' s Law of Marine Insurance and Average*, 2 vols, 16th ed., Sweet & Maxwell, 1981.

O' May, D. & Hill, J., *Marine Insurance: Law and Policy*, Sweet & Maxwell, 1993.

Pardessus, J. M., Collection des lois maritimes antérieures au XVIIIe siècle, 6 vols., T. I , 1821.

Ripert, G., Droit maritime, 4e éd, T.III, Èditions rousseau et cie, 1953.

Ritter, C. und Abraham, H. J., Das Recht der Seeversicherungs, 2.Aufl., 1.Bd., Cram De Gruyter & Co, 1967.

Sayous, A.-E., "Les transferts de risques, les associations commerciales et la lettre de change à Marseille pendent le XIVe siècle", Revue historique de droit français et étranger, XIV, 1935.

Soyer, B., *Warranties in Marine Insurance,* Cavendish Publishing Ltd., 2001.

Thomas, D. R., *The Modern Law of Marine Insurance*, Lloyd's of London Press, 1996.

Valéry, J., "Contrats dassurance maritime du XIIIe siècle", Revue générale du droit, XXXIX et XL, 1915 et 1916.

Vivante, C., "L' assicurazione delle cose, evoluzione storica", Archivio giuridico, XXXII, 1884.

Wilson, D. J. & Cooke, J. H. S., *Lowndes & Rudolf: The Law of General Average and The York-Antwerp Rules*, 12th ed., Sweet & Maxwell, 1997.

찾아보기

영문

기타

저자 약력

박명섭 영국 리버풀대학(Ph.D)
현재 성균관대학교 경영대학 교수

한낙현 일본 와세다대학 대학원(상학박사)
현재 경남대학교 무역학과 교수

허재창 부산대학교 대학원(경제학박사)
현재 경상대학교 경영학부 무역학과 교수

조종주 성균관대학교 대학원(경영학박사)
현재 창원대학교 무역학과 교수

신건훈 성균관대학교 대학원(경영학박사)
현재 경상대학교 경영학부 무역학과 교수

김성국 한국해양대학교 대학원 해운경영학과(경영학박사)
현재 성균관대학교 경영전문대학원 초빙교수

허윤석 성균관대학교 대학원 무역학과(경영학박사)
현재 한국교통대학교 강사

이재성 성균관대학교 대학원 무역학과 박사과정 수료
현재 숭실대학교 글로벌통상학부 강사

해상보험론

발행일 | 2013년 9월 27일 초판 발행
저　자 | 박명섭, 한낙현, 허재창, 조종주
신건훈, 김성국, 허윤석, 이재성
발행인 | 홍진기
발행처 | 아카데미프레스
주　소 | 413-756 경기도 파주시 문발동 출판정보산업단지 507-9
전　화 | 031-947-7389
팩　스 | 031-947-7698
웹사이트 | www.academypress.co.kr
이메일 | info@academypress.co.kr
등록일 | 2003. 6. 18. 제406-2011-000131호
ISBN | 978-89-97544-37-0 93320

값 20,000원

* 저자와의 합의하에 인지 첩부는 생략합니다.
* 잘못된 책은 바꾸어 드립니다.